PATRICIA CORNWELL

MÉMOIRES MORTES

Traduit de l'anglais par Andrea H. Japp

ÉDITIONS FRANCE LOISIRS

Titre original :
Body of Evidence
Éditeur original : Scribner, 1991

Édition du Club France Loisirs,
avec l'autorisation des Éditions des Deux Terres

Éditions France Loisirs,
123, boulevard de Grenelle, Paris
www.franceloisirs.com

ISBN : 2-7441-8077-7

Pour Ed,
agent spécial et véritable ami

Prologue

13 août,
Key West

Pour M.

Trente jours ont passé, rythmés par les changements du vent et les subtiles variations de la lumière, de ses couleurs. Je pense trop et je ne rêve pas.

Je passe la plupart de mes après-midi chez Louie's. J'écris assise à la terrasse, mon regard se perdant parfois vers l'océan. L'eau prend des nuances vert émeraude sur la mosaïque des bancs de sable, pour se teinter d'aigue-marine en profondeur. Il semble que le ciel soit sans fin, strié de bouffées de nuages pressés. Une infatigable brise balaie les exclamations des nageurs et le brouhaha qui monte des bateaux de plaisance amarrés juste derrière les brisants. La terrasse où je m'installe est couverte. Lorsque se déchaîne une violente averse, comme c'est fréquemment le cas en fin d'après-midi, je demeure à ma table, humant la pluie, contemplant l'écume qui se forme à la crête de vagues, hérissée comme une fourrure que l'on caresserait à rebrousse-poil. Parfois, le soleil éclate au travers des trombes d'eau.

Nul ne m'ennuie. Je suis devenue un des membres de cette famille, à l'instar de Zoulou, le labrador noir qui fonce vers les vagues à la poursuite de frisbees ou de ces chats errants qui se baladent et se rapprochent, attendant poliment qu'on leur jette des restes de nourriture. Je connais peu d'êtres humains qui dînent aussi bien que les gardiens à quatre pattes de Louie's. C'est un tel soulagement de constater que le monde peut traiter ses créatures avec tant de bienveillance. Je ne peux vraiment pas me plaindre de mes journées.

Ce sont les nuits que je redoute.

Et lorsque mes pensées m'entraînent dans leurs sombres gouffres, lorsqu'elles tissent leurs effroyables sortilèges, je m'enfonce dans les rues bondées de la Vieille Ville, fascinée par le vacarme des bars comme une phalène par la lumière. Walt et PJ m'ont permis d'affiner mes manies nocturnes. Je les pousse maintenant au grand art. Walt rentre le premier dans le logement de location, en général au crépuscule parce que les clients se font rares dans son échoppe de Mallory Square. Nous décapsulons des bouteilles de bière en attendant PJ. Ensuite commence la tournée des bars, laquelle se termine le plus souvent chez Sloppy Joe's. Nous devenons inséparables. J'espère tant qu'ils resteront toujours ensemble. Leur amour ne me semble plus hors norme. Du reste, rien ne me paraît plus anormal, si ce n'est la mort que je vois partout.

Masques d'hommes émaciés et blêmes, leurs yeux comme des passages vers leurs âmes en souffrance. Le sida est un holocauste qui consume les dons de cette petite île. Étrange que je puisse me sentir chez moi au milieu des exilés et des mourants. Mais peut-être me survivront-ils tous. Lorsque je suis allongée la nuit, les yeux grands ouverts, bercée par le ronronnement du ventilateur de fenêtre, défilent dans mon cerveau les images de ce qui va se produire.

À chaque fois que résonne la sonnerie d'un téléphone, je me souviens. À chaque fois que je perçois l'écho d'un pas derrière moi, je me retourne. Chaque nuit je fouille l'intérieur de ma penderie, je regarde derrière les doubles rideaux, et je coince le dossier d'une chaise sous la poignée de la porte.

Mon Dieu, je ne veux pas rentrer chez moi.

Beryl.

30 septembre,
Key West

Pour M.

Hier, chez Louie's, Brent est apparu sur la terrasse pour m'annoncer que l'on me demandait au téléphone. J'ai cru que mon cœur allait me lâcher lorsque je suis retournée dans la salle, lorsque j'ai perçu le grésillement caractéristique d'une communication longue distance, lorsqu'on a raccroché à l'autre bout de la ligne.

Dans quel état j'étais ! Et puis, je me suis dit que je sombrais dans la paranoïa. Il aurait prononcé quelques mots, il se serait réjoui de ma peur. Il ne peut pas savoir où je me trouve. Il est impossible qu'il m'ait pistée jusqu'ici. L'un des serveurs se nomme Stu. Il a déménagé du Nord ici après une rupture avec son ami. Peut-être était-ce ce dernier qui appelait, peut-être la communication était-elle médiocre ? On a pu croire qu'il demandait à parler avec Straw alors qu'il cherchait à joindre Stu. Lorsque j'ai répondu, il a raccroché.

J'aurais mieux fait de ne pas révéler mon surnom. Je suis Beryl. Je suis Straw. Je suis terrorisée.

Le livre n'est pas terminé. Mais je n'ai presque plus d'argent et le temps change. Il fait si sombre ce matin et le vent se déchaîne. Je n'ai pas bougé de ma chambre de crainte que mes pages ne s'envolent vers l'océan si je m'installais à la terrasse de chez Louie's. Les réverbères se sont allumés et les palmiers luttent contre les bourrasques, leurs larges feuilles se soulevant comme des parapluies retournés. Le monde geint et se plaint de l'autre côté de ma fenêtre, comme un animal blessé. Lorsque la pluie gifle le carreau, j'ai presque l'impression qu'une sombre armée a pris Key West d'assaut et que nous sommes assiégés.

Je vais bientôt devoir partir. L'île va me manquer. PJ et Walt aussi. Ils m'ont entourée et m'ont apaisée. J'ignore ce que je ferai une fois de retour à Richmond. Sans doute faudrait-il que je redéménage aussitôt... mais où aller ?

Beryl.

1

Je replaçai les lettres dans leurs enveloppes en papier bulle et fourrai un sachet contenant des gants chirurgicaux dans ma mallette noire avant d'emprunter l'ascenseur pour descendre à l'étage inférieur, celui de la morgue.

Le carrelage du long couloir était encore humide et la porte de la salle d'autopsie fermée, preuve que l'on s'y activait. La vaste chambre froide en acier inoxydable était située en diagonale de l'ascenseur. Lorsque j'ouvris le lourd battant, une coutumière bouffée d'air froid et empuanti me fouetta le visage. Je repérai rapidement la civière, sans même avoir besoin de vérifier l'étiquette pendant au doigt de pied. Le pied menu qui dépassait du drap blanc me renseigna. Je connaissais chaque centimètre carré de Beryl Madison.

Les yeux bleu-gris, étirés en amande, fixaient de leur vide le plafond. La peau de son visage avait été distendue, abîmée par de pâles coupures béantes, la plupart sur la joue gauche. Les muscles de son cou avaient été sectionnés et sa gorge tranchée jusqu'à la colonne vertébrale. Neuf coups de couteau, tous groupés, avaient été portés juste au-dessus du sein gauche. Les lèvres évasées des plaies ressemblaient à des boutonnières pourpres presque verticales. Les coups avaient été assenés en succession rapide, les uns derrière les autres, avec une telle violence que la peau avait conservé la marque de la garde de l'arme. Les blessures de défense, retrouvées sur les avant-bras et les mains de la victime, mesuraient entre un et dix centimètres de longueur. Si l'on excluait les coups de couteau qu'elle avait reçus à la poitrine et la plaie circulaire de la gorge, Beryl Madison avait été poignardée à vingt-sept reprises, dont deux fois dans le dos, comme elle tentait de se protéger de la large lame aiguisée qui s'abattait.

Je n'avais nul besoin de photographies ou de diagrammes. Il me suffisait de fermer les yeux pour voir le visage de la jeune femme. J'imaginais avec une épouvantable précision le déchaînement de violence subi par ce corps. Quatre perforations avaient endommagé le poumon gauche. Les artères carotides avaient presque été sectionnées. La crosse aortique, l'artère pulmonaire, la séreuse péricardique et le cœur avaient été atteints. Beryl Madison pouvait être considérée comme déjà décédée lorsque son meurtrier l'avait pratiquement décapitée.

Je tentais de trouver une signification à tout cela. Quelqu'un l'avait menacée de mort et elle avait fui jusqu'à Key West. Elle était terrorisée. Elle voulait vivre. Pourtant, elle était morte le premier soir de son retour à Richmond.

Mais pourquoi l'as-tu laissé entrer chez toi ? Enfin, pourquoi ?

Je réarrangeai le drap sur le cadavre et poussai le chariot contre le mur du fond de la chambre froide, à côté des autres. Demain à la même heure, elle serait incinérée et ses cendres s'envoleraient pour la Californie. Beryl Madison aurait eu trente-quatre ans le mois prochain. Elle n'avait personne au monde à l'exception d'une demi-sœur qui habitait Fresno. La lourde porte se referma dans un bruit de succion.

L'asphalte du parking arrière du bâtiment qui abritait les bureaux du médecin expert en chef, l'OCME, était tiède et rassurant sous mes pas. Des voies ferrées voisines me parvenait l'odeur de la créosote surchauffée des traverses. Un chaud soleil brillait, presque déroutant en cette période d'Halloween.

La porte de la baie de déchargement était ouverte et l'un de mes assistants arrosait le ciment cru au jet. Plaisantant, il pinça le jet qui s'éleva en arc pour retomber non loin de moi en bruine, rafraîchissant mes chevilles.

— Hé, docteur Scarpetta, vous faites des journées de banquier, maintenant ?

Il était 16 h 30 passées. Je quittais rarement mes bureaux avant 18 heures.

— Vous voulez que je vous dépose quelque part ? demanda-t-il alors.

— Non merci, on passe me prendre.

Originaire de Miami, je connaissais bien ce coin du monde dans lequel Beryl s'était terrée tout l'été. Il suffisait que je ferme les paupières pour que s'imposent à nouveau les couleurs de Key West. Des bleus éclatants, des verts toniques, et des couchers de soleil si clinquants et tapageurs que seul Dieu pouvait les oser. Beryl Madison n'aurait jamais dû rentrer chez elle.

Une magnifique LTD Crown Victoria, brillante comme une coulée de verre noir, glissa lentement sur le parking. J'attendais la vieille Plymouth bringuebalante et sursautai lorsque la vitre conducteur de la Ford flambant neuve s'abaissa dans un léger chuintement.

— Vous poireautez en attendant le bus ou quoi ?

Les lacs mercure des lunettes de soleil me renvoyèrent

l'image de mon visage surpris. Le lieutenant Pete Marino tenta de conserver son attitude blasée en actionnant le déverrouillage électronique des portes.

— Je suis très impressionnée, commentai-je en m'installant dans l'habitacle luxueux.

— C'est mon petit cadeau pour ma promotion, annonça-t-il en faisant ronfler le moteur. C'est pas dégueu, hein ?

Après des légions de rosses, le lieutenant Marino venait de s'offrir un vrai pur-sang.

Je sortis mes cigarettes, remarquant l'orifice béant dans le tableau de bord.

— C'est prévu pour une veilleuse ou pour un rasoir électrique ?

— Bordel, m'en causez pas ! Un trou du'c m'a piqué mon allume-cigare. Au lavage automatique, j'veux dire. Attendez, j'avais pas la bagnole depuis deux jours, c'est dingue, non ? Donc je l'amène au lavage. Ensuite, j'étais à cran parce que leurs rouleaux avaient bousillé l'antenne, et donc je leur suis tombé dessus, aux trous du'c en question...

Marino me rappelait parfois ma mère que bien après.

— ... et, du coup, je me suis aperçu que bien après qu'on m'avait taxé mon allume-cigare.

Il s'interrompit, fouillant dans sa poche comme je tentais de repêcher une boîte d'allumettes dans mon sac.

— Woh... Ben alors, chef, je croyais que vous deviez arrêter de fumer ? lâcha-t-il d'un petit ton sarcastique en me balançant un briquet jetable sur les genoux.

— C'est exact..., marmonnai-je. Dès demain.

J'assistais à une représentation très prétentieuse donnée à l'Opéra la nuit durant laquelle Beryl Madison avait été assassinée. J'avais fini la soirée dans un pub anglais dont la réputation m'avait semblé bien optimiste, en compagnie d'un juge à la retraite. Son maintien dérapait à mesure que le temps passait. Je n'avais pas mon bipeur sur moi. La police n'avait pu me joindre et avait contacté mon premier adjoint, Fielding, lequel avait aussitôt rejoint la scène du crime. Je ne m'étais donc pas encore rendue au domicile de la romancière abattue.

Ce genre d'événements hideux semblait presque inconcevable dans un quartier comme Windsor Farms. Les demeures y étaient vastes, dressées un peu en retrait des rues, entourées de jardins entretenus avec maniaquerie. La plupart étaient climatisées et protégées par des systèmes d'alarme, éliminant toute nécessité d'ouvrir les fenêtres. Si l'argent n'offre pas l'immortalité, du moins procure-t-il une certaine sécurité.

Marino freina devant un stop et je remarquai :

— Sans doute était-elle très à l'aise financièrement.

Une femme aux cheveux blancs qui promenait son petit maltais, neigeux lui aussi, nous jeta un regard de biais. Le chien renifla une touffe d'herbe qui sembla le séduire.

— Non, mais quel sac à puces sans intérêt ! lâcha-t-il en destinant un regard de mépris à la femme qui s'éloignait avec son animal. Je déteste ce genre de cabots. Ça gueule toute la journée, et ça pisse partout. Quand on veut un chien, on prend un machin avec des crocs !

— Certaines personnes souhaitent juste un peu de compagnie.

— Ouais...

Il marqua une pause, puis revint à ma remarque précédente :

— Beryl Madison avait pas mal de fric, la majeure partie est investie dans cette baraque. À ce qui semble, elle a flambé toute sa cagnotte pour se payer son petit bout de paradis dans ce coin à pédés. On n'a pas fini d'éplucher tous ses papiers.

— Selon vous, quelqu'un était-il passé avant la police ?

— J'ai pas l'impression. Ce qu'on peut dire, c'est qu'elle se débrouillait plutôt bien comme écrivain, enfin, rapport au fric, j'veux dire. Elle jonglait avec les pseudos : Adair Wilds, Emily Stratton, Edith Montague.

Les deux lacs mercure se tournèrent à nouveau vers moi.

Les noms ne m'évoquaient pas grand-chose, si ce n'est, peut-être, Stratton. Je remarquai :

— Stratton est son deuxième prénom.

— C'est peut-être à cause de ça qu'on lui a donné son surnom de Straw ?

— Peut-être... Cela et ses cheveux blonds comme le blé, remarquai-je.

Le soleil avait ajouté une nuance dorée au blond miel des cheveux de Beryl. Elle était menue, avec de beaux traits fins, élégants. Peut-être une vraie beauté de son vivant, mais il était difficile de s'en faire une idée. J'avais dû me contenter de la petite photo d'identité de son permis de conduire.

Marino expliqua :

— C'est quand j'ai discuté avec sa demi-sœur que j'ai pigé qu'y avait que les proches de Beryl qui l'appelaient Straw. Ce que je veux dire, c'est que la personne à qui elle écrivait dans les Keys connaissait son surnom. Enfin, c'est mon sentiment. (Il rectifia le pare-soleil.) Le truc qui me turlupine, c'est pourquoi qu'elle a photocopié ces lettres ? Je me suis pas mal ramoné les méninges à ce sujet. Non, parce que, franchement, vous en connaissez beaucoup, vous, des gens qui font des copies de leur correspondance ?

— Vous m'avez dit qu'elle faisait partie des « conserveuses » invétérées.

— Juste, et ça aussi, ça me prend pas mal la tête. Donc ce fondu l'aurait menacée depuis des mois. Quand ? Comment ? Où ? On n'en sait que dalle parce qu'elle a pas enregistré ses appels, elle a rien noté non plus. La petite dame photocopie son courrier, mais elle omet toute mention au sujet d'un mec qui promet de la dégommer. Ça vous paraît logique ?

— Tout le monde ne pense pas nécessairement de la même façon que nous.

— Ouais, ben, y a des gens qui pensent pas du tout parce qu'ils sont jusqu'au cou dans un truc qu'ils veulent planquer au reste de la Terre, rétorqua Marino.

Il emprunta une allée et se gara devant la porte du garage. L'herbe avait poussé et des pissenlits s'étaient imposés çà et là, leurs feuilles chahutées par une brise légère. Une pancarte « À vendre » était fichée à côté de la boîte aux lettres. Un bout du ruban jaune utilisé pour délimiter les scènes de crimes barrait toujours la porte d'entrée grise.

Nous descendîmes de voiture.

— Sa bagnole est dans le garage, précisa Marino. Une chouette Honda Accord EX noire... Certains détails devraient vous intéresser.

Plantés au milieu de l'allée, nous jetâmes un regard autour de nous. Les rayons obliques du soleil me réchauffaient la nuque et les épaules, pourtant le fond de l'air était agréablement frais. Un silence seulement rythmé par le bourdonnement obstiné des insectes nous environnait. J'inspirai avec effort. Une soudaine fatigue m'alourdissait.

La maison était moderne et d'un dépouillement extrême. De hauts piliers soutenaient l'étage dont la façade s'ouvrait sur de larges baies vitrées, donnant à l'ensemble l'allure d'un navire à pont inférieur exposé. Bâtie en pierres brutes et bois gris, c'était typiquement la demeure d'un jeune couple fortuné : de vastes pièces à haut plafond, un luxe d'espace, onéreux et gaspillé. La maison était située au bout d'un cul-de-sac : Windham Drive. Sans doute cette topographie expliquait-elle que personne n'ait rien entendu ou vu avant qu'il ne soit trop tard. Un berceau de chênes et de pins l'isolait des habitations voisines. À l'arrière, le jardin se terminait sur un ravin escarpé, fouillis de buissons et de rochers. Le terrain s'adoucissait plus loin pour se transformer à perte de vue en dense forêt.

— Bordel... J'suis sûr qu'elle avait des chevreuils, lâcha Marino comme nous faisions le tour de la maison. C'est quelque chose, hein ? Vous regardez par la fenêtre et vous vous dites que le monde vous appartient. La vue doit être géniale quand il neige. Voyez, moi, j'aimerais bien une baraque comme ça... l'hiver, un super-feu de bois dans la cheminée, un bon verre de bourbon, vous n'avez plus qu'à vous installer devant une fenêtre et regarder. Ça doit être le pied d'être riche.

— Surtout lorsqu'on est encore vivant pour en profiter.

— Ça, c'est ce que j'appelle une vraie vérité !

Les feuilles desséchées par l'automne gémissaient sous nos semelles lorsque nous contournâmes l'aile ouest. La porte d'entrée était de plain-pied avec le patio. Son œilleton me fixait comme un iris vide. Marino se débarrassa de son mégot d'une pichenette, l'envoyant valser dans l'herbe haute, avant de plonger la main dans la poche de son pantalon bleu-gris. Il avait retiré sa veste et son gros ventre s'affaissait par-dessus sa ceinture. Sa chemise blanche à manches courtes était entrouverte au col et froissée sous les sangles de son holster d'épaule.

Il tira une clé à laquelle pendait une des étiquettes utilisées pour les pièces à conviction. La taille de ses mains me surprit à nouveau lorsqu'il la tourna dans le verrou. Des mains rudes, tannées, qui m'évoquaient toujours des gants de base-ball, rien à voir avec les fameuses mains de pianiste, voire de dentiste. En dépit de sa petite cinquantaine, de ses cheveux grisonnants et clairsemés, et de son visage aussi froissé et fatigué que ses costumes, Marino était encore très impressionnant. Les grandes baraques de flics de son genre ont rarement besoin d'en venir aux poings. Un regard suffit aux petits voyous des rues pour se convaincre qu'il vaut mieux fourrer leur témérité dans leur poche avec leur mouchoir par-dessus.

Une fois dans la grande entrée inondée de soleil, nous enfilâmes des gants. La maison sentait le renfermé et la poussière, l'odeur typique de l'abandon. Rien n'avait été dérangé ou déménagé malgré la visite de l'identité judiciaire de Richmond, qui avait passé les lieux au peigne fin. Du reste, Marino m'avait assuré que l'endroit était resté dans l'état où il se trouvait deux nuits plus tôt, lorsque le corps de Beryl avait été découvert. Il referma la porte derrière nous et alluma.

Sa voix résonna en écho :

— Vous voyez... elle a fait pénétrer le gars. Pas d'effraction et la baraque est équipée d'un système d'alarme de compétition. (Il pointa du doigt vers un tableau hérissé de boutons, scellé au chambranle de la porte, et ajouta :) Pour l'instant, il est désactivé. Mais il marchait à notre arrivée, la sirène hurlait... C'est d'ailleurs comme ça qu'on l'a découverte si vite.

Il me rappela que la gêne sonore avait poussé les riverains à prévenir la police. À environ 23 heures, un voisin agacé par le vacarme qui persistait depuis presque trente minutes avait composé le 911, le numéro d'urgence. Une voiture de patrouille s'était rendue sur les lieux et l'un des policiers avait remarqué la porte d'entrée entrouverte. Quelques minutes plus tard, il demandait des renforts par radio.

Le salon était sens dessus dessous, la table basse gisait sur le flanc. Des magazines, un cendrier en cristal, des coupes Art déco et un vase avaient atterri pêle-mêle sur le tapis indien. Un fauteuil en cuir bleu pâle était renversé non loin d'un des coussins du sofa assorti. Des éclaboussures de sang avaient séché sur le mur badigeonné à la chaux, à gauche d'une porte ouvrant sur un couloir.

— Le système d'alarme se déclenche-t-il avec un temps de retard ? demandai-je.

— Oh, ouais. Vous ouvrez et ça grésille durant une quinzaine de secondes, assez pour vous permettre de taper votre code avant l'ouragan de décibels.

— En d'autres termes, elle a ouvert la porte, désactivé l'alarme, fait entrer cette personne avant de rebrancher l'alarme. Ce qui explique qu'elle se soit déclenchée lorsque le tueur est reparti. Intéressant.

— Ouais... vachement intéressant.

Nous nous tenions dans le salon, non loin de la table basse maculée de poudre à empreintes. Les revues littéraires qui jonchaient le sol semblaient ne pas avoir été feuilletées en dépit du fait qu'elles dataient de plusieurs mois.

— Avez-vous trouvé des journaux ou des magazines récents ? m'enquis-je. Si elle avait acheté une feuille de chou locale, cela pourrait se révéler important. Il faudrait parvenir à retracer ses mouvements depuis sa descente d'avion.

Les mâchoires de Marino se crispèrent. Il avait le sentiment que je cherchais à lui apprendre son travail et il détestait cela.

Il déclara :

— Y avait quelques trucs en haut, dans sa chambre, en plus de sa serviette et de ses valises. Un numéro de l'*Herald* de Miami et un périodique appelé *Keynoter,* un machin d'annonces immobilières spécialisé dans les Keys. Peut-être qu'elle envisageait de déménager là-bas ? Les deux canards en question ont paru lundi dernier. Elle a dû les acheter, ou peut-être qu'elle les a ramassés dans l'aéroport à son arrivée à Richmond.

— Je serais curieuse de rencontrer son agent immobilier. Il doit pouvoir nous dire si...

— Rien. Il a rien à dire, m'interrompit Marino. Il a pas la moindre idée de l'endroit où était passée Beryl et il a fait visiter la maison qu'une fois depuis son départ. À un jeune couple, mais ils l'ont trouvée trop chère. Elle en demandait trois cent mille dollars. (Le visage impassible, il balaya la pièce du regard avant de lâcher :) Je suppose qu'on pourrait pas mal marchander le prix, maintenant.

Tenace, j'en revins à ce que nous savions :

— Beryl a donc sauté dans un taxi à sa descente d'avion.

Il extirpa une cigarette de son paquet et la pointa vers le couloir.

— J'ai trouvé le reçu dans l'entrée, sur la petite console près de la porte. On a déjà vérifié. Le chauffeur est un gars du nom de Woodrow Hunnel. Con comme la lune. Il a raconté qu'il était dans la file des taxis à l'aéroport. Elle est montée. Il était pas loin de 20 heures et il pleuvait comme vache qui pisse. Le mec l'a déposée devant chez elle une quarantaine de minutes plus tard. Il a porté ses deux valises jusqu'à la porte et il est reparti. Le montant de la course était de vingt-six dollars avec le pourboire. Il était de retour à l'aéroport une demi-heure après et il a chargé un autre client.

— C'est certain ou c'est ce qu'il vous a raconté ?

— Aussi certain que vous me voyez...

Il tapota la cigarette sur sa phalange et tripota le filtre du bout de son pouce avant de poursuivre :

— On a vérifié. Hunnel ne nous a pas raconté de bobards. Il a pas pu toucher la femme. Il n'avait pas assez de temps.

Je suivis son regard jusqu'aux éclaboussures sombres de l'entrée. Les vêtements du tueur devaient être imbibés de sang. Il était peu probable qu'un chauffeur de taxi continue sa tournée avec des vêtements souillés de la sorte.

— Elle n'était pas rentrée depuis longtemps, résumai-je. Elle arrive à 21 heures environ, et un voisin compose le 911 à 23 heures pour se plaindre du bruit. Cela fait une demi-heure que l'alarme retentit. En conclusion, le tueur avait quitté les lieux à 22 h 30 environ.

— Ouais. Ça, c'est vraiment un truc que je pige pas. Si on en croit ses lettres, elle avait une trouille bleue. Elle rentre en ville en douce, elle se boucle dans sa baraque, allant même jusqu'à poser son arme sur un des plans de travail de la cuisine – je vous montrerai quand on y fera un tour. Et puis, boum ! Qu'est-ce qui se passe ensuite ? Quelqu'un sonne ou quoi ? Toujours est-il qu'elle ouvre à ce tordu et rebranche l'alarme derrière lui. C'est forcément quelqu'un qu'elle connaissait.

— Personnellement, je n'exclus pas la possibilité d'un étranger, rétorquai-je. Un individu affable, rassurant. Il l'a mise en confiance et elle lui a ouvert sa porte, allez savoir pour quelle raison.

Ses yeux s'arrêtèrent une fraction de seconde sur moi avant de reprendre l'inspection des lieux.

— À cette heure-là ? Quoi, alors ? Il vend des encyclopédies ou des aspirateurs à 10 heures du soir ?

Je ne répondis rien. Je n'en avais pas la moindre idée. Nous nous immobilisâmes sur le pas de la porte donnant dans le couloir.

— C'est le premier sang, annonça Marino en détaillant les taches sèches sur le mur. Ça, c'est la première blessure qu'elle a reçue, juste ici. Elle devait tenter de s'enfuir comme une dingue et il a frappé.

Les balafres que portait Beryl aux bras, aux mains et au visage me revinrent en mémoire.

Marino poursuivit :

— Selon moi, il lui a tailladé le visage, ou le dos, ou encore le bras gauche à peu près à cet endroit. La traînée sur le mur, juste là, évoque tout à fait une projection de gouttelettes giclant de la lame. Il l'avait déjà frappée – au moins une fois –, la lame était ensanglantée, et quand il a à nouveau levé l'arme pour l'abattre sur elle, le sang a valdingué sur le mur.

Les taches étaient de forme ovoïde, d'environ six millimètres de diamètre. Leur forme s'allongeait au fur et à mesure qu'elles s'éloignaient du chambranle de la porte. Le sang avait giclé sur près de trois mètres. L'agresseur avait frappé avec une force colossale et une rare violence émotionnelle transparaissait sous ce crime. Il ne s'agissait pas d'une simple colère, c'était bien pire que ça. *Mais pourquoi lui avait-elle permis de pénétrer chez elle ?*

— Si j'en juge par la géométrie des traces, le mec devait être à peu près ici, expliqua Marino en se positionnant à quelques mètres de la porte, légèrement sur la gauche. Il brandit le couteau, la frappe, et le mouvement rapide projette du sang sur la cloison. Les traînées commencent juste là, comme vous pouvez le constater, précisa-t-il en désignant les gouttelettes les plus hautes, situées à hauteur de sa tête. Puis le schéma des projections s'évase en éventail en descendant presque jusqu'au sol.

Il marqua un temps d'arrêt, me fixant avec une sorte de défi, et reprit :

— Vous l'avez examinée. C'est quoi selon vous ? Un droitier ou un gaucher ?

La sempiternelle question des flics. Je leur avais déjà seriné une bonne centaine de fois qu'on ne pouvait pas le déterminer si facilement, ils persistaient à la poser.

— Je ne peux pas le deviner avec ce seul panache de sang, lâchai-je, la bouche sèche, avec dans la gorge un arrière-goût de poussière. Cela dépend de la position du tueur par rapport à celle de la victime. Concernant les blessures sur la poitrine, elles sont légèrement en biais, de gauche à droite. Cela pourrait suggérer qu'il est gaucher, mais, encore une fois, tout dépend de sa position au moment de l'agression.

— Ce qui me trouble, c'est que toutes les blessures de défense retrouvées sur le cadavre sont localisées à gauche. Vous voyez... elle court. Il l'attaque à gauche, pas à droite. Je me demande si c'est pas un gaucher.

— Cela dépend de leurs positions respectives, insistai-je avec une certaine impatience.

— Ouais, bougonna-t-il. Tout dépend toujours de quelque chose.

Le couloir était parqueté. Un chemin de craie avait été tracé, encerclant les gouttes de sang qui ponctuaient le sol sur trois mètres jusqu'à un escalier situé à notre gauche. Beryl s'était précipitée dans cette direction, grimpant les marches. Le choc, la terreur étaient encore plus vivaces que sa souffrance. Les lambris portaient la trace sanglante de ses doigts tailladés. Marche après marche, elle s'était appuyée au mur pour s'aider dans son ascension et conserver son équilibre.

D'autres taches brunâtres prenaient la relève, souillant le sol, les murs et même le plafond. Beryl avait couru tout au bout du couloir de l'étage. Une impasse dans laquelle elle était restée piégée durant un moment, ainsi qu'en témoignait l'abondance des marques rouge-brun à cet endroit. La poursuite avait ensuite repris lorsque Beryl avait foncé jusqu'à sa chambre. Sans doute avait-elle alors tenté d'esquiver le couteau en grimpant sur le lit comme son assaillant le contournait. À un moment, elle avait dû lâcher sa mallette, ou alors celle-ci avait été projetée du lit au cours de l'affrontement. La police l'avait retrouvée gisant sur la descente de lit, ouverte et retournée comme une petite tente, au milieu des papiers échappés, parmi lesquels les photocopies des lettres que Beryl Madison avait écrites de Key West.

— Qu'y avait-il d'autre ?

— Des reçus, des guides touristiques, dont une brochure avec un plan de rues, répondit Marino. Je vous ferai des photocopies si ça vous intéresse.

— Oui, s'il vous plaît.

— On a aussi trouvé une liasse de feuilles tapées à la machine sur la commode, là, ajouta Marino en la désignant. Sans doute ce qu'elle était en train d'écrire dans les Keys. Y a plein de notes griffonnées dans les marges, au crayon. Pas d'empreintes digitales à se mettre sous la dent, quelques-unes sont floues, d'autres partielles, et toutes lui appartiennent.

Le lit était découvert jusqu'au matelas. Les draps et le couvre-lit ensanglantés avaient été expédiés pour analyse au labo.

Et puis ses mouvements s'étaient ralentis. La faiblesse musculaire la gagnant, elle avait progressivement perdu le contrôle de ses gestes. Pourtant, elle avait essayé de s'enfuir à nouveau, titubant jusqu'au couloir où elle avait trébuché pour s'affaler sur un tapis de prières oriental, celui que j'avais vu sur des clichés de police. L'empreinte de ses mains sanglantes marquait le sol où elle avait rampé. Elle s'était traînée jusqu'à la chambre d'amis, située juste après la salle de bains. C'était là qu'elle était morte.

Marino lâcha :

— Ce que j'crois, c'est qu'y fallait qu'il la prenne en chasse, ç'aurait pas été drôle pour lui sans ça. Il aurait pu lui tomber dessus dans le salon, bref la bousiller en bas, mais ç'aurait foutu en l'air sa partie de plaisir. J'suis sûr qu'il a souri tout le temps qu'elle a hurlé, supplié, qu'elle s'est vidée de son sang. Mais quand elle s'est traînée jusqu'à la chambre d'invités, elle était déjà à moitié dans les vapes. Baisser de rideau. C'était plus drôle. Alors il l'a achevée.

La pièce était glaciale, peinte d'un joli jaune, pâle comme un soleil d'hiver. Une large ombre fonçait le plancher au pied du petit lit et un panache brunâtre enlaidissait les murs chaulés. Beryl était allongée sur le dos sur les clichés que j'avais étudiés, jambes écartées, les bras en arc au-dessus de la tête. Son visage était tourné vers la fenêtre. Elle était nue. Au début, il m'avait été impossible de me faire une idée de son physique, je ne parvenais même pas à déterminer la couleur de ses cheveux. Je ne voyais qu'une nappe de rouge sur les photographies. La police avait trouvé une paire de pantalons kaki non loin du cadavre. Son chemisier et ses sous-vêtements avaient disparu.

— Ce chauffeur de taxi que vous avez mentionné – Hunnel, je crois –, se souvenait-il des vêtements que portait sa cliente lorsqu'il l'avait chargée à l'aéroport ?

— Il faisait déjà nuit, répondit Marino. Il était pas trop formel... un pantalon et une veste à ce qu'il croit. Ce dont on est certain, c'est qu'elle portait bien ce pantalon kaki lorsqu'elle a été agressée. Y avait la veste coordonnée sur le dossier d'une des chaises de sa chambre. Je pense pas qu'elle se soit changée en arrivant chez elle. Elle a dû jeter sa veste sur une chaise. Quant au reste, son chemisier et ses sous-vêtements, le tueur l'a embarqué.

— Un souvenir, conclus-je à haute voix.

Marino fixait le plancher noirci de sang sec, juste à l'endroit où son corps avait été retrouvé.

— À mon avis, il la coince dans cette chambre, il lui arrache ses vêtements, la viole – du moins, il essaie. Ensuite il frappe à nouveau, au point de la décapiter presque complètement. C'est vraiment dommage que le PERK ait foiré, commenta-t-il. Ça veut dire qu'on peut faire une croix sur l'empreinte ADN.

Il faisait allusion au *physical evidence recovery kit*, une trousse de tests permettant de collecter des indices biologiques sur une scène de crime. Dans le cas de Beryl, les écouvillons vaginaux n'avaient pas permis de mettre de sperme en évidence.

— Sauf s'il s'avère que le sang que nous sommes en train d'analyser est un mélange et qu'on parvienne à isoler celui du tueur. Sans cela, en effet, il faudra nous passer de l'ADN.

— Et ni poil ni cheveu, non plus.

— Nous n'en avons collecté que quelques-uns, et tous semblent appartenir à la victime.

Le silence de la maison nous environnait, si dense que le son de nos voix devenait presque dérangeant. D'affreuses taches de sang partout, où que mes yeux se posent. Les mêmes images envahissaient mon esprit : les plaies, les marques abandonnées par la garde du couteau sur sa chair, la monstrueuse béance qui entaillait son cou, comme deux lèvres disjointes – et si rouges... Je quittai la pièce, rejoignant le couloir. La poussière m'irritait les poumons, gênant ma respiration.

— Où avez-vous retrouvé son arme au juste ? demandai-je.

Lorsque la police était arrivée chez Beryl Madison cette nuit-là, elle avait retrouvé le 38 automatique sur un des plans de travail de la cuisine, à côté du four à micro-ondes. L'arme était chargée, mais le cran de sécurité repoussé. Les seules empreintes partielles identifiées sur le pistolet appartenaient à la victime.

— Elle rangeait la boîte de munitions dans une petite table de chevet, dans sa chambre, précisa Marino. Sans doute aussi son flingue. Elle a dû monter ses bagages, les défaire et balancer la plupart de ses fringues dans le panier à linge de la salle de bains. Puis elle a rangé les valises vides dans sa penderie. De toute évidence, à un moment quelconque, elle a sorti l'arme. Ça prouve qu'elle avait la trouille. Vous pariez combien qu'elle a fait la tournée de toutes les pièces, flingue en main, avant de se détendre un peu ?

— En tout cas, c'est ce que j'aurais fait, commentai-je.

Il jeta un regard dans la cuisine avant de poursuivre :

— Peut-être bien qu'elle est descendue ici pour grignoter un bout.

— Si c'était là son intention, il n'en demeure pas

moins qu'elle n'a rien ingéré. Le volume de contenu gastrique n'excédait pas cinquante millilitres, rien à l'exclusion d'un fluide brunâtre. En d'autres termes, elle avait eu le temps de digérer son dernier repas avant d'être tuée, ou plutôt attaquée. La digestion est inhibée lors de stress aigus comme une peur intense. Nous aurions retrouvé les aliments dans l'estomac si elle avait ingéré quoi que ce soit juste avant l'agression.

— De toute façon, y a pas grand-chose à se mettre sous la dent, renchérit Marino comme s'il s'agissait là d'un point crucial.

Il ouvrit le réfrigérateur. Un presque désert à l'exclusion d'un vieux citron ratatiné, deux plaquettes de beurre, une part de fromage moisi, quelques pots de condiments et une bouteille d'eau gazeuse. Le congélateur était un peu moins consternant, à peine. Quelques sachets de blanc de poulet, un plat cuisiné et des steaks hachés allégés en matière grasse. La préparation des repas devait relever de la stricte nécessité pour Beryl, certainement pas de la passion. Pas grand-chose à voir avec ma propre cuisine. Celle-ci était d'une stérilité assez déprimante. De fins grains de poussière flottaient dans la lumière douce qui filtrait par les lames des stores gris de la fenêtre, juste au-dessus de l'évier. Ce dernier, tout comme l'égouttoir, était vide et sec. Les appareils électroménagers dernier cri semblaient n'avoir jamais été utilisés.

— Ou alors, elle est descendue pour boire un verre, proposa Marino.

— Son alcoolémie est négative.

— Ça veut pas dire qu'elle avait pas envie de boire un coup.

Il ouvrit un des placards scellés au-dessus de l'évier. Ses trois étagères étaient bourrées à craquer : du Jack

Daniel's, du Chivas Regal, du Tanqueray, sans oublier des liqueurs. Plaquée contre la bouteille de cognac sur l'étagère du haut, une bouteille m'intrigua : un rhum Barbancourt haïtien de quinze ans d'âge, une boisson aussi onéreuse qu'un excellent scotch pur malt.

Je l'attrapai d'une main gantée et la posai sur le plan de travail. La languette de papier scellant le goulot manquait, mais la bague de protection autour du bouchon à vis doré était intacte.

— Ça m'étonnerait qu'elle ait trouvé ce genre d'alcool dans le coin, remarquai-je. Elle a dû l'acheter à Miami ou à Key West.

— Vous pensez qu'elle l'a ramené de Floride ?

— Ce n'est pas exclu. Il est clair qu'elle appréciait les bonnes bouteilles. Le Barbancourt est une merveille.

— J'ai l'impression que vous émargez dans la même catégorie, Doc.

Contrairement à la plupart de ses voisines, la bouteille de rhum était dépourvue de poussière.

— Cela pourrait expliquer sa présence dans la cuisine, continuai-je. Elle est peut-être descendue avec l'intention de la ranger dans le placard, éventuellement de s'en servir un verre, et quelqu'un a sonné.

— Ouais, mais ce que ça dit pas, c'est pour quelle raison elle a abandonné son arme sur ce plan de travail pour aller ouvrir. Elle était morte de trouille, d'accord ? Ça me conforte dans l'hypothèse qu'elle attendait cette visite, connaissait ce tordu. Donc elle collectionne les super-bouteilles de gnôle. Et alors quoi ? Elle picolerait toute seule ? Moi, je trouve plus vraisemblable qu'elle organise de temps en temps une petite sauterie avec un mec. Bordel, c'est peut-être même ce fameux « M » à qui elle écrivait des Keys. Possible que ce soit lui qu'elle attendait la nuit où elle s'est fait dégommer.

— Vous pensez que « M » serait notre tueur ? m'enquis-je.

— Ah, parce que vous pas ?

Son ton devenait belliqueux, et sa façon de tripoter sa cigarette éteinte entre ses doigts commençait à me porter sur les nerfs.

— Je n'exclus aucune hypothèse, par exemple celle selon laquelle la victime n'attendait personne. Elle rangeait son rhum dans la cuisine, peut-être même se préparait-elle à s'en servir un verre. Elle était sur les nerfs, son arme à portée de main. La sonnerie de la porte l'a fait bondir et...

— Juste, m'interrompit-il. Elle est à cran, et elle sursaute. Alors pourquoi qu'elle laisse son flingue ici quand elle se dirige vers cette foutue porte ?

— Elle s'entraînait ?

— S'entraînait ?..., répéta-t-il en me fixant. *À quoi ?*

— Au tir.

— Bordel, j'en sais foutre rien...

— Car si elle ne s'entraînait pas, elle rentre dans la catégorie de celles pour qui s'armer n'est pas un réflexe mais une démarche réfléchie. Pas mal de femmes s'équipent de bombes lacrymogènes, mais rares sont celles qui pensent à les sortir de leur sac à main en cas d'agression, parce que l'autodéfense n'est pas instinctive chez elles.

— Bof, je sais pas trop...

Moi, je *savais*. Je possédais un revolver Ruger 38, chargé avec des Silvertip, l'une des munitions les plus impitoyables en vente sur le marché. Seul l'entraînement me l'avait rendu familier. Plusieurs fois par mois, je descendais au stand de tir installé dans l'immeuble qui abritait mes bureaux. Lorsque j'étais seule chez moi, je me sentais maintenant plus en sécurité avec mon arme à portée.

Mais il y avait autre chose. Je repensai au salon, à la cheminée et à ses accessoires réunis dans un serviteur en cuivre, juste à côté de l'âtre. Beryl avait affronté son agresseur dans cette pièce sans une seule fois songer à attraper un tisonnier ou la pelle à braises. Se défendre ne faisait pas partie de son schéma psychologique. Son seul réflexe avait été la fuite, à Key West ou à l'étage, vers sa chambre.

J'insistai :

— Elle n'avait pas l'habitude de son arme, Marino. On sonne à la porte. Elle est angoissée, troublée, sur les nerfs. Elle traverse le salon et vérifie à l'œilleton. Qui qu'elle aperçoive alors, elle a assez confiance pour ouvrir la porte. Elle a déjà oublié le pistolet.

— Ou alors, c'est qu'elle attendait son visiteur, persista Marino.

— C'est tout à fait possible, si tant est que quelqu'un ait été au courant de son retour.

— Peut-être que *lui,* il savait.

Je replaçai la bouteille de rhum sur son étagère et lui accordai ce qu'il avait tant envie d'entendre :

— Et il n'est pas exclu qu'il s'agisse de ce « M ».

— Bingo... Hein que c'est tout de suite plus logique, approuva-t-il.

Je repoussai la porte du placard.

— Marino, elle a été menacée, terrorisée durant des mois. J'ai du mal à croire que son assassin était l'un de ses amis et qu'elle ne s'en soit jamais douté.

Il consulta sa montre, un air contrarié sur le visage, puis sortit une nouvelle clé de sa poche.

Il était invraisemblable que Beryl ait pu ouvrir à un étranger. D'un autre côté, c'était encore plus absurde de supposer qu'une de ses proches connaissances ait pu lui infliger ce massacre. *Mais pourquoi l'avait-elle laissé entrer ?* La même question me harcelait sans répit.

Un auvent reliait la maison au garage. Le soleil avait plongé derrière les arbres.

Le verrou de la porte du garage s'ouvrit dans un claquement sec.

— Faut que j'vous dise, j'suis rentré là-dedans juste après vous avoir téléphoné. J'aurais pu défoncer la porte avant, la nuit où on l'a retrouvée, mais j'en ai pas vu l'intérêt...

Il y alla d'un léger haussement d'épaules massives, comme pour me démontrer qu'il était de taille à s'attaquer à n'importe quelle porte, arbre ou benne à ordures si l'envie lui en prenait.

— Elle y avait pas mis les pieds depuis son départ en Floride. On a eu un mal de chien à retrouver la foutue clé.

C'était bien la première fois que je pénétrais dans un garage lambrissé, au sol carrelé de ces coûteuses tomettes italiennes en forme de larges écailles rouge-brun.

— Cette pièce était *vraiment* destinée à servir de garage ? demandai-je.

— Ben, en tout cas ça, c'est bien une porte de garage, non ? (Il tira plusieurs clés de sa poche.) C'est une chouette de crèche pour abriter une bagnole, vous trouvez pas ?

L'endroit, un peu étouffant, sentait la poussière en dépit de l'ordre maniaque qui y régnait. Je ne découvris qu'un râteau et un balai appuyés dans un coin, rien d'autre, ni tondeuse à gazon, ni outils de jardinage, ni aucun de ces objets que l'on s'attend à trouver en pareil lieu. La Honda noire rutilante était plantée au beau milieu, et on se serait davantage cru dans le hall d'exposition d'un concessionnaire, tant l'impeccable véhicule semblait neuf.

Marino ouvrit la portière côté conducteur.

— Voilà... je vous en prie.

Je m'installai aussitôt sur le siège de souple cuir ivoire, fixant les lambris des murs à travers le pare-brise.

Marino se recula de quelques pas et précisa :

— Bon, vous restez là un moment. Assise, juste comme ça, d'accord ? Laissez-vous pénétrer par votre environnement, par cet habitacle, et dites-moi ce qui vous vient à l'esprit.

— Vous souhaitez que je démarre ?

Il me tendit la clé de contact.

— Soyez gentil, Marino, ouvrez la porte du garage, je préférerais que nous ne nous asphyxiions pas.

Il jeta un regard alentour en fronçant les sourcils, puis dénicha le bon bouton.

La Honda démarra au quart de tour, un ronronnement grave montant du moteur.

La radio et le conditionnement d'air étaient en marche, le réservoir plein au quart. Le compteur indiquait moins de dix mille kilomètres et le toit ouvrant était entrebâillé. Un ticket de pressing traînait sur le tableau de bord, daté du 11 juillet, un jeudi, pour une veste et une jupe qui devaient toujours attendre leur propriétaire. Un autre reçu avait été abandonné sur le siège passager, celui-là pour des courses alimentaires faites le 12 juillet à 10 h 40 : une laitue, des tomates, des concombres, du steak haché, du fromage, du jus d'orange et un sachet de bonbons à la menthe, le tout pour un montant de neuf dollars et treize *cents* qu'elle avait réglé en liquide, avec un billet de dix dollars.

Juste à côté de la facture se trouvait une mince enveloppe blanche de banque, vide, et un étui à lunettes de soleil Ray Ban en cuir brun, vide lui aussi.

Une raquette de tennis Wimbledon et une serviette-éponge blanche en tapon avaient été jetées sur le siège arrière. J'attrapai cette dernière. Un nom était inscrit en minces lettres bleues sur le liséré en coton : WESTWOOD RACQUET CLUB, le même que celui imprimé sur le petit sac de sport en vinyle rouge que j'avais remarqué à l'étage dans la penderie de la chambre de Beryl.

Mais Marino réservait sa grande scène pour la fin. Je savais pertinemment qu'il avait passé tous ces objets au crible, préférant ne pas les déranger afin de me les faire découvrir *in situ.* Le tueur n'avait pas pénétré ici. Marino me tendait un piège. Du reste, il n'avait pas cessé depuis que nous avions mis le pied dans cette maison. Une de ses bonnes vieilles habitudes, qui m'irritait au plus haut point.

Je coupai le contact avant de descendre de voiture en repoussant la portière qui se ferma avec une plainte étouffée.

Il me regarda, mi-intrigué, mi-attentif.

— J'ai une ou deux questions, annonçai-je.

— Allez-y.

— Westwood est un club très pointilleux sur ses adhérents. En était-elle membre ?

Il acquiesça d'un signe de tête.

— Avez-vous vérifié à quand remontait sa dernière réservation de court ?

— Vendredi 12 juillet, à 9 heures du matin. Elle avait cours avec un pro. Comme toutes les semaines. Du reste, c'était à peu près les seules occasions où elle tapait dans la balle.

— Si je me souviens bien, elle s'est envolée de

Richmond le lendemain matin très tôt – le samedi 13 juillet – pour arriver à Miami juste après midi.

Un nouveau hochement de tête.

— Elle prend donc une leçon de tennis, puis fonce faire quelques provisions. Ensuite, peut-être est-elle passée à la banque. Quoi qu'il en soit, après ses achats de légumes, elle décide soudain de quitter la ville. Si elle avait prévu ce départ, pourquoi prendre la peine d'acheter à manger ? Elle n'avait matériellement pas le temps d'ingérer tout cela avant son vol et, de surcroît, elle n'a rien laissé dans le réfrigérateur. Il faut donc en conclure qu'elle a jeté la plupart de ses emplettes, sauf le fromage, la viande hachée et éventuellement les bonbons à la menthe.

— Ouais, ça paraît logique, lâcha-t-il d'un ton plat.

— Elle a abandonné son étui à lunettes et d'autres babioles sur le siège passager, continuai-je. Ajoutons à cela qu'elle n'a éteint ni la radio ni la climatisation et encore moins refermé le toit ouvrant. On dirait qu'elle s'est garée ici, a coupé le moteur pour se précipiter chez elle, ses lunettes de soleil toujours sur le nez. Cela signifie-t-il qu'il s'est produit quelque chose alors qu'elle rentrait de son cours de tennis ou de ses courses ?

— Oh, que oui, j'en suis presque certain. Contournez le véhicule, jetez un œil... surtout à la portière passager.

Je m'exécutai.

Ce que je découvris me coupa les jambes. Gravées dans le métal de la carrosserie, juste sous la poignée, les lettres de son prénom, « Beryl », étaient serrées dans un cœur.

— Y a de quoi vous foutre les boules, non ?

— S'il a vandalisé la voiture alors qu'elle se trouvait garée au club ou sur le parking du magasin, quelqu'un aurait dû l'apercevoir, raisonnai-je tout haut.

— Ouais. Alors peut-être qu'il s'y est collé avant...

Il marqua un temps d'arrêt en examinant placidement le graffiti avant de poursuivre :

— ... C'est quand que vous avez regardé la portière passager de *votre* bagnole pour la dernière fois ?

Sans doute plusieurs jours, pour ne pas dire une bonne semaine.

Il se décida enfin à allumer son exaspérante cigarette.

— Donc elle va faire des courses de bouffe. Elle a pas acheté grand-chose, commenta-t-il en tirant une longue bouffée avide. Tout ça devait tenir dans un seul sac d'épicerie, non ? Quand ma femme ajuste un ou deux sacs, elle les flanque à l'avant, sur le sol ou le siège passager. C'est peut-être aussi ce qu'a fait Beryl. Elle fait le tour de sa bagnole et c'est là qu'elle découvre l'inscription dans la peinture. Soit elle comprend que ça vient juste d'être gravé, soit elle n'en a pas la moindre idée. Peu importe. Toujours est-il que ça lui fout une trouille pas possible et elle perd les pédales. Elle fonce chez elle ou à la banque pour retirer du liquide. Elle réserve un vol, le premier en partance de Richmond, à destination de la Floride.

Nous sortîmes du garage et je le suivis jusqu'à sa voiture. La nuit tombait vite, accompagnée d'un vent pinçant. Il démarra. Je fixai en silence la maison de Beryl Madison par la vitre. Ses angles nets s'estompaient dans l'obscurité et ses fenêtres prenaient des allures de lacs d'ombre. Les lumières du porche et du salon s'allumèrent brusquement.

— Bordel, marmonna Marino, c'est quoi, ce plan ?

— Un programmeur électrique.

— Sans blague !

2

La pleine lune qui brillait cette nuit-là sur Richmond éclaira mon long trajet de retour à la maison. Mes phares épinglaient par moments les silhouettes enfantines faussement menaçantes et les masques d'épouvante des bambins les plus persévérants. Ils poursuivaient leurs rondes, réclamant aux portes des bonbons sous peine de farces. Je me demandai combien de fois on avait sonné en vain chez moi. Ma maison était une des étapes favorites les soirs d'Halloween. N'ayant pas d'enfant à gâter, je me montrais toujours d'une extrême générosité en matière de friandises. J'en serais quitte pour offrir le lendemain matin à mon équipe les quatre paquets de barres chocolatées intacts que j'avais achetés pour l'occasion.

Au moment où je grimpais l'escalier, la sonnerie du téléphone retentit, et je sautai sur le combiné juste avant que le répondeur ne s'enclenche. Je crus d'abord avoir affaire à un inconnu, avant d'éprouver un serrement de cœur en reconnaissant mon interlocuteur.

— Kay ? C'est Mark. Dieu merci, tu es chez toi...

La voix de Mark James sonnait étrangement lointaine, et je perçus l'écho de voitures filant en arrière-plan.

— Où te trouves-tu ? parvins-je à articuler, tout en sachant que je devais avoir l'air désarçonné.

— Sur la 95, à environ soixante-quinze kilomètres au nord de Richmond.

Je me laissai aller sur le rebord du lit.

Il reprit :

— Je t'appelle d'une cabine téléphonique. J'ai besoin que tu m'indiques le chemin jusque chez toi, Kay. Je veux te voir, poursuivit-il après une nouvelle vague de bruits de circulation. J'ai passé la semaine ici, à Washington. Je tente de te joindre depuis la fin de l'après-midi. Et puis j'ai décidé de tenter le coup, j'ai loué une voiture pour descendre. Ça ne pose pas de problème ?

J'étais incapable de trouver une réponse.

— On pourrait prendre un verre, rattraper le temps perdu, continua l'homme qui m'avait mis le cœur à sac. J'ai réservé au Radisson, dans le centre-ville. Demain matin tôt, il y a un vol de retour pour Chicago. Je me suis dit... En fait, il faut que je discute de quelque chose avec toi.

Et de quoi Mark et moi aurions-nous pu discuter ?

— Ça ne pose pas de problème ? répéta-t-il.

Bien sûr que si, cela posait un problème ! Pourtant, je m'entendis lâcher :

— Bien sûr que non, Mark. Je serai ravie de te voir.

Après lui avoir indiqué l'itinéraire, je passai dans la salle de bains afin de me rafraîchir, une occasion d'y rester assez longtemps pour me jauger. Quinze ans s'étaient écoulés depuis nos années d'études à la faculté de droit, et il y avait bien longtemps que Mark et moi ne nous étions vus. De blond mes cheveux avaient viré au cendré, et le bleu de mes yeux avait perdu de son intensité. Le miroir de la salle de bains ignorait la pitié et me rappelait, sans prendre de gants, que jamais plus je ne fêterais mes trente-neuf ans et que les liftings n'étaient pas faits pour les chiens. Dans mon souvenir,

Mark était demeuré figé à l'époque de ses vingt-quatre ans... l'âge auquel il devait se transformer en objet de passion pour moi. Une passion générant une dépendance telle qu'elle s'était finalement transformée en un épouvantable désespoir. Lorsqu'elle s'était terminée, mon seul recours avait été une totale immersion dans le travail.

Il n'avait pas perdu le goût des belles voitures et conduisait toujours aussi vite qu'auparavant. Moins de quarante-cinq minutes plus tard, j'ouvris la porte pour le voir descendre de sa Sterling de location. Le même Mark que des années plus tôt. Il s'agissait bien de l'homme dont j'avais gardé le souvenir, élancé, aux longues jambes et à la démarche assurée. Il gravit les marches d'un pas vif, un petit sourire aux lèvres. Après une brève étreinte, nous demeurâmes un moment dans le hall, gênés, ne sachant trop que dire.

Je finis par demander :

— Toujours amateur de whisky ?

— Ça n'a pas changé, répondit-il en m'emboîtant le pas.

Je sortis le Glenfiddich du bar et lui préparai machinalement son verre, reproduisant des gestes coutumiers, vieux de plusieurs années : deux doigts de whisky, des glaçons et une giclée d'eau de Seltz. Il me suivit du regard tandis que je m'activais dans la cuisine et posais nos verres sur la table. Il but une gorgée, puis fixa son verre, faisant lentement tourner ses glaçons, comme à son habitude lorsqu'il était tendu. Je détaillai ses traits raffinés, ses pommettes hautes, ses yeux gris clair et ses cheveux si bruns qui commençaient à grisonner aux tempes.

Je me concentrai sur les glaçons qui tournoyaient dans son verre.

— Je suppose que tu travailles pour un cabinet de Chicago ?

Il se laissa aller contre le dossier de son siège et releva les yeux.

— Je m'occupe surtout des appels, fort peu des premières instances. Je croise quelquefois Diesner, c'est comme cela que j'ai appris que tu te trouvais à Richmond.

Diesner était le médecin expert général de Chicago. Je le rencontrais lors de réunions et de divers comités auxquels nous appartenions tous les deux. Il n'avait jamais mentionné Mark James devant moi, et j'ignorais comment il pouvait savoir que nous nous connaissions.

Comme s'il lisait dans mes pensées, Mark expliqua :

— J'ai commis l'erreur de lui confier que je t'avais rencontrée en fac de droit, je crois qu'il ne me parle de toi de temps en temps que pour me titiller.

Cela ne m'étonnait pas du tout. Diesner était aussi revêche qu'un porc-épic et ne portait pas les avocats de la défense dans son cœur. Certains de ses affrontements et de ses effets de manche étaient du bois dont on fait les légendes de tribunal.

— Comme beaucoup de médecins légistes, il fait front avec la partie civile, continuait Mark. Je représente le criminel reconnu coupable, donc je suis l'affreux. Diesner se fait un malin plaisir de me chercher. Il me glisse en passant une référence au dernier article que tu as publié ou au dernier cas monstrueux sur lequel tu as travaillé. Dr Scarpetta. La très fameuse Dr Scarpetta, dit-il en riant.

Pourtant aucune joie ne remonta jusqu'à ses yeux.

— Selon moi, il est injuste d'affirmer que nous sommes en faveur de la partie civile, répondis-je. Il s'agit d'une impression qui naît du fait que lorsque les indices sont en faveur de l'accusé, l'affaire n'arrive jamais jusqu'au tribunal.

— Kay, je connais le système, rétorqua-t-il de ce ton désabusé qui m'était familier. Je sais ce que tu vois tous les jours. Si j'étais à ta place, je ne rêverais que d'une chose : envoyer tous ces salopards sur la chaise.

— Oui, tu sais ce que je vois, Mark, embrayai-je.

Notre sempiternelle dispute. Je n'en croyais pas mes oreilles. Il n'était pas là depuis un quart d'heure que nous reprenions exactement là où nous nous étions quittés. Éternel sujet alimentant nos pires querelles. J'étais déjà médecin, inscrite en droit à l'université de Georgetown, lorsque Mark et moi nous étions rencontrés. Je n'ignorais pas le côté obscur de ce métier, la cruauté, les tragédies sans explication. J'avais plongé mes mains gantées dans les restes ensanglantés de la mort, de la souffrance. Mark était l'éblouissant représentant des fraternités de prestigieuses universités, le genre de garçon pour lequel une rayure sur la peinture de sa Jaguar constitue un délit majeur. Il allait devenir avocat parce que son père et son grand-père l'avaient précédé dans cette voie. J'étais catholique, Mark protestant. J'étais d'origine italienne, il était aussi britannique que le prince Charles. J'avais été élevée dans la pauvreté, il avait grandi dans l'un des quartiers les plus huppés de Boston. À une certaine époque, je m'étais bercée de l'illusion que notre mariage serait béni des dieux.

— Tu n'as pas changé, Kay. À l'exception peut-être d'une résolution, une dureté nouvelle qui émane de toi. Il ne doit pas faire bon se frotter à toi au tribunal.

— Je n'ai aucune envie d'être dure.

— Ce n'est pas une critique. Au contraire, je veux dire que tu as l'air en pleine forme. Et que tu sembles avoir réussi, ajouta-t-il en jetant un regard circulaire dans la cuisine. Tu es heureuse ?

— J'aime la Virginie, répondis-je en détournant les yeux. Je dois avouer que la seule chose à laquelle je ne parviens pas à me faire, ce sont les hivers... mais je suppose que tu as encore plus à t'en plaindre. Comment supportes-tu les six mois de froid annuels à Chicago ?

— À dire vrai, je ne m'y suis jamais habitué. Tu détesterais ça. Une fleur de serre de Miami comme toi ne tiendrait pas un mois là-bas. (Il but une gorgée de son verre.) Tu n'es pas mariée.

— Je l'ai été.

Il fronça les sourcils, réfléchissant à haute voix :

— Hummm. Un Tony quelque chose... Je me souviens que tu as commencé à sortir avec Tony... Benedetti, non ? À la fin de la troisième année.

J'étais surprise que Mark s'en soit aperçu, et encore plus qu'il s'en souvienne.

— Nous sommes divorcés, depuis longtemps.

— Je suis désolé, dit-il doucement.

Je repris mon verre.

— Tu sors avec quelqu'un de sympa ?

— Avec personne en ce moment, sympa ou pas.

Mark ne riait plus autant qu'autrefois. Il déclara d'un ton plat :

— J'ai failli me marier il y a quelques années, mais ça n'a pas marché. Peut-être serait-il plus honnête de ma part de préciser que j'ai paniqué à la dernière minute.

Il m'était difficile de croire qu'il n'avait jamais été marié. Lut-il à nouveau dans mes pensées ? Toujours est-il qu'il expliqua :

— C'était après la mort de Janet. J'*étais* marié, ajouta-t-il après une hésitation.

— Janet ?

Il joua avec le glaçon de son verre.

— Je l'ai rencontrée à Pittsburgh, après avoir quitté Georgetown. C'était une fiscaliste du cabinet.

Je l'observais avec attention, perplexité aussi. Mark était différent. Le magnétisme qui se dégageait de lui, qui m'avait tant attirée à l'époque, avait changé de nature. Je ne parvenais pas à mettre le doigt dessus, mais quelque chose d'autre s'était installé en lui, quelque chose de beaucoup plus sombre.

— Un accident de voiture, expliqua-t-il. Un samedi soir. Elle est sortie acheter du pop-corn. Nous nous étions programmé une soirée ciné-club à la maison. Un conducteur ivre s'est rabattu dans sa file, il n'avait même pas allumé ses phares.

— Mon Dieu, je suis désolée, Mark ! C'est affreux.

— Il y a huit ans de cela.

— Vous n'aviez pas d'enfant ? demandai-je d'un ton doux.

Il secoua la tête.

Un silence s'installa.

— Mon cabinet ouvre un bureau à Washington, dit-il comme nos regards se croisaient.

Je demeurai muette.

— Il est possible que j'y sois transféré et que je doive déménager là-bas. Le cabinet est en plein développement, nous avons une centaine d'avocats, et des bureaux à New York, Atlanta, Houston.

— Quand t'installerais-tu ? demandai-je d'un ton calme.

— Il n'est pas exclu que cela se fasse d'ici le premier de l'an.

— Tu es vraiment décidé ?

— J'en ai par-dessus la tête de Chicago, Kay, j'ai besoin d'un changement. Je préférais en discuter avec toi. C'est la raison de ma venue... enfin, du moins, la raison principale. Je ne voulais pas déménager et courir le risque que nous tombions l'un sur l'autre par hasard. Je vais vivre en Virginie du Nord et tes bureaux s'y trouvent. Il y avait de grandes chances statistiques que nous nous rencontrions un jour ou l'autre dans un restaurant ou au théâtre. Cela me contrariait.

Je m'imaginai assise au Kennedy Center et découvrant Mark trois rangs devant moi, murmurant à l'oreille d'une belle jeune femme. Le souvenir d'une ancienne souffrance resurgit, une souffrance si intense qu'elle en devenait physique. Mark n'avait jamais eu à craindre de rival, ma vie, mes émotions, tout tournait autour de lui. Au début de notre relation m'était venue la sensation confuse que cette attraction n'était pas réciproque. Plus tard, j'en avais eu la certitude.

L'avocat refit vite surface et il poursuivit, comme s'il s'adressait à la cour :

— C'était donc la raison *principale* de ma venue ce soir. Mais il y a autre chose, sans relation directe avec nous.

Je demeurai silencieuse.

— Il y a deux jours, une femme a été assassinée à Richmond. Beryl Madison...

La stupéfaction qui se peignait sur mon visage lui fit marquer une brève pause.

— Berger, l'associé principal et patron du cabinet, a évoqué l'affaire lorsqu'il m'a téléphoné à l'hôtel, à Washington. Je souhaitais t'en parler...

— En quoi cela te concerne-t-il ? Tu la connaissais ?

— Vaguement. Je l'ai rencontrée une fois à New York, l'hiver dernier. Notre bureau là-bas s'occupe d'affaires liées aux médias et aux droits d'auteur. Beryl avait des problèmes avec un éditeur, un conflit au sujet d'un contrat. Elle avait fait appel à Orndorff & Berger pour régler le désaccord. Il se trouve que j'étais présent à New York le jour où elle rencontrait Sparacino, l'avocat chargé de son dossier. Il m'a invité à me joindre à eux pour déjeuner à l'Algonquin.

Une soudaine colère m'envahit et je rétorquai :

— Si, selon toi, ce différend peut avoir un rapport avec son assassinat, c'est la police qu'il faut contacter, pas moi.

— Kay, mon cabinet ignore tout de notre conversation, d'accord ? Lorsque Berger a appelé hier, c'était à propos d'autre chose ! Il a mentionné le meurtre de Beryl Madison en passant parce qu'il souhaitait que je jette un œil aux journaux locaux, dans l'espoir de dénicher quelques renseignements...

— C'est cela, et tu t'empresses de traduire ce souhait par « dénicher auprès de ton ex »...

Mon visage s'empourpra. Ex-*quoi* ?

— Non, vraiment, tu te trompes, protesta-t-il en détournant le regard. Je pensais à toi... J'avais déjà l'idée de te contacter avant que Berger ne m'appelle, avant même d'apprendre pour Beryl. Bon sang, Kay, j'ai décroché le combiné deux soirs de suite. Les renseignements m'ont donné ton numéro. Mais, au dernier moment, je n'ai pas pu me résoudre à franchir le pas. Du reste, peut-être n'y serais-je jamais parvenu si Berger ne m'avait informé de ce meurtre. Je ne prétendrai pas que Beryl ne m'a pas servi de prétexte, mais pas de la façon dont tu l'imagines.

Je n'écoutais plus, effarée par l'envie que j'avais de le croire.

— En quoi ton cabinet est-il intéressé par ce meurtre, au juste ?

Il réfléchit un instant.

— Je ne suis pas certain que l'intérêt que nous portons à cette affaire soit strictement professionnel. C'est sans doute plus personnel. Nous avons tous été épouvantés par cet assassinat. C'est un tel choc pour ceux d'entre nous qui l'ont connue vivante. De surcroît, je peux ajouter qu'elle se trouvait au centre d'un litige assez éprouvant. Beryl était en train de se faire magistralement entuber à cause d'un contrat signé huit ans plus tôt. Une histoire très compliquée... Un truc en rapport avec Cary Harper.

— L'écrivain ? demandai-je, déroutée. *Ce* Cary Harper-*là* ?

— Tu dois savoir qu'il ne vit pas très loin d'ici, dans une plantation du XVIIIe nommée Cutler Grove, sur la James River, à Williamsburg.

Je me creusais la tête pour me souvenir de ce que je savais du romancier. Vingt ans auparavant, Cary Harper avait écrit un roman qui lui avait valu le prix Pulitzer. Célèbre reclus, il vivait avec une sœur... ou s'agissait-il d'une tante ? On avait beaucoup spéculé sur la vie privée de Cary Harper, son refus des interviews et son extrême discrétion à l'égard des journalistes ne faisant qu'attiser les rumeurs.

J'allumai une cigarette.

— J'espérais que tu aurais arrêté, remarqua Mark.

— Pour y parvenir dans mon cas, il faudrait procéder à une lobectomie frontale !

— Voilà ce que je sais, c'est-à-dire, pas grand-chose.

Beryl a entretenu une relation assez étroite avec Harper au moment de la postadolescence. Elle a même un temps vécu dans cette fameuse demeure avec lui et sa sœur. Beryl était sa protégée, l'écrivain en herbe, la fille talentueuse qu'il n'avait jamais eue. C'est grâce aux relations d'Harper que le premier roman de Beryl a été publié lorsqu'elle avait vingt-deux ans, une sorte de roman sentimental assez littéraire qu'elle a signé du nom de Stratton. Harper a même accepté d'y aller d'un commentaire élogieux en quatrième de couverture, vantant le talent de cette nouvelle romancière qu'il venait de découvrir... Inutile de préciser que cela a fait jaser. Le roman de Beryl était plus grand public que littéraire, et personne n'avait réussi à soutirer un mot à Harper depuis des années.

— Quel est le rapport avec le litige contractuel ?

Mark répondit avec une ironie cynique :

— Harper est peut-être une poire capable de succomber au charme d'une jeune femme en adoration devant le grand homme, mais c'est aussi un salopard sacrément prudent. Avant de la faire publier, il l'a obligée à signer un contrat lui interdisant d'écrire un seul mot en rapport avec lui, tant que lui-même et sa sœur seraient en vie. Harper doit avoir cinquante-cinq ans, et sa sœur est juste un peu plus âgée. De fait, le contrat liait Beryl à vie, avec pour conséquence de l'empêcher d'écrire ses Mémoires, car comment rédiger une autobiographie sans évoquer Harper ?

— La chose n'était sans doute pas irréalisable, mais il est vrai que sans référence à Harper le livre ne se serait pas vendu, rectifiai-je.

— Tout juste.

— Pourquoi cette valse des pseudonymes ? Cela faisait partie de ses accords avec Harper ?

— Je le suppose. À mon avis, il voulait que Beryl demeure son secret à lui. Il lui accordait le succès littéraire, mais en échange elle se coupait du monde. Même si ses romans ont été des succès financiers, le nom de Beryl Madison n'est pas très connu.

— Dois-je en conclure qu'elle était sur le point de

passer outre aux termes de ce contrat, et qu'elle a consulté Orndorff & Berger à ce sujet ?

Il avala une gorgée de son whisky.

— Je te rappelle qu'elle n'était pas ma cliente, je ne connais donc pas tous les tenants et aboutissants de l'affaire. Mon sentiment, c'est qu'elle était à court d'inspiration pour le genre de romans commerciaux qu'elle avait publiés jusque-là. Elle souhaitait se lancer dans une œuvre plus exigeante. Et puis il y a le reste, que tu sais sans doute déjà : il semble qu'elle ait eu des problèmes, quelqu'un la menaçait, la harcelait...

— À quel moment ?

— L'hiver dernier, à peu près à l'époque où j'ai déjeuné avec elle. Fin février, je crois.

— Continue, le pressai-je, intriguée.

— Elle n'avait pas la moindre idée de l'identité de son harceleur. Les choses ont-elles commencé avant qu'elle se lance sur son nouveau texte ou après, cela, je l'ignore.

— Comment comptait-elle se sortir de cette violation de contrat ?

— Je ne suis pas convaincu qu'elle aurait pu s'en tirer sans y laisser quelques plumes, répliqua Mark. Sparacino avait adopté la stratégie suivante : il laissait le choix à Harper. Soit celui-ci coopérait, et le manuscrit fini serait relativement anodin – en d'autres termes, la censure que pourrait exercer Harper restait modeste. Soit il se conduisait comme un salopard, et Sparacino se ferait un plaisir de fournir des miettes juteuses aux journaux et aux chaînes de télévision. Harper était coincé. Certes, il lui restait la possibilité d'attaquer Beryl, mais elle n'avait pas beaucoup d'argent, une goutte d'eau comparée à sa fortune à lui. En revanche, un procès pouvait constituer une énorme publicité pour le livre de Beryl. En d'autres termes, Harper perdait sur tous les tableaux.

— Ne pouvait-il obtenir une injonction pour empêcher la publication ?

— Encore un surcroît de publicité pour le bouquin. D'autant que faire arrêter l'impression lui aurait coûté un argent fou.

— Et aujourd'hui elle est morte, résumai-je en contemplant ma cigarette qui se consumait dans le cendrier. Je suppose que le livre n'est pas terminé, Harper n'a plus de souci à se faire. C'est à cela que tu voulais en venir, Mark ? Au fait qu'Harper est peut-être impliqué dans cet assassinat ?

— Mon but était juste de te brosser un vague tableau de cette affaire.

Il me détailla de ce regard si clair. Je n'avais pas oublié combien il pouvait se révéler impénétrable, et ce souvenir me mettait assez mal à l'aise.

— Qu'en penses-tu ? me demanda-t-il.

J'évitai de lui dévoiler le fond de ma pensée : je trouvais très étrange que Mark me raconte tout ça. Que Beryl ne fût pas sa cliente importait peu. Il connaissait la déontologie juridique comme moi : ce qui est porté à la connaissance de l'un des membres d'un cabinet d'avocats est tenu pour connu de tous les autres. Mark était à deux doigts de l'indélicatesse, pour ne pas dire de la faute professionnelle, et cela ne correspondait certainement pas à l'homme scrupuleux que j'avais connu. Je n'aurais pas été plus surprise s'il avait débarqué chez moi arborant un tatouage.

— Peut-être serait-il souhaitable que tu aies une conversation avec Marino, le policier chargé de l'enquête. Ou mieux, je vais lui rapporter notre conversation. Quoi qu'il en soit, il se renseignera sur ton cabinet, ce qui sous-entend pas mal de questions.

— D'accord, je n'y vois aucune objection.

Le silence s'installa entre nous.

Je m'éclaircis la gorge avant de demander :

— Comment était-elle ?

— Je ne l'ai rencontrée qu'une fois, tu sais... Remarquable, c'est le mot qui me viendrait... dynamique, séduisante, bourrée d'esprit. Elle était vêtue de blanc ce jour-là. Un magnifique ensemble blanc comme neige. Mais j'ajouterais aussi qu'elle gardait une certaine distance, comme si elle dissimulait plein de secrets. Tu sentais quelque chose de très profond chez elle, hors d'atteinte, une sorte de domaine qu'elle protégeait de tous. Elle buvait beaucoup. En tout cas, ce jour-là, elle a avalé trois cocktails, ce qui m'a paru excessif étant donné l'heure. Cela dit, je n'affirmerais pas que ce genre de consommation faisait partie de ses habitudes... Elle était nerveuse, tendue. La raison pour laquelle elle était venue consulter Orndorff & Berger n'avait rien d'une partie de plaisir, et je suis sûr que toutes ces histoires avec Harper la bouleversaient.

— Qu'a-t-elle bu ?

— Pardon ?

— Les trois cocktails ? Qu'est-ce que c'était ?

Il fronça les sourcils, détournant le regard pour fixer un point de la cuisine.

— Mince, je n'en ai pas la moindre idée, Kay ! Quelle importance ?

— Peut-être aucune, dis-je en me remémorant le bar de Beryl Madison. A-t-elle mentionné les menaces qu'elle recevait ? Je veux dire en ta présence ?

— Oui, et Sparacino aussi. Tout ce que je sais, c'est qu'elle a commencé à recevoir des coups de téléphone très particuliers. Il s'agissait toujours de la même voix, une voix inconnue, affirmait-elle. Elle a également évoqué d'autres incidents bizarres, mais je ne me souviens plus des détails, cela remonte à loin.

— Consignait-elle ces faits quelque part ?

— Je ne sais pas.

— Et elle n'avait aucune idée de leur auteur ou de leur mobile ?

— C'est en tout cas le sentiment qu'elle donnait.

Il repoussa sa chaise. Il n'était pas loin de minuit.

Je le raccompagnais à la porte lorsqu'une idée me vint :

— Quel est le prénom de Sparacino ?

— Robert.

— Il n'utilise jamais l'initiale M ?

— Non, dit-il en me dévisageant avec curiosité.

Un silence gêné s'installa entre nous.

— Conduis prudemment.

— Bonne nuit, Kay, lâcha-t-il après une hésitation.

Peut-être n'était-ce qu'un effet de mon imagination, mais l'espace d'une seconde je crus qu'il allait m'embrasser. Puis il descendit les marches d'un pas vif. J'avais regagné l'intérieur de la maison lorsque j'entendis la voiture s'éloigner.

La matinée du lendemain ne dérogea pas à la frénésie habituelle. Fielding nous informa en réunion que cinq autopsies nous attendaient, parmi lesquelles un « flotteur », c'est-à-dire un cadavre en décomposition avancée repêché dans la rivière, une perspective qui ne manquait jamais de faire grincer les dents de tout mon personnel. Richmond nous avait envoyé ses deux dernières victimes de fusillade. Je me débrouillai pour autopsier l'une d'entre elles avant de foncer au tribunal John Marshall afin de témoigner dans une autre affaire d'homicide par balles, puis à la faculté de médecine pour déjeuner en compagnie d'un des étudiants que j'encadrais. Et durant tout ce temps je tentai sans grand succès de repousser de mon esprit la visite de Mark. Comment cet homme prudent et obstiné avait-il pu se résoudre à me contacter après plus de dix ans de silence ?

En début d'après-midi, je finis par céder et composai le numéro de Marino.

— J'allais justement vous appeler, lança-t-il avant que j'aie le temps de placer deux mots. Je sors. On peut se retrouver au bureau de Benton dans une heure, une heure et demie ?

— Que se passe-t-il ?

Je n'étais toujours pas parvenue à lui expliquer la raison de mon appel.

— J'ai mis la main sur les dossiers de Beryl. J'me suis dit, comme ça, que ça vous intéresserait.

Comme à son habitude, il raccrocha sans même prendre congé.

À l'heure convenue, je me rendis en voiture dans East Grace Street et me garai devant le premier parcmètre que je pus trouver à une distance raisonnable de ma destination. L'immeuble de dix étages de bureaux modernes ressemblait à un phare surplombant un déprimant rivage de magasins de bric-à-brac déguisés en boutiques d'antiquaires et de petits restaurants qui n'avaient d'ethnique que le nom. Des sans-abri déambulaient le long des trottoirs défoncés.

Je déclinai mon identité au garde de faction à l'intérieur du hall, puis empruntai l'ascenseur jusqu'au cinquième étage. À l'extrémité du couloir, je m'arrêtai devant une anonyme porte de bois. L'adresse du bureau régional du FBI était l'un des secrets les mieux gardés de la ville. Sa présence parmi nous savait se faire aussi discrète et effacée que l'étaient ses agents en civil. Un jeune homme assis derrière un comptoir de bois qui courait sur la moitié du mur du fond, plongé dans une conversation téléphonique, me jeta un coup d'œil. Posant la main sur le combiné, il haussa les sourcils à mon intention d'un air interrogateur. Je lui expliquai la raison de ma venue, et il m'invita à m'asseoir et à patienter.

La salle de réception était exiguë et d'allure résolument masculine, avec son mobilier recouvert d'un solide cuir bleu foncé et sa table basse jonchée de magazines de sport. Les murs lambrissés s'ornaient d'une galerie de portraits, véritable trombinoscope dédié aux anciens directeurs du FBI, sans oublier les récompenses décernées au service et une plaque de cuivre gravée aux noms des agents morts au devoir. Une porte s'ouvrait de temps en temps, livrant passage à de beaux spécimens athlétiques vêtus de costumes sombres, leurs regards protégés de lunettes noires, qui ne m'accordaient pas un seul coup d'œil.

La rigidité toute martiale de Benton Wesley n'avait pas grand-chose à leur envier, mais au fil des ans il avait gagné mon respect. Sous ce blindage d'agent fédéral se cachait un être humain qui méritait d'être connu. Même assis derrière un bureau, il se dégageait de lui une vivacité, une énergie étonnantes. À son habitude, il était tiré à quatre épingles, avec ses pantalons sombres et sa chemise blanche amidonnée. Sa cravate étroite, comme le requérait la mode du moment, était impeccablement nouée et son holster noir semblait regretter l'absence du calibre 10, Benton ne portant presque jamais son arme dans les bureaux. Je ne l'avais pas vu depuis un moment, mais il n'avait pas changé. Il était toujours aussi apte physiquement, aussi séduisant, d'une façon assez austère que ne démentait pas l'argent prématuré de ses cheveux... prématuré et toujours aussi surprenant pour moi.

— Désolé de vous avoir fait attendre, Kay, s'excusa-t-il avec un sourire.

Sa poignée de main ferme et rassurante était dénuée de toute surenchère machiste, au contraire de certains flics et avocats de ma connaissance qui semblent mettre un point d'honneur à vous écraser les phalanges.

— Marino est là, ajouta-t-il. Je devais passer en revue un certain nombre de points avec lui avant de vous accueillir.

Il me tint la porte et je le suivis le long d'un couloir désert. Il m'introduisit dans son petit bureau avant de m'abandonner pour chercher un peu de café.

Confortablement installé sur son siège, Marino examinait un revolver de calibre 357 qui semblait n'avoir jamais été utilisé.

— L'ordinateur a fini par être réparé hier soir, déclara-t-il.

— L'ordinateur ? Quel ordinateur ?

Aurais-je oublié mes cigarettes ? Non, elles avaient encore une fois glissé au fin fond de mon sac.

— Celui du quartier général. Cette bécane arrête pas de tomber en rade. Enfin, j'ai fini par avoir des copies papier des fichues plaintes. Intéressant. En tout cas, c'est ce que je pense.

— Celles qui concernent Beryl ?

— Juste.

Il posa l'arme sur le bureau de Wesley en ajoutant :

— Belle pièce. Il est verni, le gars... Il l'a gagnée la semaine dernière à la tombola de la convention des chefs de la police à Tampa. Moi, je suis même pas foutu de gagner deux dollars à la loterie.

Mon attention s'émoussa. Le bureau de Wesley

ressemblait à une jungle de messages téléphoniques, de dossiers, de cassettes vidéo, sans oublier quelques épaisses enveloppes rembourrées dont je supposai qu'elles contenaient les détails et les photos des crimes portés à sa connaissance par les polices des diverses juridictions. La longue vitrine dressée contre l'un des murs protégeait une macabre collection d'armes : une épée, un coup-de-poing américain, un pistolet de gang bricolé, une lance africaine, trophées de chasse divers ou cadeaux de protégés reconnaissants. Sur une vieille photo prise à la base de Quantico, William Webster, ancien directeur du FBI, serrait la main de Wesley devant un hélicoptère des Marines. Aucun détail ne trahissait que Wesley était marié et père de trois enfants. Comme la plupart des flics, les agents du FBI préservent jalousement leur vie privée du monde extérieur, surtout lorsqu'ils ont eu l'occasion d'approcher le mal d'assez près pour le percevoir dans toute son horreur. Wesley était profileur. Son métier consistait – entre autres – à examiner les clichés d'effroyables massacres avant de se rendre dans des pénitenciers pour y regarder droit dans les yeux les Charles Manson et Ted Bundy, bref les pires meurtriers de l'histoire.

Wesley revint porteur de deux gobelets de café en plastique, un pour Marino, l'autre pour moi. Il se souvenait toujours que je buvais mon café noir et qu'il me fallait un cendrier à portée de main.

Marino récupéra sur ses genoux une mince liasse de photocopies de rapports de police, qu'il entreprit de parcourir.

— Pour commencer, y en a que trois. Trois incidents pour lesquels on ait un rapport. Le premier est daté du 11 mars, un lundi matin, à 9 h 30. Beryl Madison avait composé le 911 la veille au soir pour demander qu'un policier vienne enregistrer sa plainte. L'appel n'avait pas été classé prioritaire, ce qui était pas trop étonnant, vu que ce soir-là y avait pas mal d'animation dans les rues. Un policier en tenue s'est pas pointé chez elle avant le lendemain matin. Euh... il s'agit de Jim Reed, dans le service depuis cinq ans, précisa-t-il en me lançant un regard.

Je hochai la tête en signe de dénégation. Je ne voyais pas de qui il s'agissait.

Marino entreprit de lire la suite :

— Reed a rapporté que la plaignante, Beryl Madison, était très agitée. Elle a déclaré avoir reçu un coup de téléphone du genre menaçant la veille, le dimanche soir, à 20 h 15. Selon elle, il s'agissait d'un homme, sans doute un individu de race blanche. Il aurait dit : « Je parie que je t'ai manqué, Beryl. Mais je veille toujours sur toi, même si tu ne peux pas me voir. Moi, je te vois. Tu peux t'enfuir, mais tu ne pourras pas te cacher. » Miss Madison a ajouté que son interlocuteur avait précisé l'avoir observée alors qu'elle achetait un journal devant un Seven-Eleven plus tôt ce matin-là. L'individu en question a même décrit ce qu'elle portait, « un survêtement rouge et pas de soutien-gorge ». Elle a confirmé s'être rendue en voiture dimanche matin vers 10 heures au Seven-Eleven de Rosemount Avenue, ainsi que les détails de sa tenue vestimentaire. Elle s'est garée devant le magasin, a acheté un exemplaire du *Washington Post* à un distributeur. Elle a déclaré ne pas être entrée dans le supermarché et n'aurait remarqué personne aux alentours. Le fait que son interlocuteur connaissait ces détails la perturbait, et elle s'était convaincue qu'il devait la suivre. Mais, d'un autre côté, elle n'a pas eu le sentiment qu'un homme la pistait.

Marino passa à la seconde page, la partie confidentielle du rapport, et poursuivit :

— Reed rapporte ici que Miss Madison répugnait à donner des détails spécifiques relatifs aux menaces proférées par son interlocuteur. Interrogée plus avant, elle a finalement admis que son interlocuteur était devenu « obscène », précisant que lorsqu'il l'imaginait nue, cela lui donnait envie de la « tuer ». Miss Madison affirme qu'elle a raccroché à ce moment-là.

Marino posa la photocopie sur le rebord du bureau de Wesley.

— Quel conseil lui a donné Reed ? demandai-je.

— Comme d'habitude. De noter la date, l'heure et le contenu de chaque appel. Il lui a conseillé de garder ses portes verrouillées, de boucler ses fenêtres et d'envisager l'installation d'un système d'alarme. Ainsi que de relever les numéros d'immatriculation des véhicules suspects aux alentours et d'appeler la police.

Le souvenir de ce que m'avait raconté Mark de son déjeuner avec Beryl en février me revint.

— A-t-elle spécifié si cette menace, celle du 10 mars, était la première qu'elle ait jamais reçue ?

Ce fut Wesley qui répondit en récupérant le rapport :

— Apparemment non, dit-il en tournant une page. Reed souligne que Miss Madison prétendait avoir reçu des coups de téléphone de ce genre depuis le 1er janvier, sans pour autant contacter la police jusque-là. De toute évidence, ces premiers appels étaient peu fréquents et moins évocateurs, si je puis dire, que celui du dimanche 10 mars.

— Tous provenaient-ils du même homme ? demandai-je à Marino.

— Elle a dit à Reed que la voix lui paraissait la même. Un Blanc, au ton doux, s'exprimant avec aisance. Pas une voix qu'elle connaissait, en tout cas, c'est ce qu'elle a affirmé.

Marino passa au deuxième rapport :

— Beryl a appelé le numéro de *pager* de l'agent Reed un mardi soir à 19 h 18. Elle lui a dit qu'elle avait besoin de le voir. Il est arrivé chez elle moins d'une heure plus tard, peu après 20 heures. Si on se fie à son rapport, elle était archi-bouleversée, affirmant qu'elle avait reçu un autre appel menaçant juste avant de composer le numéro de Reed... Toujours la même voix, le même individu. Quant au contenu du message, c'était pas très différent de celui du 10 mars.

Marino lut le rapport :

— « Je sais que je te manque, Beryl. Je viendrai bientôt te chercher. Je sais où tu vis, je sais tout de toi. Tu peux t'enfuir, mais tu ne peux pas te cacher. » Il a continué en déclarant qu'il avait repéré sa nouvelle voiture, une Honda noire dont il avait bousillé l'antenne la nuit précédente, alors que le véhicule stationnait dans l'allée de sa maison. La plaignante a confirmé qu'elle avait, en effet, garé son véhicule à cet endroit-là la veille et qu'elle avait remarqué que l'antenne était dans un sale état ce mardi en question, en sortant de chez elle. Elle n'avait pas été complètement arrachée mais était toute tordue et ne fonctionnait plus. L'agent est allé examiner la Honda en question et a vérifié les dires de la plaignante.

— Qu'a fait Reed ? demandai-je.

Marino passa à la seconde page :

— Il lui a conseillé de garer dorénavant sa voiture à l'intérieur du garage. Beryl Madison a rétorqué qu'elle ne s'en servait jamais et souhaitait le transformer en bureau. Ensuite, il a suggéré qu'elle demande à ses proches voisins de surveiller les allées et venues de véhicules ou d'individus suspects rôdant près de chez elle. Il note dans son rapport qu'elle a évoqué la possibilité de se procurer une arme.

— C'est tout ? Et le compte rendu qu'il lui avait demandé de faire ? Il en fait mention ?

— Non. Dans la partie confidentielle de son rapport, il précise : « La réaction de la plaignante face au vandalisme de son antenne de voiture a semblé excessive. Elle s'est violemment énervée, allant jusqu'à devenir grossière avec l'agent. » (Marino leva les yeux.) Sous-entendu : Reed l'a pas crue. Il la soupçonnait d'avoir déglingué elle-même son antenne et d'inventer ces merdes de coups de téléphone menaçants.

— Seigneur, murmurai-je avec écœurement.

— Hé, vous avez une idée du nombre d'appels de cinglés qu'on reçoit tous les jours ? Le nombre de femmes qui hurlent au viol, couvertes de gnons, de blessures diverses et variées qu'elles se sont auto-infligées... Y en a qui ont pété un plomb et elles racontent que des bobards parce qu'elles ont besoin d'attirer l'attention...

Je connaissais sur le bout des doigts les maladies et blessures imaginaires, les syndromes de Münchhausen, les déséquilibres et les obsessions qui poussent certains sujets à l'affabulation, voire à s'automutiler, parfois de façon effroyable, je n'avais nul besoin d'une conférence de Marino sur le sujet.

— Continuez. Que s'est-il passé ensuite ?

Il posa le deuxième rapport sur le bureau de Wesley et s'empara du troisième.

— Beryl a de nouveau appelé Reed, le 6 juillet cette fois-ci, un samedi matin à 11 heures et quart. Il s'est pointé chez elle cet après-midi-là, à 16 heures, et a trouvé la plaignante nerveuse et agressive.

— Le contraire eût été étonnant..., rétorquai-je d'un ton sec. Elle l'attendait depuis cinq heures !

Marino ignora ma pique et poursuivit sa scrupuleuse lecture :

— Miss Madison a déclaré que le même individu l'avait appelée à 11 heures du matin. Il lui aurait déclaré : « Je te manque toujours ? Bientôt, Beryl, bientôt. Hier soir, je suis passé chez toi, mais tu étais absente. Est-ce que tu te décolores les cheveux ? J'espère que non. » À ce moment-là, Miss Madison, qui est blonde, prétend qu'elle a essayé de discuter avec lui. Elle l'a supplié de la laisser tranquille, lui a demandé qui il était et pour quelles raisons il s'acharnait sur elle. Elle dit qu'il a refusé de s'expliquer, se contentant de raccrocher. Elle a confirmé qu'elle était sortie la veille au soir, à l'heure à laquelle l'individu prétendait être passé chez elle. Lorsque l'agent Reed lui a demandé où elle se trouvait, elle a répondu de façon évasive, précisant juste qu'elle n'était pas en ville.

— Et cette fois-ci qu'a fait l'agent Reed pour secourir la dame en détresse ?

Marino me jeta un regard un peu narquois.

— Il lui a conseillé d'acheter un chien, mais elle a rétorqué qu'elle était allergique aux poils.

Wesley ouvrit un dossier.

— Kay, vous considérez cette affaire rétrospectivement, à la lumière de l'horrible crime commis. Mais mettez-vous à la place de Reed, c'est-à-dire selon un éclairage différent. Vous vous retrouvez face à une jeune femme qui vit seule, dont vous vous demandez si elle n'est pas en train de se monter la tête et de perdre les pédales. Reed fait tout son possible pour la tranquilliser, il lui confie même son numéro de *pager*. Il répond rapidement à ses appels, du moins au début. Pourtant, quand il lui pose des questions précises, elle devient évasive. Elle ne dispose d'aucune preuve. N'importe quel agent se serait montré sceptique.

— Ben moi, je sais ce que j'aurais pensé, renchérit Marino. Je me serais dit que la petite dame se sentait seule, voulait qu'on s'occupe d'elle, voulait avoir l'impression que quelqu'un en avait quelque chose à secouer de ce qu'y lui arrivait. Ou bien qu'elle s'était fait larguer par un type et qu'elle montait un bateau pour se venger.

— C'est cela, sifflai-je sans parvenir à me contrôler. Mais même si son mari ou son petit ami avait menacé de la tuer, vous auriez cru qu'elle fabulait ! Et Beryl serait morte de la même façon.

— Peut-être, lâcha Marino d'un ton agacé. Mais si ç'avait été son mari – sauf qu'elle en avait pas –, au moins j'aurais un foutu suspect, je pourrais avoir un foutu mandat, et le juge aurait pu filer au mec une interdiction de s'approcher d'elle !

— Ce genre d'injonction ne vaut même pas le papier sur lequel elle est écrite !

La colère menaçait de me faire perdre mon sang-froid. Chaque année défilait sur mes tables d'autopsie une bonne demi-douzaine de femmes battues dont les maris ou les petits amis étaient sous contrôle judiciaire, avec interdiction formelle de les approcher, voire même de mettre un pied dans le quartier où elles résidaient.

Un long silence tomba, puis je demandai à Wesley :

— Reed a-t-il suggéré à un quelconque moment de placer sa ligne sur écoute ?

— Cela n'aurait pas eu grande incidence. Il est très difficile d'obtenir l'autorisation d'installation d'écoute ou d'identification d'appels entrants. Il faut fournir à la compagnie de téléphone une longue liste d'appels, une preuve tangible de harcèlement.

— Et nous n'étions pas dans ce cas ?

Wesley secoua lentement la tête.

— Kay, il aurait fallu pour convaincre la compagnie beaucoup plus d'appels qu'elle n'en a reçu, sans oublier des indications précises au sujet de leur chronologie, bref un rapport très substantiel. En l'absence de dossier solide, il est illusoire de tenter d'obtenir une mise sur écoute.

— Tout juste, ajouta Marino, si Beryl recevait un ou deux appels par mois, c'était le bout du monde ! Et elle a pas tenu le foutu journal de bord que Reed lui avait demandé. En tout cas, on n'a rien trouvé de ce genre, pas plus que des enregistrements des fameux appels.

— Bon sang ! marmonnai-je. On menace d'attenter à votre vie et quoi ? Faudrait-il un décret du Congrès pour que quelqu'un vous prenne au sérieux ?

Wesley demeura silencieux, mais Marino grogna :

— C'est comme dans votre job, Doc, vous avez déjà entendu parler de médecine légale préventive, hein ? Notre fonction, c'est de ramasser les morceaux. On peut rien faire tant qu'il s'est rien passé, tant qu'on n'a pas de preuve matérielle, dans le genre cadavre.

— Le comportement de Beryl aurait dû suffire, répondis-je. Regardez ces rapports : elle a suivi toutes les suggestions de l'agent Reed. C'est écrit noir sur blanc ! Il lui conseille d'installer une alarme, elle s'exécute. Il lui dit de garer sa voiture dans le garage, elle suit sa recommandation, alors même qu'elle voulait transformer cette pièce en bureau. Elle lui demande son avis au sujet d'une arme et s'en procure une. À chaque fois qu'elle a contacté Reed, c'était *immédiatement après* la menace du tueur. Elle n'a pas tergiversé durant des heures ou des jours avant de prévenir la police.

Wesley étala sur le bureau les photocopies des lettres

écrites par Beryl Madison de Key West, le rapport et les schémas établis sur la scène du crime, ainsi qu'une série de Polaroïd du jardin, de l'intérieur de la maison et enfin de son corps retrouvé dans la chambre à l'étage. Le visage fermé, il examina attentivement le tout. Une attitude sans équivoque, comme un signal que le temps des discussions et des récriminations était passé et qu'il fallait maintenant agir. Peu importait ce qu'avait fait – ou n'avait pas fait – la police. Une seule chose demeurait cruciale : trouver le tueur.

— Un paradoxe me trouble..., avoua Wesley, cette évidente contradiction dans le *modus operandi.* La chronologie des menaces est cohérente avec un fonctionnement de type psychopathique. Un individu qui a suivi et menacé Beryl pendant des mois, quelqu'un qui semblait ne la connaître que de loin. En d'autres termes, nous avons affaire à un sujet qui tire l'essentiel de son plaisir de la phase fantasmatique d'anticipation, celle qui précède le passage à l'acte. Il a fait traîner les choses en longueur, le plus longtemps possible. Peut-être son passage à l'acte est-il conséquent à un état de frustration. Beryl l'a privé de son plaisir en quittant la ville. Peut-être aussi redoutait-il qu'elle se décide à déménager vraiment, et il l'a tuée dès qu'elle a refait surface.

— Avec ce coup de se barrer, elle l'avait vraiment fait méga-chier, renchérit Marino.

Wesley continuait d'examiner les photos.

— Ce qui saute aux yeux là-dedans, c'est une invraisemblable fureur, et c'est précisément là que réside la contradiction. Sa rage semble dirigée contre Beryl en tant que personne. C'est criant dans les mutilations du visage. Il s'agit d'un processus de reconnaissance de l'individu, continua-t-il en tapotant la photo de l'index. Dans les cas de meurtres de sadiques, le visage de la victime demeure indemne. Elle est dépersonnalisée, il ne s'agit que d'un symbole. D'une certaine façon, aux yeux du tueur, son visage est sans intérêt parce qu'elle n'existe pas en tant qu'être humain, elle n'est rien pour lui. S'il s'adonne à des mutilations, il les réservera aux seins, aux organes génitaux...

Il s'interrompit, perplexe.

— En revanche, il existe des éléments très personnels dans le meurtre de Beryl. La lacération du visage, l'acharnement qui transparaît partout, tout cela coïncide avec un assassin qu'elle connaissait, peut-être même très bien. Quelqu'un pour qui Beryl tournait à l'obsession profonde, intense. Et c'est là que le bât blesse, parce que l'observer de loin, la suivre, ne cadre pas avec ce tableau. Cela évoque plutôt un tueur inconnu.

Marino tripotait le 357 gagné par Wesley.

— Vous voulez mon avis ? dit-il en faisant distraitement tourner le barillet. Je crois que cette ordure se prend pour Dieu. Vous voyez, du genre : tant que vous jouez selon les règles qu'il a instaurées, il vous zigouille pas. Mais Beryl lui a fait un enfant dans le dos en déménageant et en plantant un panneau « À vendre » dans son jardin. Il pouvait plus prendre son pied. Vous respectez plus ses règles, vous morflez.

— Quelle sorte de profil en déduisez-vous ? demandai-je à Wesley.

— Blanc, entre vingt-cinq et trente-cinq ans. Intelligent, issu d'une famille désunie, sans figure paternelle. Il a peut-être été abusé dans son enfance, psychologiquement ou physiquement, voire les deux. C'est un solitaire, ce qui ne signifie cependant pas qu'il vit seul. Il pourrait tout à fait être marié, parce qu'il est doué pour présenter une image respectable. Il mène une double vie. Le personnage public dissimule la face obscure. C'est un obsessionnel compulsif doublé d'un voyeur.

— Waouh, marmonna Marino d'un ton sarcastique, on dirait le portrait craché de la moitié des glandus avec qui je bosse !

Wesley eut un haussement d'épaules.

— Ce ne sont que des hypothèses de travail, Pete, je n'ai pas encore analysé le dossier de fond en comble. Il pourrait s'agir d'un raté qui vit toujours avec sa mère. Il peut avoir déjà été condamné, ou interné, que ce soit en prison ou dans des institutions spécialisées. Bon sang, il pourrait tout aussi bien travailler tranquillement pour une grande entreprise de sécurité et posséder un casier judiciaire ou un dossier psychiatrique vierge. De toute évidence, il appelait Beryl le soir, à une exception près : un samedi dans la journée. Elle sortait peu de chez elle puisqu'elle y travaillait. En conclusion, il ne téléphonait que quand il en avait la possibilité, et non quand il pensait la trouver. Je serais enclin à croire qu'il a un travail avec des horaires de bureau réguliers, et qu'il est libre le week-end.

— À moins qu'il appelle de son boulot, remarqua Marino.

— Ce n'est pas exclu, concéda Wesley.

— Et l'âge ? demandai-je. Vous ne croyez pas qu'il pourrait être plus vieux que ce que vous suggérez ?

— Ce serait inhabituel, mais tout est possible.

Dégustant mon café, enfin un peu moins brûlant, je leur révélai ce que Mark m'avait appris des problèmes de contrat de Beryl et de son étrange relation avec Cary Harper. Lorsque j'achevai mes explications, Wesley et Marino me considérèrent, intrigués. Cette visite impromptue d'un avocat de Chicago chez moi, tard dans la soirée, paraissait pour le moins surprenante, mais surtout je venais de leur offrir un nouveau terrain d'investigation. Qu'il puisse exister un motif « logique » à l'assassinat de Beryl n'était pas venu à l'esprit de Marino ou de Wesley, ni au mien, je l'avoue, tout au moins jusqu'à la veille au soir. Car le mobile le plus commun des crimes sexuels, c'est justement l'absence de mobile. Les criminels agissent pour satisfaire leur plaisir et parce que l'opportunité se présente.

— J'ai un pote qu'est flic à Williamsburg, remarqua Marino. Y m'a dit qu'Harper était un drôle de numéro, un véritable ermite. Il se balade dans une vieille Rolls Royce et cause à personne. Il vit dans un grand manoir au bord de la rivière, mais il reçoit jamais personne, rien. Et puis, Doc, c'est un *vieux* mec.

— Il n'est pas si âgé que cela, protestai-je. Il a dans les cinquante-cinq ans. Je vous concède qu'il mène une existence de reclus. Je crois qu'il vit avec sa sœur.

— Cela me paraît un peu tiré par les cheveux, Pete, remarqua Wesley l'air très tendu, mais allez-y, voyez ce que vous parvenez à dénicher. À défaut d'autre chose, peut-être Harper aura-t-il une idée de l'identité de ce « M » à qui écrivait Beryl. On peut affirmer, sans gros risque de se tromper, qu'il s'agissait d'un familier, un ami, un amant. Quelqu'un doit bien connaître son identité, quand même ! Si on trouve, on aura avancé d'un petit pas.

Mais Marino semblait assez réservé :

— Ouais ? Ben moi, je sais ce qu'on m'a raconté... Harper va pas vouloir me causer, et j'ai pas de motif valable pour l'y obliger. Je crois pas non plus que ce soit lui qui ait buté Beryl, même s'il pensait avoir une bonne raison. Lui, il s'en serait débarrassé une bonne fois pour toutes, sans faire durer le truc neuf ou dix mois, non ?

Et elle aurait reconnu sa voix, si ç'avait été lui l'auteur des coups de téléphone.

— Harper aurait pu louer les services de quelqu'un d'autre, dit Wesley.

— Juste. Mais, dans ce cas, on l'aurait retrouvée avec un trou bien propre dans la nuque une semaine plus tard, contra Marino. Je connais pas beaucoup de tueurs à gages qui traquent leur victime durant des mois en la persécutant au téléphone ou qui la massacrent à l'arme blanche après l'avoir violée.

— Votre raisonnement se tient, du moins dans la plupart des cas, acquiesça Wesley. Cela étant, nous ne sommes pas certains qu'il y ait bien eu viol. Aucune trace de sperme n'a été détectée, ajouta-t-il. (Il me lança un regard et je confirmai d'un hochement de tête.) On ne peut pas exclure que le meurtrier soit dysfonctionnel d'un point de vue sexuel. Mais, par ailleurs, le crime a pu être maquillé, le corps mis en scène pour évoquer une agression sexuelle. Tout dépend du tueur embauché – le cas échéant – et du but recherché. Par exemple, si Beryl avait été abattue à l'aide d'une arme à feu alors qu'elle se trouvait en plein litige avec Harper, les flics auraient placé ce dernier en tête de leur liste de suspects. *A contrario,* s'il semble que son meurtre soit l'œuvre d'un psychopathe, d'un pervers sexuel, Harper peut dormir sur ses deux oreilles.

Son gros visage écarlate, Marino contemplait la bibliothèque. Il finit par se retourner lentement vers moi pour me lancer un regard inquiet.

— Qu'est-ce que vous savez d'autre à propos de ce bouquin qu'elle écrivait ?

— Rien de plus que ce que je vous ai dit. Il s'agissait d'un ouvrage autobiographique, lequel pouvait porter atteinte à la réputation d'Harper.

— C'est là-dessus qu'elle travaillait à Key West ?

— C'est ce que j'en ai conclu, sans aucune certitude.

Marino hésita.

— Ben, j'veux pas vous décevoir, mais on n'a rien dégoté qui ressemble à ça dans la maison.

Même Wesley eut l'air surpris et remarqua :

— Et le manuscrit qui se trouvait dans sa chambre à coucher ?

Marino sortit son paquet de cigarettes.

— Ah, ouais... j'ai jeté un œil dessus. C'est encore une de ces merdes de romans sentimentaux qui se passent pendant la guerre de Sécession. Rien à voir avec l'autre truc dont cause la Doc.

— Le manuscrit porte un titre ou une date ?

— Non, et d'ailleurs j'ai pas non plus l'impression que le machin soit complet. Il est pas plus épais que ça, dit Marino en écartant le majeur et l'index de deux ou trois centimètres. Y a plein de notes dans les marges, et une dizaine de pages supplémentaires écrites à la main.

— Nous ferions mieux de passer de nouveau en revue tous ses papiers, toutes ses disquettes, pour nous assurer que ce texte autobiographique n'est pas là, intervint Wesley. Il est important de mettre la main sur son agent littéraire ou sur son éditeur. Peut-être a-t-elle expédié son manuscrit avant de quitter Key West. En d'autres termes, il faut que nous soyons certains qu'elle ne l'a pas ramené à Richmond, car si c'est le cas et qu'il ait disparu, cela constituerait un indice significatif, et c'est un euphémisme !

Jetant un coup d'œil à sa montre, Wesley repoussa son siège en s'excusant :

— J'ai un autre rendez-vous dans cinq minutes.

Il nous raccompagna jusqu'à l'entrée. Je ne parvins pas à me débarrasser de Marino, qui insista pour m'escorter jusqu'à ma voiture, tout en me gratifiant d'un de ses innombrables sermons sur le thème « Soyons prudents dès que nous mettons un pied dehors », sermons qu'il m'avait déjà infligés à de multiples reprises :

— Faut rester vigilante, Doc. Y a plein de femmes qui pensent jamais à ça. Je les vois qui se baladent, peinardes, sans avoir la moindre idée de qui les regarde ou de qui les suit, peut-être. Et quand vous arrivez à votre voiture, tenez vos foutues clés à la main, et regardez *sous* votre caisse, d'accord ? Le nombre de femmes qui pensent pas à ça, ça vous en boucherait un coin. Et une fois au volant, si vous vous apercevez que quelqu'un vous suit, qu'est-ce que vous faites ?

Je l'ignorai.

— Eh ben, vous foncez tout droit vers la première caserne de pompiers, d'accord ? Et pourquoi ? Parce qu'y a toujours quelqu'un, là-bas, même à 2 heures du matin un jour de Noël ! C'est là que vous allez.

Je patientai pour traverser tout en cherchant mes clés au fond de mon sac. Jetant un coup d'œil de l'autre côté de la rue, je remarquai un inquiétant rectangle blanc sous l'essuie-glace de ma voiture de fonction. Mince, n'avais-je pas mis assez d'argent dans le parcmètre ?

— Ils sont partout, continuait Marino. Faites attention, surveillez tout quand vous rentrez chez vous ou quand vous vous baladez en courses.

Je le foudroyai d'un regard avant de traverser d'un pas rapide.

— Hé, pas la peine de vous énerver contre moi, dit-il lorsque nous atteignîmes ma voiture, vous devriez être contente que je m'empresse autour de vous comme un ange gardien !

Mon temps de stationnement était écoulé depuis un

bon quart d'heure. J'arrachai la contravention du pare-brise et la pliai avant de la fourrer dans la poche de sa chemise en déclarant :

— Quand vous vous *empresserez* de rentrer au poste, merci de vous occuper de ça !

Il me regarda démarrer, un air renfrogné sur le visage.

3

Dix rues plus loin, je me garai de nouveau devant un parcmètre, dans lequel je glissai mes deux derniers *quarters*. En dépit de mon insistance à toujours conserver un panonceau rouge indiquant MÉDECIN LÉGISTE bien en vue sur le tableau de bord de ma voiture de fonction, les flics de la circulation semblaient ne pas l'apercevoir. Quelques mois auparavant, l'un d'entre eux avait eu le culot de me dresser une contravention alors que je me trouvais dans le centre-ville, investiguant une scène de crime sur laquelle je venais d'être appelée par la police, au beau milieu de la journée.

Je grimpai quatre à quatre l'escalier de béton, poussai une porte vitrée et pénétrai au siège de la bibliothèque municipale. Les gens s'y déplaçaient avec discrétion et les longues tables de bois croulaient sous les piles de livres. L'ambiance feutrée m'inspira à nouveau cette espèce de respect que j'éprouvais lorsque j'étais enfant. Au centre de la salle, je repérai une rangée de lecteurs de microfiches. Je m'installai afin de consulter l'index des ouvrages écrits sous les divers pseudonymes de Beryl Madison, gribouillant une liste de titres. Le plus récent, un roman historique ayant pour toile de fond la guerre de Sécession, signé du nom d'Edith Montague, avait été publié un an et demi auparavant. Mark avait sans doute raison, songeai-je. Tout ceci n'avait probablement aucun lien avec le meurtre de la jeune femme. Beryl avait publié six romans ces dix dernières années, et je n'avais entendu parler d'aucun d'entre eux.

J'entrepris ensuite une recherche dans la presse magazine, sans résultat. Beryl écrivait des livres, mais n'avait apparemment jamais rien publié dans des revues. Il ne semblait pas davantage exister d'interview d'elle. Peut-être les coupures de quotidiens seraient-elles plus révélatrices ? Je trouvai en effet quelques critiques parues au cours des dernières années dans le *Times* de Richmond, à ceci près qu'elles ne relevaient pas d'un grand intérêt puisqu'elles faisaient allusion à l'auteur sous son pseudonyme. L'assassin de Beryl la connaissait sous sa véritable identité.

Les écrans hachés de caractères blancs et flous défilèrent les uns après les autres : « Maberly », « Macon » et, enfin, « Madison ». Un très court article était sorti en novembre dans le *Times* :

CONFÉRENCE D'ÉCRIVAIN

La romancière Beryl Stratton Madison donnera une conférence à l'Association des filles de la Révolution américaine ce mercredi au *Jefferson Hotel* de Main et Adams Streets. Miss Madison, protégée du lauréat du prix Pulitzer Cary Harper, est essentiellement connue pour ses romans historiques se déroulant sous la Révolution américaine et la guerre de Sécession. Sa conférence aura pour thème « La viabilité de la légende comme véhicule de la réalité ».

Je notai cette intéressante information, puis m'attardai un peu afin de dénicher plusieurs des ouvrages de

Beryl que j'empruntai. De retour au bureau, je tentai de m'immerger dans la paperasse en souffrance, luttant contre mon envie de décrocher le téléphone. *Cela ne te concerne pas,* ne cessais-je de me répéter, consciente des limites qui séparaient mes attributions de celles de la police.

Les portes de l'ascenseur de l'autre côté du couloir s'ouvrirent pour livrer passage à nos bruyants vigiles. Ils arrivaient toujours à 18 h 30 et se dirigèrent comme à leur habitude vers le placard du concierge situé un peu plus bas dans le couloir.

De toute façon, la Mrs J.-R. McTigue – dont l'entrefilet du *Times* précisait qu'elle s'occupait des réservations – ne répondrait probablement pas. Le numéro que j'avais recopié devait être celui des bureaux de l'AFRA – l'Association des filles de la Révolution américaine –, lesquels devaient fermer à 17 heures.

Pourtant on décrocha dès la deuxième sonnerie.

— J'aurais souhaité parler à Mrs J.-R. McTigue, précisai-je après un court silence.

— Je suis Mrs McTigue.

Trop tard pour reculer, et inutile de s'embarrasser de circonlocutions.

— Madame McTigue, je suis le Dr Scarpetta...

— Le Dr qui ?...

— Scarpetta, répétai-je. Je suis le médecin légiste qui enquête sur la mort de Beryl Madison...

— Oh, mon Dieu, en effet, j'ai appris son décès ! Mon Dieu, mon Dieu... C'était une adorable jeune femme. Je ne pouvais pas y croire quand je l'ai entendu...

— J'ai cru comprendre qu'elle était intervenue lors de votre réunion de novembre...

— Nous étions tellement ravies lorsqu'elle a accepté

de venir ! Vous savez, elle ne faisait pas souvent ce genre d'interventions.

Mrs McTigue semblait très âgée, et au moment où je pensais avec une certaine amertume que je m'étais fourvoyée en l'appelant, elle me prit par surprise :

— Vous comprenez, Beryl s'est déplacée uniquement pour nous faire plaisir. Mon défunt mari était un ami de Cary Harper, l'écrivain. Vous avez sûrement entendu parler de lui. C'est Joe qui s'est occupé de tout, en fait. Il savait combien cela comptait pour moi. J'ai toujours adoré les romans de Beryl.

— Où habitez-vous, madame McTigue ?

— Les Gardens.

Chamberlayne Gardens étaient une maison de retraite située non loin du centre-ville, une triste habitude de plus décrivant ma vie professionnelle. Au cours des années qui venaient de s'écouler, plusieurs personnes âgées hébergées aux Gardens avaient défilé dans mes services, à l'instar de pensionnaires d'autres maisons de retraite ou hospices de la ville.

— Pourrais-je vous rendre une courte visite avant de rentrer chez moi ? Je ne voudrais pas vous déranger.

— Euh... non, bien sûr. Oui, pourquoi pas ? Vous êtes le Dr ?...

Je répétai mon nom en articulant nettement.

— J'occupe l'appartement 378. Lorsque vous arrivez dans le hall, prenez l'ascenseur jusqu'au troisième.

Son lieu de résidence m'en apprenait déjà beaucoup sur Mrs McTigue. Chamberlayne Gardens s'occupaient de personnes âgées n'ayant nul besoin du soutien de la Sécurité sociale pour survivre. Les cautions requises pour réserver un appartement étaient d'un montant substantiel, et le tarif mensuel excédait largement un loyer moyen. Mais, comme les autres établissements de ce genre, les Gardens étaient une cage dorée. Si agréable que fût l'environnement, aucun de ses occupants n'avait vraiment souhaité se retrouver là.

Situé à la limite ouest du centre-ville, il s'agissait d'un très haut bâtiment de brique, déprimant compromis entre un hôtel et un hôpital. Je me garai sur une place visiteur, puis me dirigeai vers un portique éclairé qui ressemblait à une entrée principale. Le hall de réception était décoré de copies étincelantes de meubles de Williamsburg, très en vogue avant la guerre de Sécession, sur lesquels trônaient de lourds vases en cristal retenant des arrangements floraux en soie. Des tapis orientaux, qui n'avaient rien d'artisanal, recouvraient la moquette rouge, et un lustre de cuivre pendait du plafond. Un vieil homme était tassé au coin d'un canapé, sa canne à la main, le regard vide sous le rebord de sa casquette de tweed anglais. Une femme très âgée, décrépite, traversait avec difficulté la pièce, se cramponnant à son déambulateur.

Le jeune homme de la réception, figé d'ennui derrière la plante verte qui ornait son bureau, ne me prêta aucune attention tandis que je me dirigeais vers l'ascenseur. Les portes finirent par s'ouvrir et se refermèrent au bout d'un temps infini, comme il est de règle dans les endroits où les gens ne se meuvent qu'avec lenteur. Seule dans l'ascenseur, je contemplai sans vraiment les déchiffrer les affiches scotchées sur les parois lambrissées de la cabine, rappels de sorties dans des musées ou dans les plantations des alentours, réunions de bridge ou d'artisanat, sans oublier l'échéance pour la remise des tricots dont avait besoin le Jewish Community Center. La plupart de ces manifestations étaient depuis longtemps passées. Les maisons de retraite me mettaient toujours un peu mal à l'aise, avec leurs noms aux allures de cimetières ou leurs métaphores évoquant l'éternel repos : Sunnyland, Sheltering Pines ou Chamberlayne Gardens. Que ferais-je le jour où ma mère ne serait plus autonome ? La dernière fois que je l'avais appelée, elle avait mentionné cette intervention chirurgicale nécessaire à l'installation d'une prothèse de hanche.

L'appartement de Mrs McTigue se trouvait à mi-chemin du couloir sur la gauche. Une vieille dame à la peau ridée comme un parchemin et aux petits cheveux trop fins d'un blanc jauni répondit promptement lorsque je frappai à la porte. Les joues avivées d'une touche de fard, elle était enveloppée dans un cardigan blanc bien trop grand pour elle. Les effluves de son eau de toilette florale se mêlaient à l'odeur du fromage chaud.

— Je suis Kay Scarpetta.

— Comme c'est aimable à vous de venir ! dit-elle en tapotant légèrement la main que je lui tendais. Voulez-vous du thé ou peut-être quelque chose d'un peu plus fort ? Quoi que vous aimiez, je l'ai ! Moi, je bois du porto, déclara-t-elle en me guidant vers un petit salon où elle m'invita à m'asseoir dans un fauteuil à oreillettes.

Elle éteignit le poste de télévision, puis alluma une autre lampe. La pièce était aussi encombrée et impressionnante qu'un décor de théâtre prévu pour une représentation d'*Aïda*. Le moindre centimètre carré disponible du tapis persan un peu défraîchi disparaissait sous un lourd mobilier d'acajou : chaises, guéridons, table à bibelots, bibliothèques débordant de livres, vitrines de coin regorgeant de porcelaine tendre et de verrerie fine. Une profusion de sombres tableaux, de cordons de sonnette et de plaques de cuivre martelé couvrait les murs.

Mon hôtesse revint avec un petit plateau d'argent chargé d'une carafe à porto Waterford, de deux verres assortis et d'une petite assiette garnie de sablés maison au fromage. Elle remplit les verres, puis me tendit l'assiette et une petite serviette en lin ornée de dentelle d'un autre âge et fraîchement repassée. Il s'agissait de toute évidence d'un rituel qui dura un certain temps. Enfin, Mrs McTigue s'installa à l'extrémité usée d'un sofa où je supposai qu'elle passait l'essentiel de sa journée, à lire ou à regarder la télévision. Elle était ravie d'avoir de la compagnie, même si la raison de ma venue n'était guère mondaine. Lui rendait-on parfois visite ? Je l'ignorais.

— Ainsi que je vous l'ai dit, je suis le médecin légiste chargé de l'affaire Beryl Madison. Pour l'instant, ceux d'entre nous qui enquêtent sur sa mort ne savent que fort peu de chose à son sujet ou concernant ses proches.

Le visage dépourvu d'expression, Mrs McTigue dégustait son porto à petites gorgées. J'étais si habituée à aller droit au fait lors de mes rapports avec la police ou les avocats que j'en oubliais parfois que le reste du monde s'attendait à davantage de formes. Les biscuits au fromage avaient un délicieux goût de beurre, et je lui en fis le compliment.

— Oh, c'est si gentil à vous, remercia-t-elle dans un sourire. Je vous en prie, servez-vous, il y en a encore.

Je tentai une nouvelle approche :

— Madame McTigue, connaissiez-vous Beryl Madison avant de l'inviter à donner cette conférence dans votre association l'automne dernier ?

— Oh, oui... enfin, du moins indirectement. Je suis une de ses admiratrices depuis des années. Je veux dire de ses livres. J'adore les romans historiques.

— Comment saviez-vous qu'il s'agissait d'elle ? Elle signait de différents pseudonymes. Son vrai nom ne figure jamais sur les couvertures ou dans la notice biographique.

Je m'en étais assurée en compulsant plusieurs de ses romans empruntés à la bibliothèque.

— Vous avez tout à fait raison. Je suppose que je devais être une des rares personnes à connaître son identité... Grâce à Joe.

— Votre mari ?

— Il était ami avec Mr Harper, expliqua-t-elle. Enfin, pour autant qu'on puisse être ami avec lui. Il s'agissait au début d'une relation d'ordre professionnel. C'est comme cela que tout a commencé.

— Et quel était le travail de votre mari ? demandai-je en me faisant la réflexion que mon hôtesse avait l'esprit beaucoup plus clair que je ne l'avais d'abord craint.

— Il avait une entreprise de bâtiment. Lorsque Mr Harper a acheté Cutler Grove, la propriété avait grand besoin de travaux de restauration. Joe a passé quasiment deux ans là-bas à superviser le chantier.

J'aurais dû faire le lien bien avant. McTigue Contractors et McTigue Lumber Company étaient les deux plus grosses entreprises de construction de Richmond. Leurs bureaux étaient dispersés dans tout le Commonwealth.

— Tout ceci remonte à plus de quinze ans, continua Mrs McTigue. Et c'est à l'époque où il travaillait à Cutler Grove que Joe a rencontré Beryl. Elle a visité plusieurs fois le chantier en compagnie de Mr Harper et a ensuite emménagé dans la maison. Elle était très jeune. (Mrs McTigue s'interrompit quelques instants avant de reprendre :) Je me souviens de Joe, à l'époque, me racontant que Mr Harper avait adopté une très jolie jeune fille, une romancière pleine de talent. Je crois qu'elle était orpheline... ou une histoire très triste dans ce genre-là. Bien entendu, tout cela restait très discret...

Elle posa son verre avec délicatesse et se fraya lentement un chemin jusqu'au secrétaire, dont elle ouvrit un tiroir. Elle revint ensuite vers moi, me tendant une enveloppe de couleur crème d'une main qui tremblait un peu.

— Tenez. C'est la seule photo que j'aie d'eux.

À l'intérieur de l'enveloppe, une épaisse feuille blanche de papier à lettres de qualité abritait au creux de son pli une vieille photo noir et blanc un peu surexposée. Une adolescente blonde à la beauté délicate était entourée de deux hommes imposants et bronzés, tous deux en tenue de campagne. Les trois silhouettes serrées les unes contre les autres grimaçaient en clignant des yeux sous le plein soleil.

— Voici Joe, précisa Mrs McTigue en désignant l'homme qui se tenait à gauche de la jeune fille, dont j'étais certaine qu'il s'agissait de Beryl Madison.

Les manches de sa chemise kaki étaient remontées sur ses bras musclés jusqu'aux coudes et le rebord d'une casquette International Harvester dissimulait son regard. À la droite de Beryl se tenait un homme massif aux cheveux blancs, dont Mrs McTigue m'expliqua qu'il s'agissait de Cary Harper.

— La photo a été prise près de la rivière, au moment où Joe travaillait à la restauration de la maison. Mr Harper avait déjà les cheveux blancs à cette époque-là. Vous avez dû entendre ce que l'on raconte, que ses cheveux ont blanchi alors qu'il écrivait *The Jagged Corner,* il avait à peine trente ans.

— Cette photo a donc été prise à Cutler Grove ?

— Oui, c'est cela.

Le visage de Beryl me fascinait. C'était un visage trop sage, trop raisonnable pour quelqu'un d'aussi jeune, l'un de ces visages pensifs et tristes que j'associe toujours aux enfants maltraités et abandonnés.

— Beryl n'était alors qu'une enfant, remarqua Mrs McTigue.

— Elle devait avoir seize ans, peut-être dix-sept ?

— À peu près, oui, acquiesça-t-elle en me regardant replier la feuille autour de la photo pour les glisser dans l'enveloppe. Je ne l'ai découverte qu'après la mort de Joe. Un de ses ouvriers avait dû la prendre.

Elle rangea l'enveloppe dans le tiroir, revint s'asseoir, puis ajouta :

— Je crois qu'une des raisons pour lesquelles mon mari s'entendait si bien avec Mr Harper, c'est que Joe était d'une discrétion de tombe en ce qui concernait les affaires des autres. Je suis certaine qu'il m'a dissimulé pas mal de petits secrets, à moi aussi, déclara-t-elle avec un pâle sourire, fixant le mur devant elle d'un regard vide.

— De toute évidence, Mr Harper a parlé à votre mari des livres de Beryl quand elle a commencé à publier, remarquai-je.

Elle m'accorda de nouveau toute son attention, l'air surpris.

— À vrai dire, je ne suis pas sûre que Joe m'ait révélé comment il l'avait appris, docteur Scarpetta. Quel joli nom ! C'est espagnol ?

— Non, italien.

— Oh, je parie que vous êtes une excellente cuisinière, alors.

— J'aime faire la cuisine, dis-je en dégustant une gorgée de porto. Il semble donc que Mr Harper ait parlé des livres de Beryl à votre mari.

— Mon Dieu, dit-elle avec un froncement de sourcils, c'est curieux que vous abordiez ce sujet. Je ne me suis jamais posé la question, mais oui, probablement, Mr Harper a dû en parler, sinon je ne vois pas comment Joe aurait pu être au courant. Et pourtant il l'était, puisqu'il m'a offert un exemplaire de *Flag of Honor* pour Noël, lorsque le livre est sorti.

Elle se releva, passa en revue plusieurs des étagères de la bibliothèque, puis sortit un épais volume qu'elle me tendit en remarquant avec fierté :

— Il est dédicacé !

J'ouvris le livre, et contemplai la large signature généreuse d'« Emily Stratton », tracée dix ans auparavant, en décembre.

— Son premier roman, remarquai-je.

— Sans doute un des seuls qu'elle ait jamais dédicacés, souligna Mrs McTigue, radieuse. Joe l'a sans doute obtenu par l'intermédiaire de Mr Harper. C'est idiot ce que je dis, comment aurait-il pu se le procurer autrement !

— Avez-vous d'autres ouvrages dédicacés ?

— Pas par elle, non. J'ai tous ses romans, et je les ai tous lus, parfois deux ou trois fois.

Elle hésita, et son regard s'élargit.

— Est-ce que cela s'est passé comme on l'a décrit dans les journaux ?

— Oui.

Je ne révélai pas toute la vérité. La mort de Beryl avait été beaucoup plus brutale que tout ce qui avait été rapporté par les médias.

Mrs McTigue prit un autre sablé au fromage, et je redoutai durant quelques instants qu'elle fonde en larmes.

— Racontez-moi ce qui s'est passé en novembre. Il s'est écoulé presque un an depuis qu'elle est venue faire cette conférence sur votre invitation. C'était bien lors d'une réunion de l'Association des filles de la Révolution américaine ?

— Oui, à l'occasion de notre déjeuner annuel avec un auteur. Il s'agit d'un grand événement pour nous, nous sélectionnons un invité de marque, un auteur, en général quelqu'un de très célèbre. C'était mon tour de présider le comité, de tout organiser, de dénicher l'orateur. Mon choix était fait depuis le début : j'avais tant envie que Beryl assiste à notre déjeuner, mais je me suis aussitôt heurtée à une série d'obstacles. Je n'avais aucune idée de la façon de la contacter. Elle n'était pas dans l'annuaire, et je n'avais pas la moindre idée de l'endroit où elle habitait. Comment imaginer, une seule seconde, qu'elle vivait ici, à Richmond ! J'ai fini par demander à Joe de me venir en aide. (Elle hésita et eut un petit rire gêné.) Vous comprenez, au fond, je voulais voir si je pourrais me débrouiller toute seule, et puis Joe était tellement occupé... Enfin, bref, un soir il a appelé Mr Harper, et le lendemain matin mon téléphone sonnait ! Je n'oublierai jamais ma surprise, j'en avais le souffle coupé lorsqu'elle s'est présentée.

Le téléphone de Beryl. Il ne m'était pas venu à l'esprit que son numéro ait pu figurer sur la liste rouge. Les rapports de l'agent Reed ne mentionnaient pas ce détail. Marino était-il au courant ?

— À mon plus total ravissement, elle a accepté l'invitation, puis a posé les questions habituelles, notamment combien de gens seraient présents. Je lui ai annoncé que nous serions entre deux et trois cents. Le jour, l'heure, la durée de son intervention, ce genre de choses. Elle était si aimable, charmante, pas trop bavarde, ce qui est inhabituel. Elle ne tenait pas à ce que nous fassions livrer un stock de ses romans. Vous savez, les auteurs insistent toujours pour s'installer derrière des piles de livres, afin de les vendre ensuite avec une dédicace. Beryl a dit que ce n'était pas dans ses habitudes, et elle a également refusé les honoraires, ce qui sortait tout à fait de l'ordinaire. Bref, elle m'a fait l'effet d'une personne très gentille et modeste.

— Votre groupe ne se composait que de femmes ? m'enquis-je.

Elle tenta de rassembler ses souvenirs.

— Quelques-unes de nos adhérentes sont venues accompagnées de leurs maris, mais la grande majorité de l'assistance se composait de femmes. C'est presque toujours le cas.

Je m'en doutais. Il était assez improbable que le tueur de Beryl se soit trouvé parmi ses admirateurs de ce jour de novembre.

— Acceptait-elle souvent des invitations de ce genre ?

— Oh, non, répondit vivement Mrs McTigue. Pas du tout, en tout cas pas dans la région. J'en aurais entendu parler, et je me serais ruée afin de faire la queue pour la rencontrer. J'ai eu le sentiment d'une jeune femme qui préservait beaucoup sa vie privée, quelqu'un qui écrivait pour le plaisir et qui se fichait de la célébrité, ce qui expliquait les pseudonymes. Les auteurs qui dissimulent leur identité de cette façon s'aventurent rarement en public. Et je suis convaincue qu'elle n'aurait pas fait d'exception dans mon cas, n'eussent été les relations de Joe avec Mr Harper.

— Vous donnez l'impression qu'il aurait presque fait n'importe quoi pour Mr Harper, remarquai-je.

— Oh, mais certes, j'en suis convaincue.

— Avez-vous déjà rencontré Harper ?

— En effet.

— Et qu'en avez-vous pensé ?

— Selon moi, il s'agissait peut-être d'un homme

timide. Mais il m'est aussi venu à l'esprit qu'il était malheureux, et aussi qu'il se sentait un peu supérieur aux autres... En tout cas, c'était une personnalité impressionnante.

Son regard se perdit à nouveau dans le vague et la lueur qui l'habitait vacilla.

— Mon mari lui était très dévoué, assurément.

— Quand avez-vous vu Mr Harper pour la dernière fois ?

— Joe est décédé au printemps dernier.

— Vous n'avez pas revu Mr Harper depuis la mort de votre mari ?

Elle secoua la tête, et j'eus la conviction qu'elle se réfugiait dans les tristes recoins de sa mémoire, recoins qu'il ne m'appartenait pas de connaître. Que s'était-il réellement passé entre Cary Harper et Mr McTigue ? Des différends professionnels ? L'écrivain avait-il abusé de son influence sur Mr McTigue, le dévalorisant aux yeux de sa femme ? À moins tout simplement qu'Harper n'ait été égotiste et grossier.

— J'ai cru comprendre que Cary Harper avait une sœur et qu'il vivait en sa compagnie.

La réaction de Mrs McTigue me sidéra : elle pressa les lèvres et les larmes lui montèrent aux paupières. Je posai mon verre sur une petite table et attrapai mon sac.

Elle me raccompagna à la porte d'entrée.

J'insistai avec autant de ménagements que je le pus :

— Beryl vous a-t-elle jamais écrit, à vous ou à votre mari ?

Elle secoua la tête en signe de dénégation.

— Savez-vous si elle fréquentait des amis ? Votre mari a-t-il mentionné quelqu'un ?

Encore un hochement de tête.

— Beryl mentionne une personne dont le nom

commence par un M, l'initiale M. Cela vous évoque-t-il quelque chose ?

Une main sur la poignée de la porte, Mrs McTigue contempla le couloir désert d'un regard triste. Lorsqu'elle tourna enfin le visage vers moi, elle parut avoir du mal à me distinguer au travers des larmes qui s'accumulaient sous ses paupières.

— Un P et un A reviennent dans deux de ses romans. Des espions de l'Union nordiste, si je me souviens bien. Oh, mon Dieu, je crois que j'ai oublié d'éteindre le four ! (Elle cligna des yeux plusieurs fois, comme éblouie par le soleil.) Vous reviendrez me rendre visite, n'est-ce pas ?

— Avec grand plaisir.

Je la remerciai gentiment d'une pression du bras, puis la quittai.

Dès mon retour à la maison, j'appelai ma mère. Pour une fois, j'écoutai avec soulagement ses récriminations et ses habituelles remontrances, ravie d'entendre cette voix forte, la voix d'une femme aux deux pieds bien plantés sur terre et qui m'aimait à sa façon, sans prendre de gants et sans fioritures.

— Nous avons eu dans les trente-trente-cinq degrés toute la semaine, mais j'ai vu à la télévision que la température avait dégringolé au-dessous de cinq degrés à Richmond. Il gèle presque. Il n'a pas encore neigé ?

— Non, maman, il n'a pas neigé. Comment va ta hanche ?

— Oh, on fait aller. Je suis en train de crocheter un plaid. Ça te tiendra chaud aux jambes, tu pourras l'utiliser au bureau. Lucy demande de tes nouvelles.

Je n'avais pas discuté avec ma nièce depuis des semaines. Ma mère continua :

— Elle travaille sur un projet scientifique pour son

école. Un robot qui parle, non, mais je vous jure ! Elle l'a amené l'autre soir à la maison et cette chose a flanqué une peur bleue à ce pauvre Sinbad, qui est allé se réfugier sous le lit...

Sinbad était un insupportable matou gris et noir, mauvais comme une gale, un chat de gouttière sournois qui avait un beau matin emboîté le pas avec une belle obstination à ma mère alors qu'elle faisait ses courses dans Miami Beach. Lors de mes visites en Floride, Sinbad faisait assaut d'hospitalité en se perchant comme un vautour sur le haut du réfrigérateur et en me contemplant d'un œil vitreux.

Je ne pouvais plus résister, il fallait que j'annonce la nouvelle à quelqu'un, aussi lançai-je d'un ton à la jovialité un peu forcée :

— Tu ne devineras jamais qui j'ai revu l'autre jour ! Tu te souviens de Mark James ?

Ma mère n'ignorait pas grand-chose de mon passé.

Un silence s'installa.

— Comme il se trouvait à Washington, il est passé me voir.

— Évidemment, je me souviens de lui.

— Il a fait un saut jusqu'à chez moi afin de discuter d'un dossier de client. Il est avocat... euh... à Chicago. (Je battai en retraite en hâte.) Il séjournait à Washington pour affaires...

Et plus j'en rajoutais, plus son silence désapprobateur se faisait pesant.

— Oui... Ce que je n'ai pas oublié, c'est qu'il t'a presque tuée, Katie.

Je redevenais « Katie », j'avais à nouveau dix ans.

4

Les laboratoires d'analyses scientifiques se trouvaient dans le bâtiment abritant mes bureaux. Cette topographie présentait un avantage certain : je n'avais pas à attendre longtemps avant d'obtenir une copie des rapports d'examens. Les différents chercheurs travaillant en ces lieux en savaient déjà beaucoup bien avant de commencer à rédiger leurs conclusions, comme moi. Une semaine auparavant, j'avais transmis aux labos tous les prélèvements et indices concernant Beryl Madison. Il s'écoulerait probablement plusieurs autres semaines avant que le rapport définitif n'atterrisse sur mon bureau, mais Joni Hamm devait déjà s'être forgé un avis personnel, voire une interprétation préliminaire. Lorsque j'en eus terminé avec les différentes affaires de la matinée, une vague de curiosité scientifique me poussa et je pris mon courage à deux mains pour monter au quatrième étage, une tasse de café à la main.

Le « bureau » de Joni n'était rien de plus qu'une alcôve située à l'extrémité du couloir et coincée entre le labo d'analyse de traces et celui de toxicologie. Lorsque je fis mon apparition, elle était installée devant une paillasse noire, les yeux vissés à un microscope binoculaire, un carnet à spirale couvert de notes tracées d'une écriture soignée à côté d'elle.

— Je tombe mal ? demandai-je.

— Ni pire ni mieux qu'à un autre moment, déclara-t-elle en me jetant un coup d'œil distrait.

Je rapprochai une chaise.

Joni était une jeune femme menue aux courts cheveux bruns et aux grands yeux sombres. Mère de deux enfants, elle préparait son doctorat en suivant des cours du soir et avait toujours l'air éreintée, préoccupée. Cela dit, c'était le cas de la plupart des chercheurs et je n'étais pas épargnée par ce genre de qualificatifs.

— Je voulais savoir si vous teniez quelque chose de nouveau au sujet de Beryl Madison. Qu'avez-vous déniché ?

— Je parie que j'en sais bien plus que vous n'espériez, déclara-t-elle en tournant quelques pages de son calepin. C'est un véritable labyrinthe d'indices.

L'image ne me surprit pas. J'avais confié aux labos une multitude d'enveloppes et de piluliers à indices. Le corps de Beryl était à ce point ensanglanté qu'une foule de débris s'y étaient collés, comme piégés par du ruban adhésif. Les fibres posaient un problème particulier de préparation puisque Joni devait les nettoyer avant de pouvoir les examiner au microscope. Chaque fibre devait être lavée séparément dans un récipient contenant une solution savonneuse, récipient que l'on déposait ensuite dans le bac d'un sonicateur. Une fois le sang et les poussières désolidarisés avec précaution grâce à ce protocole, la solution était passée sur un papier-filtre stérile, et chacune des fibres récupérées montée sur une lame de verre.

Joni passa ses notes en revue et déclara :

— Si je n'avais pas eu connaissance de certains éléments, j'aurais juré que Beryl Madison avait été assassinée ailleurs que chez elle.

— Impossible. Elle a été tuée à l'étage, et elle n'était pas morte depuis très longtemps lorsque la police est arrivée sur les lieux.

— Je sais. Commençons par les fibres qui proviennent de la maison. Trois adhéraient aux zones ensanglantées des paumes et des genoux de la victime. Il s'agit de laine. Deux sont rouge foncé et la dernière dorée.

— Est-ce cohérent avec le tapis de prière oriental du couloir de l'étage ? demandai-je en me souvenant des photos prises sur la scène du crime.

— Oui, on trouve une excellente correspondance avec les échantillons apportés par la police. Si Beryl Madison est tombée à quatre pattes sur le tapis, cela expliquerait les fibres recueillies, ainsi que leur localisation. Ça, c'était la partie facile.

Joni tira une pile de classeurs à lames de microscope en carton fort, les passa en revue pour en sélectionner un. Elle souleva le rabat du classeur et détailla attentivement les rangées de fines plaques de verres tout en continuant d'expliquer :

— J'ai également récupéré un nombre non négligeable de brins de coton blanc, inutilisables puisqu'ils pourraient provenir de n'importe où, peut-être même du drap qui couvrait le corps. J'ai également examiné dix autres fibres collectées dans ses cheveux, sur les plaies de la nuque et de la poitrine, ainsi que sous ses ongles. Il s'agit de synthétique et elles ne correspondent à aucun des échantillons fournis par la police, ajouta-t-elle en relevant les yeux.

— Rien à voir avec ses vêtements ou sa literie ?

Joni nia d'un signe de tête.

— Non, aucune chance. Ces fibres semblent étrangères à la scène de crime, et comme elles adhéraient au sang ou s'étaient logées sous les ongles, l'hypothèse la plus vraisemblable est celle d'un transfert passif de son agresseur à elle.

Il s'agissait là d'une récompense inattendue. La nuit du meurtre, lorsque mon adjoint Fielding avait finalement réussi à me joindre, je lui avais enjoint de me retrouver à la morgue. J'y étais arrivée peu avant l'heure du matin, et nous avions ensuite examiné le corps de Beryl au laser durant plusieurs heures, prélevant la plus infime particule et la moindre fibre s'illuminant sous le faisceau de l'appareil. Sur le moment, je m'étais convaincue que la plus grande part de ce que nous récoltions s'avérerait sans grand intérêt, des débris provenant des vêtements ou de la maison de Beryl. Découvrir dix fibres abandonnées par l'agresseur avait de quoi stupéfier. Dans la plupart des cas, je m'estimais déjà chanceuse lorsque j'en dénichais une, et en récupérer deux ou trois relevait du miracle. S'ajoutaient à cela tous les cas où nous faisions chou blanc. Les fibres sont difficiles à repérer, même à l'aide de lunettes-loupes. Le plus léger déplacement d'air peut les déloger bien avant que le médecin légiste n'arrive sur les lieux ou que le corps ne soit transporté à la morgue.

— Quel type de fibres synthétiques ?

— Oléfine, acrylique, nylon, polyéthylène, et dynel, avec une majorité de nylon. La palette de couleurs est très étendue : rouge, bleu, vert, doré, orange. L'observation au microscope tendrait à prouver qu'il n'existe aucun rapport entre elles.

Elle plaçait les lames les unes après les autres sur la platine du microscope, collant ses yeux aux oculaires.

— Certaines sont striées de façon longitudinale, d'autres pas, continua-t-elle. La plupart d'entre elles contiennent du dioxyde de titane en densité variable, ce qui signifie que certaines sont moyennement ternes, d'autres totalement, et quelques-unes brillantes. Leurs diamètres sont assez grossiers, ce qui tendrait à suggérer que nous avons affaire à des fibres de moquette ou de tapis, mais les coupes transversales indiquent de grandes dissemblances de forme.

— Il y aurait *dix* origines différentes ?

— Pour l'instant, nous en sommes là. C'est un cas de figure très atypique. Si ces fibres ont bien été laissées par l'agresseur, il en transportait sur lui une variété assez déroutante. De toute évidence, les plus grossières ne proviennent pas de ses vêtements, parce qu'elles sont de type moquette, pas plus que de la maison de Beryl. Quand même, je suis sidérée qu'il trimbale autant de fibres sur lui. Vous en ramassez toute la journée, mais elles ne demeurent pas sur vous très longtemps. Vous vous asseyez quelque part, vous en perdez certaines et en récoltez d'autres. Ou alors vous vous trouvez dans un courant d'air qui les déloge.

Le moins que l'on puisse dire, c'est que les choses ne gagnaient pas en clarté. Joni tourna de nouveau une page de son carnet avant de poursuivre :

— J'ai également examiné au microscope ce qui a été aspiré, docteur Scarpetta. Tout ce que Marino a récolté sur le tapis de prière est un véritable assortiment de débris hétéroclites. (Elle éplucha sa liste à haute voix :) Cendre de tabac, particules de papier rosé correspondant au timbre qui scelle les paquets de cigarettes, microbilles de verre, quelques éclats un peu plus importants provenant d'une bouteille de bière et d'un phare de voiture. Sans oublier les découvertes plus coutumières de débris d'insectes ou de végétaux, ainsi qu'une bille de métal sphérique et beaucoup de sel.

— Vous voulez dire comme du sel de table ?

— C'est exact.

— Et tout cela se trouvait sur son tapis de prière ?

— Ainsi qu'à l'endroit où son corps a été retrouvé. Nombre de ces éléments se retrouvent également sur son corps, sous ses ongles et dans sa chevelure.

Beryl ne fumait pas, il n'y avait donc aucune raison de retrouver chez elle des cendres de tabac ou des particules provenant de l'emballage d'un paquet de cigarettes. Quant au sel, il est associé à la nourriture, à la cuisine, et en découvrir à l'étage et sur la peau de la victime était incompréhensible.

— Marino a déposé six sacs d'aspirateur correspondant à la moquette, les tapis et des endroits maculés de sang, reprit Joni. De plus, j'ai comparé avec des échantillons de contrôle, en l'occurrence de la poussière aspirée de zones épargnées par le sang et où nulle trace de lutte n'avait été détectée... en d'autres termes, les endroits où le tueur ne s'était pas aventuré, selon la police. Les résultats sont très tranchés. Les débris que je viens d'énumérer ne se retrouvent que sur le passage présumé du tueur, ce qui laisse à penser qu'il a transporté sur lui la plus grande partie de ces indices avant de les semer sur la scène du crime et de les transférer à la victime. C'était peut-être accroché sous ses chaussures, collé à ses vêtements ou ses cheveux. Où qu'il aille, quoi qu'il effleure, des résidus se sont déposés.

— Ce type est un véritable dépotoir !

— Ces trucs sont quasiment invisibles à l'œil nu, me rappela Joni de son air toujours sérieux. Il n'a sans doute pas la moindre idée qu'il transporte autant de choses sur lui.

Je parcourus ses annotations. Seules deux affaires dans ma carrière m'avaient confrontée à une telle abondance d'indices. Dans la première, le corps avait été balancé dans une décharge ou un endroit aussi contaminant : un parking gravillonné ou un accotement. Dans la seconde, il avait été transporté de la scène du crime vers un autre endroit dans un coffre sale ou tassé à l'arrière d'une voiture. Mais aucun de ces scénarios ne s'appliquait dans le cas de Beryl.

— Classez-les par couleurs. Quelles sont celles qui sont le plus susceptibles de provenir d'un revêtement de sol plutôt que d'un vêtement ?

— Les six fibres de nylon sont rouge, rouge foncé, bleu, vert, jaune-vert et vert foncé. Les vertes sont d'ailleurs peut-être des noires, ajouta-t-elle, car le noir ne ressort pas comme tel au microscope. Celles-ci sont assez grossières, cohérentes avec des fibres de moquette, et je subodore que certaines proviennent de tapis de sol automobile plutôt que de moquettes d'habitation.

— Pourquoi ?

— En raison de la présence des autres débris récoltés. Les microbilles de verre évoquent aussitôt la peinture réfléchissante utilisée pour les panneaux de signalisation. Je retrouve souvent les sphères de métal dans les résidus aspirés dans les voitures. Il s'agit de billes de soudure provenant de l'assemblage du châssis de la voiture. Elles sont invisibles à l'œil nu, mais n'en demeurent pas moins présentes. Pour ce qui est des éclats de verre, eh bien, on trouve du verre partout, sur les bas-côtés des routes, sur les parkings. Ça se fiche dans une semelle de chaussure et on le transporte dans sa voiture. Même chose pour les cigarettes. Enfin, reste le sel, et c'est l'élément qui me conforte le plus dans l'hypothèse que nos indices matériels proviennent d'un véhicule... Les gens vont au McDonald's et mangent des frites dans leur voiture. Je parierais que pas une seule voiture dans cette ville n'est vierge de sel de cuisine.

— Supposons que vous ayez raison. Admettons que

ces fibres proviennent d'un tapis de voiture. Cela n'explique toujours pas pourquoi nous nous retrouvons avec six types de fibres de nylon. Enfin quoi, ce type ne possède pas six différentes sortes de tapis de sol dans sa voiture.

— Je suis d'accord sur ce point, mais les fibres ont pu être transférées à l'intérieur de sa voiture. Peut-être exerce-t-il un métier qui le place au contact de moquettes, peut-être son travail l'oblige-t-il à monter et descendre de différents véhicules au cours de la journée.

— Une station de lavage, peut-être ? suggérai-je en visualisant la voiture de Beryl, l'extérieur immaculé, l'intérieur scrupuleusement propre.

Une expression d'intense concentration sur son visage frais, Joni réfléchissait.

— Oui, ça correspondrait tout à fait. S'il travaille dans une de ces stations où les employés nettoient l'intérieur des véhicules, les coffres, il est toute la journée exposé à une multitude de fibres. Il est inévitable qu'il en récolte sur lui. Mais il pourrait aussi être mécanicien.

— D'accord, acquiesçai-je en attrapant mon gobelet de café. Passons aux quatre autres brins. Que pouvez-vous m'en dire ?

Elle jeta un œil à ses notes.

— Une des fibres est de l'acrylique, l'autre de l'oléfine, la troisième est en polyéthylène et enfin la dernière est du dynel. Encore une fois, les trois premières pourraient provenir d'un revêtement de sol. La fibre de dynel est intéressante parce qu'il s'agit d'un matériau peu fréquent. Elle entre dans la composition des fourrures synthétiques, vous savez, les manteaux, les descentes de lit ou même les perruques. Celle-ci est assez fine, elle pourrait provenir d'un vêtement.

— Selon vous, à l'exclusion de cette dernière, aucune des autres fibres ne serait issue de vêtements ?

— Hum... Je pencherais assez pour cette hypothèse.

— On pense que Beryl portait un tailleur-pantalon de couleur brun-roux...

— Il ne s'agit pas de dynel. En tout cas, pas son pantalon ni sa veste. Ils sont faits d'un mélange de polyester et de coton. Cela étant, il n'est pas exclu que son corsage ait été en dynel, mais nous n'avons aucun moyen de le savoir puisqu'il n'a pas été retrouvé.

Elle retira une nouvelle lame du classeur et la monta sur la platine.

— Quant à la fibre orange que j'ai mentionnée, la seule qui soit en acrylique, la géométrie de sa section est assez étonnante, je crois n'avoir jamais vu cela auparavant.

Elle traça un schéma pour m'expliquer, dessinant trois cercles jointifs au centre qui évoquaient un trèfle à trois feuilles dépourvu de tige. Les fibres synthétiques sont fabriquées en forçant un polymère fondu ou dissous au travers des mailles fines d'une filière. Vus en coupe, les filaments obtenus à l'issue du procédé ont conservé la forme du maillage, tout comme un lacet de pâte dentifrice adopte la forme de l'embouchure du tube dont on le fait sortir. Cette découpe en feuilles de trèfle m'était totalement inconnue. Les sections de fibres acryliques évoquent en général la forme de cacahuètes, d'un os pour chien, d'un haltère, d'un champignon, quand elles ne sont pas rondes.

— Tenez, proposa Joni en s'écartant pour me laisser la place.

Je collai mes yeux sur le binoculaire. La fibre ressemblait à une sorte de ruban entortillé de nuance orange vif, constellé de particules noires de dioxyde de titane.

— Comme vous pouvez le constater, expliqua-t-elle, même la couleur est un peu étrange. L'orange n'est pas également réparti, assez peu dense, incluant des particules mates destinées à atténuer le brillant de la fibre. Et pourtant c'est un orange criard, un véritable orange « Halloween », ce que je trouve bizarre pour un vêtement ou une moquette. Le diamètre n'est pas trop grossier.

— Cela pourrait correspondre à un revêtement de sol, proposai-je, en dépit de cette couleur assez particulière.

— Peut-être.

Je réfléchis aux divers matériaux d'un orange clinquant que j'avais pu observer.

— Les vestes des employés de la voirie ? suggérai-je. Le moins que l'on puisse dire, c'est qu'elles sont voyantes, et leurs fibres seraient cohérentes avec les résidus de véhicule que vous avez identifiés.

— Non, c'est peu probable. La plupart des vestes de ce type que j'ai examinées sont en nylon, d'un tissage très épais, peu susceptible de semer des brins partout. De plus, les coupe-vent ou les blousons portés par les employés des chantiers de travaux publics ou les flics de la circulation sont lisses et eux aussi en nylon, ce qui implique que leurs fibres sont résistantes à l'arrachage.

Elle s'interrompit, puis ajouta d'un air pensif :

— D'autant qu'un truc me dérange. Selon moi, la présence de particules d'atténuation de brillance est assez incompréhensible dans le cas de ces vêtements... Une veste de voirie ne doit pas être terne, non ? Son but premier est d'être visible de loin.

Je levai la tête du microscope.

— En tout cas, cette fibre est tellement particulière qu'à mon avis elle est brevetée. Quelqu'un devrait être capable de l'identifier, même si nous ne disposons pas d'un matériau connu en guise de comparaison.

— Je vous souhaite bien du plaisir.

— Oh, je vois à quoi vous faites allusion. La confidentialité. L'industrie du textile est aussi vigilante sur le secret de ses brevets que le citoyen lambda quand il s'agit du montant de ses impôts !

Joni s'étira et se massa la nuque.

— Selon moi, c'est miraculeux que les fédéraux aient suscité une telle coopération dans l'affaire Wayne Williams, remarqua-t-elle.

Elle faisait allusion à la sanglante virée de vingt-deux mois du tueur en série le plus célèbre d'Atlanta. On le pensait responsable des meurtres d'une trentaine d'enfants noirs. Des fibres retrouvées sur les corps de douze de ses petites victimes avaient permis de faire le lien avec le logement et les voitures utilisés par Williams.

— Nous devrions peut-être demander à Hanowell de jeter un coup d'œil à ces brins, surtout l'orange, suggérai-je.

Roy Hanowell, un agent spécial du FBI, appartenait à l'unité d'analyse microscopique de Quantico. Il était l'auteur des analyses de fibres dans l'affaire Williams. Depuis ce succès, il était inondé de requêtes provenant de toutes les autres agences d'investigations de la planète, le priant d'examiner tout et n'importe quoi, depuis le cachemire jusqu'aux toiles d'araignées.

— Je vous souhaite bien du plaisir, répéta Joni du même ton pince-sans-rire.

— Vous l'appellerez ?

— Je doute qu'il accepte de passer derrière un autre analyste, remarqua-t-elle. Vous savez comment sont les fédéraux.

— Nous l'appellerons donc toutes les deux.

Lorsque je regagnai mon bureau, j'y découvris une demi-douzaine de messages téléphoniques griffonnés sur des petits papiers roses. L'un d'entre eux attira mon attention : le numéro de rappel était précédé de l'indicatif de New York. Un texte laconique suivait : « Mark. Merci de le rappeler dès que possible. » Je ne voyais qu'une seule explication à sa présence à New York : une visite à Sparacino, l'avocat de Beryl. Pourquoi le cabinet Orndorff & Berger s'intéressait-il tant au meurtre de Beryl Madison ?

Le numéro que je composai semblait être celui de la ligne directe de Mark car il décrocha dès la première sonnerie.

— À quand remonte ta dernière visite à New York ? demanda-t-il, l'air de rien.

— Je te demande pardon ?

— Un vol direct quitte Richmond dans exactement quatre heures. Tu peux le prendre ?

— Que se passe-t-il ? demandai-je d'un ton calme, tandis que mon rythme cardiaque s'emballait.

— Je ne crois pas qu'il soit souhaitable de discuter des détails au téléphone, Kay.

— Et je ne crois pas qu'il soit souhaitable que je me déplace jusqu'à New York, Mark, répliquai-je.

— Je t'en prie. C'est important. Tu te doutes que je n'insisterais pas si tel n'était pas le cas.

— Ce n'est pas possible...

Il m'interrompit tandis qu'un tourbillon d'émotions contenues depuis bien longtemps prenait d'assaut ma résolution.

— J'ai passé la matinée avec Sparacino. Il semble que nous soyons face à de nouveaux éléments en rapport avec Beryl Madison et ton bureau.

— Mon bureau ? répétai-je, ne cherchant plus à

dissimuler ma stupéfaction. Que pouvez-vous bien discuter qui concerne mon bureau ?

— Je t'en prie, répéta-t-il. Viens.

J'hésitai encore.

Son insistance coupa court à toutes mes réticences :

— Je t'attendrai à l'aéroport de La Guardia, ajouta-t-il. Nous trouverons un endroit tranquille pour parler. La réservation d'avion est déjà faite. Il ne te reste qu'à récupérer ton billet au comptoir d'enregistrement. Je t'ai aussi retenu une chambre. Bref, je me suis occupé de tout.

Mon Dieu, soupirai-je en raccrochant, avant de me précipiter dans le bureau de Rose.

— Je dois partir pour New York cet après-midi, annonçai-je d'un ton qui ne souffrait aucune discussion. C'est en rapport avec l'affaire Beryl Madison. Je serai absente au moins jusqu'à demain, précisai-je en évitant le regard de ma secrétaire.

Rose ignorait tout de l'existence de Mark, mais j'avais le sentiment d'être transparente et craignais que mes motivations ne soient aussi visibles que le nez au milieu de la figure.

— Y a-t-il un numéro où je puisse vous joindre ? demanda Rose.

— Non.

Elle consulta son agenda, passant en revue les rendez-vous qu'elle allait devoir annuler, avant de m'annoncer :

— Le *Times* vous a appelée, ils voudraient faire un papier de fond, un portrait de vous.

— C'est hors de question, répondis-je avec irritation, ils cherchent juste à me coincer sur l'affaire Beryl Madison. Ça ne rate jamais. Dès que je refuse de discuter d'une affaire particulièrement atroce, d'un seul coup tous les journalistes de la ville voudraient savoir où j'ai fait mes études, si j'ai un chien, ce que je pense de la peine capitale, mes goûts en matière de couleurs, mon film préféré, mon plat préféré et mon mode d'exécution préféré !

— Je vais décliner l'invitation, marmonna-t-elle en décrochant son téléphone.

Je parvins à quitter mon bureau assez tôt pour repasser chez moi, fourrer quelques affaires dans un sac de voyage et devancer la circulation de l'heure de pointe.

Comme me l'avait promis Mark, mon billet m'attendait à l'aéroport. Il m'avait réservé une première classe. Un peu plus tard, j'étais installée à ma place, disposant d'une rangée de sièges vacants pour moi toute seule. Durant l'heure de vol, je sirotai un Chivas-glaçons. Je tentai de lire tandis que mes pensées s'entremêlaient, défilant dans ma tête, en sombre harmonie avec le ciel qui s'obscurcissait derrière mon hublot.

Certes, je désirais revoir Mark, et j'étais assez lucide pour comprendre qu'il ne s'agissait pas là d'un impératif professionnel, mais le résultat d'une faiblesse, une faiblesse que j'avais crue surmontée. Une sorte d'enthousiasme le disputait au dégoût chez moi. Je ne lui faisais aucune confiance, et pourtant j'avais tant envie de croire en lui. *Il n'est plus le Mark que tu as connu, et même si c'était le cas, n'oublie pas ce qu'il t'a fait.* Mais quoi que me dictât ma raison, mes émotions renâclaient et me tenaient tête.

Je parcourus une vingtaine de pages d'un roman écrit par Beryl Madison sous le pseudonyme d'Adair Wilds sans avoir la moindre idée de ce que je venais de lire. Les romans sentimentaux historiques ne sont pas ma lecture favorite, d'autant que celui-ci ne volait pas très haut. Beryl écrivait bien, son style devenant parfois musical et poétique, mais l'histoire traînait en longueur. Il s'agissait de ce genre de sous-littérature construite sur des grilles et des recettes largement éprouvées, et je me demandai si elle serait parvenue à écrire l'œuvre littéraire qui lui tenait tant à cœur... si elle avait vécu assez longtemps.

La voix du pilote annonça soudain notre atterrissage prévu dans dix minutes. Au-dessous, la ville ressemblait à un tableau électrique scintillant. De minuscules lumières sillonnaient les autoroutes et des balises rouges clignotaient au sommet des gratte-ciel.

Quelques minutes plus tard, je sortais mon sac du compartiment à bagages et traversais la passerelle de débarquement, pour plonger dans la foule de La Guardia. La pression d'une main sur mon coude me fit sursauter et je me retournai d'un bond : Mark me regardait en souriant.

— Dieu merci ! dis-je avec soulagement.

— Quoi ? Tu m'as pris pour un pickpocket ? demanda-t-il, pince-sans-rire.

— Si cela avait été le cas, tu serais déjà affalé au sol.

— Je n'en doute pas une seconde. Tu n'as pas d'autre bagage ? ajouta-t-il en me guidant à travers l'aérogare.

— Non.

— Bien.

Une fois sortis, nous montâmes dans un taxi dont le chauffeur, un sikh barbu coiffé d'un turban prune, se nommait Munjar, si l'on en croyait la carte d'identification fixée à son pare-soleil. Mark et lui s'époumonèrent chacun de son côté, jusqu'à ce que Munjar semble saisir quelle était notre destination.

— J'espère que tu n'as pas mangé, dit Mark.

— Rien que des amandes grillées, répondis-je en basculant sur son épaule comme la voiture se faufilait d'une file à l'autre dans des crissements de pneus.

— Il y a un bon gril pas très loin de l'hôtel, déclara-t-il d'une voix forte. Je me suis dit qu'on mangerait là-bas. Je ne sais absolument pas comment on se déplace dans cette fichue ville !

Atteindre l'hôtel me comblerait déjà, songeai-je tandis que Munjar se lançait dans un monologue non sollicité, dont il ressortait qu'il était venu aux États-Unis afin de se marier, la cérémonie était déjà prévue pour le mois de décembre, même si pour l'instant il n'avait pas d'heureuse élue en vue. Il précisa ensuite qu'il n'exerçait le métier de chauffeur de taxi que depuis trois semaines, et qu'il avait appris à conduire au Pendjab, dès l'âge de sept ans, sur le siège d'un tracteur.

Nous roulions au pas, pare-chocs contre pare-chocs. Les taxis jaunes prenaient des allures de derviches tourneurs dans l'obscurité. Lorsque nous atteignîmes Carnegie Hall, un flot continu de gens en tenue de soirée venait grossir la longue queue formée devant l'entrée. Les lumières violentes, les manteaux de fourrure et les smokings réveillèrent en moi de vieux souvenirs. Mark et moi adorions le théâtre, les concerts, l'opéra.

Le taxi s'arrêta devant l'Omni Park Central, une tour impressionnante de lumière plantée dans le quartier des théâtres, au coin de la 55e Rue et de la Septième avenue. Mark récupéra mon sac de voyage et je le suivis à l'intérieur du hall élégant. Il annonça mon arrivée à la réception et fit monter mon bagage dans ma chambre. Quelques minutes plus tard, nous marchions dans l'air vif de la nuit, et je me félicitai d'avoir pris mon manteau pour lutter contre un froid piquant qui annonçait la neige. Trois pâtés de maisons plus loin, nous atteignîmes Gallagher's, véritable cauchemar des bovins et des coronaires, mais paradis des amateurs de viande rouge. La devanture, un véritable congélateur vitré, exposait toutes les découpes possibles, impressionnant catalogue recensant l'intégralité des morceaux de bœuf. L'intérieur du restaurant tenait du sanctuaire dédié à la célébrité, chaque mur étant tapissé de photos dédicacées.

Un assourdissant brouhaha régnait dans la salle et le barman nous servit des apéritifs très musclés. J'allumai une cigarette et examinai l'endroit. Comme dans tous les restaurants new-yorkais, les tables étaient installées très proches les unes des autres. À notre gauche, deux hommes d'affaires étaient absorbés par leur conversation, la table située à notre droite était vide, et celle qui se trouvait derrière nous occupée par un jeune homme d'une beauté époustouflante, plongé dans le *New York Times,* une bière posée devant lui. Je dévisageai longuement Mark, tentant de déchiffrer son expression. Il jouait avec son verre de whisky, le regard tendu.

— Quelle est la véritable raison de ma présence, Mark ?

— Peut-être avais-je simplement envie de t'inviter à dîner ?

— Sérieusement.

— Je suis sérieux. Tu n'es pas bien ici ?

— Comment pourrais-je me sentir bien, alors que j'attends que le ciel me tombe sur la tête ?

Il déboutonna sa veste.

— Passons d'abord notre commande. Nous discuterons ensuite.

Une vieille habitude. Il avait toujours procédé de cette façon avec moi, me poussant en avant pour mieux me faire attendre ensuite. Peut-être s'agissait-il d'une déformation professionnelle, toujours est-il que cela avait toujours eu le don de me rendre folle. Tout comme aujourd'hui.

— La côte de bœuf est, paraît-il, sublime, dit-il tandis que nous consultions les menus. Je vais opter pour ça, accompagné d'une salade d'épinards. Rien de très sophistiqué, mais il paraît que la viande est la meilleure de la ville.

— Tu n'es jamais venu ?

— Non, mais Sparacino connaît.

— C'est lui qui t'a recommandé cet endroit ? L'hôtel également, je suppose ? ajoutai-je.

La paranoïa me gagnait.

— Bien sûr, acquiesça-t-il en s'absorbant dans la lecture de la carte des vins. C'est la procédure habituelle : les clients du cabinet descendent à l'Omni, c'est plus pratique.

— Et tes clients viennent manger ici aussi ?

— Sparacino vient dîner ici parfois, lorsqu'il sort du théâtre. C'est comme ça qu'il a découvert ce restaurant, expliqua-t-il.

— Et que connaît-il d'autre ? Lui as-tu dit que tu me rencontrais ?

— Non, dit-il en soutenant mon regard.

— Attends, je ne comprends plus... Comment est-ce possible si ton cabinet prend en charge mon voyage, et si c'est Sparacino qui t'a recommandé l'hôtel et le restaurant ?

— Kay, c'est à *moi* qu'il a recommandé l'hôtel. Il faut bien que je descende quelque part, et que je mange aussi. Sparacino m'a invité ce soir à dîner avec d'autres avocats, mais j'ai refusé, prétextant un retard de travail. J'ai ajouté que j'avalerais un steak en vitesse. Que pouvait-il me recommander ? Etc., etc.

Je commençais à entrevoir la vérité et l'embarras le disputait chez moi à la perplexité. Ce n'était pas Orndorff & Berger qui payait ce voyage, mais Mark, à titre personnel, et le cabinet n'était au courant de rien.

Le serveur réapparut et Mark passa la commande. Mon appétit me lâchait à vue d'œil.

— Je suis arrivé hier soir par avion. Sparacino a réussi à me joindre à Chicago hier matin. Il souhaitait me rencontrer au plus tôt. Comme tu dois t'en douter, c'est au sujet de Beryl Madison, conclut-il, l'air gêné.

— Et ? insistai-je, gagnée à mon tour par le malaise.

Il prit une profonde inspiration et se lança :

— Sparacino est au courant de ma relation... enfin, pour nous deux. Notre passé...

Le regard que je lui jetai le pétrifia.

— Kay...

— Espèce de salopard.

Je repoussai ma chaise, balançant ma serviette sur la table.

— Kay !

Il me rattrapa par le bras et m'obligea à me rasseoir. Je le repoussai d'un mouvement furieux et demeurai raide sur ma chaise, le foudroyant du regard. De longues années auparavant, dans un restaurant de Georgetown, j'avais détaché de mon poignet le lourd bracelet d'or qu'il m'avait offert avant de le jeter dans son assiette de *clam chowder.* Un geste ô combien puéril, l'un des rares moments de ma vie où j'avais perdu mon sang-froid et fait une scène en public.

— Écoute, dit-il en baissant la voix, tu peux penser ce que tu veux, et je ne t'en tiendrai pas rigueur. Mais tu te trompes, je n'utilise pas notre histoire passée. Écoute-moi une seconde, je t'en prie. Il s'agit d'une situation très complexe, qui met en jeu des choses dont tu ignores tout. Je te jure que, quoi qu'il en soit, je veille sur toi, sur tes intérêts dans cette histoire. Je ne suis pas censé te parler, et si Sparacino ou Berger l'apprenaient, ils me cloueraient la peau des fesses au premier poteau venu.

Je demeurai muette, trop secouée pour parvenir à réfléchir.

Il se pencha vers moi.

— Tout d'abord, il faut que tu saches quelque chose : Berger veut épingler Sparacino pendant que ce dernier cherche à te coincer, toi.

— Me coincer... *moi* ? bafouillai-je. Je n'ai jamais rencontré ce type. Pourquoi chercherait-il à me coincer ?

— Je te le répète, tout ceci est en rapport avec Beryl. En fait, il est son avocat depuis le début de sa carrière. Il n'a rejoint le cabinet que lorsque nous avons ouvert un bureau ici, à New York. Nous cherchions un avocat spécialiste du droit d'auteur et du spectacle. Il travaillait en indépendant avant cela. Sparacino écume New York depuis une trentaine d'années, il possédait le carnet d'adresses nécessaire. Il nous a amené sa clientèle, un paquet d'affaires de première importance. Tu te souviens, je t'ai raconté ma première rencontre avec Beryl, le déjeuner à l'Algonquin ?

Je hochai la tête, mon agressivité s'estompant.

— Il s'agissait d'un coup monté, Kay. Je n'étais pas là par hasard. C'était Berger qui m'y avait envoyé.

— Et pourquoi cela ?

Mark jeta un regard circulaire à la salle avant de se décider à répondre :

— Parce qu'il est inquiet. Le cabinet vient tout juste de s'implanter à New York. Si tu savais à quel point il est ardu de faire sa place dans cette ville, de se bâtir une clientèle solide, une bonne réputation. La dernière chose dont nous ayons besoin, c'est qu'un enfoiré comme Sparacino traîne le nom du cabinet dans la boue.

Il s'interrompit lorsque le serveur apparut avec les salades, puis déboucha une bouteille de cabernet sauvignon avec cérémonie. Mark se plia au rituel de la première gorgée, puis le garçon emplit nos verres.

— Lorsqu'il a engagé Sparacino, reprit-il, Berger savait le personnage flamboyant, ne reculant devant rien. Le genre grande gueule, fonceur et pas trop scrupuleux sur les formes. Certes, on pouvait croire qu'il construisait simplement sa légende. Certains avocats traditionnels sont plutôt discrets, d'autres aiment bien provoquer des vagues sur leur passage. Le problème, c'est qu'il y a quelques mois Berger, ainsi que quelques-uns d'entre nous, a pu juger jusqu'où Sparacino était prêt à pousser le bouchon. Tu te souviens de Christie Riggs ?

Il me fallut quelques instants avant que ce nom m'évoque un souvenir :

— L'actrice qui a épousé le joueur de football américain ?

— Tout juste, acquiesça-t-il. Eh bien, Sparacino a monté toute l'histoire de A jusqu'à Z. Il y a deux ans de ça, Christie se débrouillait comme elle le pouvait dans le rôle du jeune mannequin apprenti. Elle a tourné quelques publicités ici pour la télévision. À la même époque Leon Jones, le footballeur, faisait la une de tous les magazines. Or donc ces deux-là se rencontrent lors d'une fête, et un photographe les prend quittant ensemble la soirée et grimpant dans la Maserati de Jones. Le lendemain, ou presque, Christie Riggs débarque chez Orndorff & Berger. Elle avait rendez-vous avec Sparacino.

— Tu n'es pas en train de prétendre que Sparacino était derrière toute cette histoire ? demandai-je, ahurie.

Christie Riggs et Leon Jones s'étaient mariés l'année précédente pour divorcer six mois plus tard. Leur relation orageuse et les péripéties peu ragoûtantes de leur séparation avaient fait les choux gras des informations diffusées dans tout le pays, soir après soir.

— Si, dit Mark en goûtant son vin.

— Explique-toi.

— Sparacino jette son dévolu sur Christie. Elle est magnifique, intelligente, ambitieuse, mais son véritable atout à cet instant, c'est qu'elle sort avec Jones. Sparacino lui explique sa grosse partie de poker. Elle veut que son nom soit sur toutes les lèvres, elle veut devenir très riche. Tout ce qu'elle a à faire, c'est attirer Jones dans ses filets, puis geindre devant les caméras en déballant leur vie privée. Elle l'accuse de la frapper, le prétend alcoolique, affirme qu'il s'agit d'un psychopathe, doublé d'un accro à la cocaïne, un violent qui saccage tout ce qu'il lui tombe sous la main au cours de ses crises. Bilan : Jones et Christie se séparent, mais elle a signé un contrat d'un million de dollars avec un éditeur.

— Voilà qui me rend Jones un peu plus sympathique, marmonnai-je.

— Le pire, c'est que je pense qu'il l'aimait vraiment, mais il n'était pas assez futé pour comprendre ce qui lui tombait dessus. Son jeu a commencé à se détériorer de façon catastrophique et il a échoué à la clinique Betty Ford. Depuis, il a disparu de la circulation. Un des meilleurs joueurs de football américain est lessivé, foutu, et tout ça en grande partie grâce à Sparacino. Mais ce genre d'affaires à scandales n'a rien à voir avec le style de notre maison. La réputation de sérieux et de respectabilité du cabinet Orndorff & Berger remonte à loin, Kay. Lorsque Berger a commencé à flairer les pratiques de son avocat spécialisé dans le droit d'auteur, il n'a pas été exactement ravi.

— Pourquoi le cabinet ne se débarrasse-t-il pas de lui ? demandai-je en picorant ma salade.

— Parce que pour l'instant nous ne pouvons rien prouver. Sparacino sait naviguer en contournant tous les écueils, il est puissant, surtout ici, à New York. Autant mettre la main sur un serpent : comment le lâcher ensuite sans se faire piquer ? Et la liste n'est pas finie, continua Mark avec colère. Lorsqu'on remonte plus loin dans la carrière du bonhomme et qu'on fourre le nez dans certaines des affaires qu'il a défendues quand il travaillait en solo, on peut difficilement faire l'économie de pas mal de questions.

— Quelles affaires, par exemple ? demandai-je en me reprochant ma curiosité.

— Une flopée. Un auteur à scandales décide d'écrire une biographie non autorisée d'Elvis, de John Lennon ou de Sinatra. Quand arrive le moment de la promotion, la célébrité en question ou ses ayants droit attaquent le biographe, et tout ça fait les riches heures des *talk shows* et des magazines comme *People.* Bien sûr, le bouquin sort quand même, après avoir bénéficié d'une incroyable publicité. Tout le monde se convainc que l'esclandre public doit être proportionnel au nombre de révélations juteuses dévoilées et se précipite dessus. Ce que nous soupçonnons, c'est que la méthode Sparacino consiste à représenter l'auteur, puis à contacter discrètement la ou les « victimes » en leur offrant un dessous-de-table pour qu'elles fassent le plus de tapage possible. Une stratégie très au point et qui marche comme sur des roulettes.

— On ne sait plus que croire, commentai-je.

De fait, je passais ma vie à chercher la réponse à cette question.

La côte de bœuf arriva. Lorsque le serveur se fut éloigné, je demandai :

— Mais enfin, comment Beryl Madison est-elle tombée entre les pattes de ce type ?

— Grâce à l'entremise de Cary Harper, et c'est là l'ironie de l'histoire. Sparacino a représenté Harper durant des années, et quand la carrière de Beryl a démarré, ce dernier la lui a confiée. Depuis le début, Sparacino l'a couvée, mélangeant les fonctions d'avocat, d'agent et de parrain protecteur. Je pense que Beryl résistait mal aux hommes mûrs, de pouvoir, et jusqu'à ce qu'elle se lance dans cet ouvrage autobiographique, sa carrière était plutôt falote. Je suis convaincu que c'est Sparacino qui lui a suggéré ce projet à l'oreille. En tout état de cause, Harper n'a plus rien publié après son Grand Roman Américain. C'est du passé. Son seul intérêt éventuel aux yeux de types comme Sparacino, c'est la possibilité d'en tirer profit.

Je réfléchis :

— Est-il possible que Sparacino ait manipulé ses deux clients ? En d'autres termes, Beryl décide de rompre son silence, en même temps que son contrat avec Harper, et Sparacino mise sur les deux tableaux. Il va discrètement pousser Harper à ruer dans les brancards.

Mark remplit nos verres en commentant :

— C'est ce que je crois. Je suis convaincu qu'il organisait en douce une foire d'empoigne entre Beryl et Harper, sans les prévenir, cela tombe sous le sens. C'est tout à fait dans son style, je te l'ai dit.

Nous mangeâmes un moment en silence. Gallagher's faisait honneur à sa réputation. La viande était si tendre qu'elle fondait dans la bouche.

Mark me dévisagea quelques instants. Lorsqu'il reprit, son visage était dur :

— Ce qui est terrible, Kay, du moins pour moi, c'est que le jour où nous avons déjeuné ensemble à l'Algonquin, quand Beryl a mentionné qu'elle recevait des coups de téléphone anonymes, que quelqu'un menaçait de la tuer... (Il hésita.) À vrai dire, sachant ce que je savais de Sparacino...

J'achevai sa phrase à sa place :

— Tu ne l'as pas crue.

— Non, reconnut-il. Franchement, j'ai pensé qu'il s'agissait d'une ruse pour faire parler d'elle. Je soupçonnais Sparacino d'avoir monté un baratin pour faire grimper les ventes du livre. Le plan de la pauvre fille en lutte contre Harper et menacée de mort pour couronner le tout. Non, je n'ai pas ajouté foi un instant à ce qu'elle racontait. Et j'avais tort, poursuivit-il après un silence.

J'hésitai à révéler le fond de ma pensée.

— Sparacino ne serait quand même pas allé jusque-là. Tu ne veux pas dire que...

— Non, mais, selon moi, il a pu tant remonter Harper que celui-ci a fini par craquer. Il est entré dans une telle fureur qu'il est peut-être allé voir Beryl et a disjoncté. Ou bien Harper a embauché quelqu'un pour faire le sale boulot à sa place.

— Si c'est le cas, déclarai-je d'un ton doux, cela sous-entendrait qu'il a pas mal à cacher sur ce qui s'est passé à l'époque où Beryl vivait avec lui.

— Peut-être, dit-il en se concentrant à nouveau sur le contenu de son assiette. Mais même si ce n'est pas le cas, il connaît Sparacino et sa façon de fonctionner. Peu importe ce qui est vrai ou faux. Quand Sparacino veut faire mousser un scandale, il ne s'embarrasse de rien. Personne ne se soucie des conclusions juridiques de l'affaire. La seule chose qui reste à l'esprit du public, ce sont les accusations.

— Et maintenant, il en aurait après moi ? demandai-je d'un ton dubitatif. Je ne comprends pas. Qu'est-ce que je viens faire dans tout cela ?

— C'est simple, Kay. Sparacino veut le manuscrit de

Beryl. Aujourd'hui plus que jamais, avec ce qui est arrivé à l'auteur, ce livre est une véritable bombe.

Il me regarda dans les yeux avant d'achever :

— Il est convaincu que le manuscrit a été confié à tes bureaux comme pièce à conviction. Mais maintenant il s'est volatilisé.

Je me servis de sauce à la crème et demandai d'une voix posée :

— Qu'est-ce qui te fait croire qu'il a disparu ?

— Sparacino s'est débrouillé pour mettre la main sur le rapport de police. Je suppose que tu en as pris connaissance ?

— En effet... un banal rapport de routine.

Il me rafraîchit la mémoire :

— Sur la dernière page figure une liste détaillée des indices recueillis, entre autres des papiers éparpillés sur le sol de sa chambre et un manuscrit retrouvé sur sa commode.

Mince, pensai-je. Marino avait effectivement récupéré un manuscrit, lequel n'avait rien à voir avec l'autobiographie de Beryl.

Mark continua :

— Sparacino a discuté ce matin avec l'enquêteur – un lieutenant du nom de Marino – qui lui a affirmé que les flics n'avaient rien conservé, que l'ensemble des éléments avait été confié à tes labos. Il a suggéré à Sparacino d'appeler le médecin légiste en chef – toi en l'occurrence.

— C'est notre procédure interne. Les flics m'envoient tout le monde, et moi, je leur renvoie.

— Essaie donc ce genre d'explication avec Sparacino. Il prétend que le manuscrit t'a été confié – en même temps que le corps de Beryl –, puis qu'il a disparu. En d'autres termes, il tient tes bureaux pour responsables.

— C'est grotesque !

— Vraiment ?

Mark me considéra d'un air songeur, et j'eus le sentiment de me retrouver à la barre pour un contre-interrogatoire lorsqu'il demanda :

— N'est-il pas exact que certaines preuves matérielles sont transférées à l'institut médico-légal en même temps que le corps, et que tu les confies personnellement aux labos d'analyses, à moins que tu ne les mettes sous scellés dans la pièce des indices ?

Bien entendu, c'était exact.

— Tous les indices concernant le meurtre de Beryl sont-ils placés sous ta responsabilité ?

— Pas ceux retrouvés sur la scène du crime... Les papiers personnels, par exemple, expliquai-je d'une voix tendue. Ceux-là ont été remis aux labos par les flics, pas par moi. D'ailleurs la plupart des éléments recueillis chez elle doivent toujours se trouver dans les locaux de la police.

— Essaie d'expliquer cela à Sparacino, répéta-t-il.

— Je n'ai jamais vu le manuscrit, déclarai-je d'un ton catégorique. Mon bureau ne l'a pas et ne l'a jamais eu. Pour autant que je sache, personne ne l'a vu passer, un point, c'est tout.

— Personne ne l'a vu ? Pas même les flics ? Tu veux dire qu'il ne se trouvait pas dans la maison ?

— Non. Le manuscrit qu'ils ont découvert n'est pas celui auquel tu fais allusion. Il s'agissait d'un ancien travail, peut-être l'ébauche d'un roman publié il y a des années. Il est incomplet... Guère plus de cent pages, au grand maximum. Il se trouvait dans sa chambre, sur la commode. Marino l'a récupéré et a fait rechercher les empreintes, dans l'éventualité où le tueur l'aurait touché.

Mark s'adossa à son siège et demanda d'une voix douce :

— Si tu ne l'as pas, alors où se trouve-t-il ?

— Je n'en ai pas la moindre idée. Il pourrait être n'importe où. Peut-être l'a-t-elle envoyé à quelqu'un par la poste ?

— Elle avait un ordinateur ?

— Oui.

— Vous avez vérifié son disque dur ?

— Il s'agit d'un de ces appareils sans disque dur, juste deux lecteurs de disquettes. Marino est en train de les éplucher. J'ignore ce qu'il y a dessus.

— Ça ne rime à rien. Même si elle a envoyé le manuscrit à quelqu'un, elle aurait dû en effectuer une copie sur disquette ou en conserver un exemplaire photocopié chez elle.

— Eh bien, moi, ce qui me trouble, c'est justement que son protecteur de Sparacino ne possède aucune copie de ce texte, soulignai-je. Enfin, c'est invraisemblable qu'il n'ait jamais vu ce livre. Je trouve dur à avaler qu'il n'en possède pas au moins un brouillon quelque part, pour ne pas dire la version finale !

— Il affirme le contraire, et je suis assez enclin à le croire... Et pour une bonne raison. D'après ce que j'ai pu apprendre de Beryl, elle était très secrète pour tout ce qui touchait à son écriture. Elle ne permettait à personne, y compris Sparacino, de lire quoi que ce fût avant qu'elle ait terminé. Elle l'a tenu au courant de l'évolution de son travail par téléphone et par lettres. D'après lui, la dernière fois qu'il a eu de ses nouvelles, c'était il y a un mois environ. Elle lui aurait annoncé se consacrer à la relecture et que le livre serait prêt en vue d'une publication au début de l'année.

— Il y a un mois ? insistai-je, non sans circonspection. Elle lui a écrit ?

— Elle l'a appelé.

— D'où ?

— Bon sang, je ne sais pas. De Richmond, je suppose.

— Il te l'a dit ?

Mark réfléchit un moment.

— Non il n'a pas mentionné où elle se trouvait. Pourquoi ? demanda-t-il après un silence.

— Elle est partie quelque temps en voyage, répliquai-je comme s'il s'agissait d'un détail sans importance. Je me demandais si Sparacino savait où elle se trouvait.

— La police ne le sait pas ?

— Il y a beaucoup de choses que la police ne sait pas.

— Ça n'est pas une réponse.

— La meilleure réponse, c'est que nous ne devrions pas discuter de cette affaire, Mark. J'en ai déjà trop dit, et je ne suis pas certaine de comprendre pourquoi tu t'y intéresses tant.

— Quoi ? Aurais-tu des doutes sur la limpidité de mes motivations ? Te demanderais-tu si je ne t'ai pas invitée à dîner uniquement pour t'extorquer des informations ?

— Exactement, reconnus-je en affrontant son regard.

— Kay, je suis inquiet.

Il l'était. Il me suffisait de contempler les traits tendus de ce visage qui me captivait encore pour m'en convaincre. Je ne parvenais pas à détacher mes yeux de lui.

— Sparacino mijote quelque chose et je ne veux pas que tu te retrouves en mauvaise posture.

Il versa le reste de la bouteille de vin dans nos verres.

— Que veux-tu qu'il fasse, Mark ? M'appeler et exiger la restitution d'un manuscrit que je n'ai jamais eu en main ? Et alors ?

— Vois-tu, je pense qu'il sait fort bien que tu ne l'as pas. Le problème, c'est que ça n'a aucune importance. Bien sûr, il veut mettre la main dessus, et il y parviendra, à moins que le manuscrit ne soit perdu. Sparacino est l'exécuteur testamentaire de Beryl.

— Comme c'est pratique !

— Je sens qu'il prépare un coup, répéta Mark comme s'il se parlait à lui-même.

— Une autre de ses machinations pour faire mousser le livre ? suggérai-je avec une désinvolture un peu contrainte.

Il sirota son vin.

— Que pourrait-il imaginer qui m'impliquerait ? continuai-je.

— Oh, j'en ai une assez bonne idée, déclara-t-il, très sérieux.

— Je t'en prie, explique-toi.

Il s'exécuta :

— En gros titre : « Le médecin expert général refuse de restituer le manuscrit polémique. »

J'éclatai de rire.

— Mais c'est grotesque !

Mais Mark resta de marbre.

— Réfléchis un peu, continua-t-il d'un ton grave. Une autobiographie controversée écrite par une femme qui vit en recluse et qui finit brutalement assassinée. Le manuscrit disparaît et le médecin légiste est accusé de l'avoir dérobé. Ce foutu truc se volatilise de la *morgue,* Kay. Bon sang ! Lorsque le livre sera enfin publié, il grimpera tout en haut de la liste des best-sellers, et tout Hollywood se battra pour acheter les droits d'adaptation.

— Je ne m'inquiète pas, répétai-je sans conviction.

C'est tellement tiré par les cheveux, je ne peux pas y croire.

Mark y alla d'une mise en garde :

— Sparacino a le génie pour monter un rien en épingle, insista-t-il. Je détesterais que tu finisses comme Leon Jones.

Il leva les yeux, cherchant le serveur. Soudain, il se figea, le regard fixé en direction de l'entrée du restaurant. Il baissa vivement le front vers sa côte de bœuf entamée et jura entre ses dents :

— Oh, merde !

Je fis un effort colossal de sang-froid pour ne pas me retourner. Je contins ma curiosité, me comportant comme si de rien n'était jusqu'à ce que l'homme corpulent rejoigne notre table.

— Bonsoir, Mark ! Je pensais bien vous trouver là. L'homme, d'une soixantaine d'années, avait une voix onctueuse, mais le bleu glacial de ses petits yeux durcissait son visage charnu. Écarlate, il respirait avec peine, comme si les efforts requis pour déplacer son formidable embonpoint mettaient à contribution le moindre de ses muscles.

— Cher Mark, j'ai décidé de passer vous offrir un verre, comme ça, sur un coup de tête.

Il déboutonna son pardessus de cachemire, se tourna vers moi en me tendant la main dans un sourire.

— Je ne crois pas que nous nous soyons déjà rencontrés. Robert Sparacino.

— Kay Scarpetta, répondis-je avec une surprenante assurance.

5

Je ne sais pas comment la chose fut possible, mais nous passâmes une heure à boire en compagnie de Sparacino. Éprouvant ! Il se comporta comme si j'étais une complète inconnue, alors qu'il savait pertinemment qui j'étais. Notre rencontre ce soir-là n'avait rien de fortuit. Dans une ville aussi étendue que New York, comment aurait-elle pu être le fruit du hasard ?

— Es-tu certain qu'il n'avait aucun moyen d'apprendre ma visite ?

— Je ne vois pas comment, rétorqua Mark.

Je sentais l'urgence à la façon dont il me serrait le bras en me guidant le long de la 55e Rue.

Carnegie Hall s'était vidé. Quelques rares passants déambulaient encore sur le trottoir. Il était près de 1 heure du matin. J'avais les nerfs à fleur de peau, et le trop d'alcool embrumait mes pensées.

Sparacino était devenu de plus en plus animé et obséquieux à mesure qu'il ingurgitait les Grand Marnier. Sa voix s'était ensuite ralentie pour devenir pâteuse.

— Rien ne lui échappe, tu sais. Tu as l'impression qu'il est bien imbibé et qu'il ne se souviendra de rien le lendemain... Erreur, il est en permanence sur le qui-vive, même quand il dort à poings fermés.

— Tout pour me rassurer !

Nous traversâmes le hall de l'hôtel jusqu'aux portes d'ascenseur. Nous regardâmes défiler les chiffres lumineux des étages, murés dans un silence pesant. L'épaisse moquette du couloir étouffait nos pas. Je fus soulagée d'apercevoir mon sac de voyage posé sur le lit lorsque je pénétrai dans la chambre.

— Tu es logé au même étage ?

— Quelques portes plus loin. Tu m'offres un dernier verre ? demanda-t-il, son regard allant d'un point à l'autre de la pièce.

— Je n'ai rien apporté...

— Ne t'inquiète pas, il y a un bar bien approvisionné, tu peux me croire.

La dernière chose dont nous avions besoin, c'était d'un surplus d'alcool.

— Que va faire Sparacino ? demandai-je.

Le « bar » consistait en un petit réfrigérateur empli de bière, de vin, ainsi que de mignonnettes d'alcools forts.

— Il nous a vus ensemble, ajoutai-je. Que va-t-il se passer ?

— Tout dépend de ce que je vais lui dire.

Je lui tendis un gobelet en plastique contenant du whisky.

— Bien, je vais donc te poser la question de manière différente. Qu'as-tu l'intention de lui raconter, Mark ?

— Un mensonge.

Je m'assis sur le rebord du lit.

Il rapprocha un siège, faisant lentement tournoyer l'alcool dans son verre. Nos genoux se frôlaient presque.

— Je lui dirai que j'essayais de te tirer les vers du nez, dans l'espoir de l'aider, lui.

— Tu vas prétendre que tu tentais de me manipuler ? dis-je, incapable d'aligner deux pensées cohérentes.

Que notre passé commun rendait ce stratagème possible ?

— Oui.

— Et donc il s'agit d'un mensonge ? demandai-je d'un ton péremptoire.

Il éclata de rire. Et j'avais oublié à quel point j'aimais l'écho de ce rire.

— Je ne vois pas ce qu'il y a de drôle, protestai-je. L'atmosphère de la chambre était étouffante et l'alcool me montait aux joues.

— Si c'est un mensonge, quelle est la vérité, Mark ?

— Kay, dit-il en souriant sans lâcher mon regard, je te l'ai déjà avouée.

Il demeura un moment silencieux, puis se pencha et m'effleura la joue. L'envie que j'avais qu'il m'embrasse m'effraya.

Il s'adossa à son siège.

— Pourquoi ne pas prolonger un peu ta visite, au moins jusqu'à demain après-midi ? Peut-être serait-il souhaitable que nous allions discuter demain matin tous les deux avec Sparacino ?

— Non, c'est exactement ce qu'il voudrait que je fasse.

— Comme tu veux.

Des heures plus tard, une fois Mark parti, je demeurai allongée dans l'obscurité, le regard fixé au plafond, consciente de la froideur et du vide de l'autre côté du lit. Autrefois, Mark ne restait jamais toute la nuit, et le lendemain matin je faisais le tour de l'appartement, ramassant les vêtements épars, les verres et les assiettes sales, les bouteilles de vin, et vidant les cendriers de leurs mégots. Nous fumions tous les deux à cette époque-là. Nous veillions jusqu'à 1 heure, 2 heures, voire 3 heures du matin, à parler, rire, nous caresser, à boire et à fumer aussi. Nous nous disputions également. Je détestais ces discussions qui se transformaient trop souvent en échanges vipérins, coup pour coup, nous assenant à tour de rôle articles du Code contre principes philosophiques. Au fond, j'attendais de l'entendre avouer qu'il était amoureux de moi. Il ne le fit jamais. Et au matin j'éprouvais toujours le même sentiment de vide que lorsque j'étais enfant, le matin de Noël, et que j'aidais ma mère à ramasser les papiers-cadeaux froissés abandonnés autour du sapin.

Je ne savais pas ce que je voulais. Peut-être ne l'avais-je jamais su. Le sentiment d'unité que j'avais pu éprouver à l'époque de notre relation n'avait jamais réussi à égaler le gouffre émotionnel qui nous séparait. Pourtant, la leçon ne m'avait pas servi. La preuve, rien n'avait changé entre nous. S'il m'avait touchée ce soir-là, j'aurais volontiers remisé toute réaction sensée, mis de côté toutes mes préventions. Le désir ne connaît pas la raison, et mon besoin d'intime proximité avec lui était toujours aussi obstiné. Il n'avait pas été nécessaire, au cours de toutes ces années, de raviver le souvenir de ses lèvres sur les miennes, de ses mains, l'intensité de notre désir. À présent, la persistance de ce souvenir me tourmentait.

J'avais oublié de demander le réveil par téléphone, peu importait. Je réglai mon horloge interne à 6 heures et me réveillai pile à l'heure. Je me redressai d'un bond, me sentant à peu près aussi mal que je devais en avoir l'air. Une douche chaude, suivie d'un soigneux maquillage, n'améliora pas grand-chose des cernes noirs qui soulignaient mes yeux, ni de mon teint blafard, l'éclairage de la salle de bains insistant avec une honnêteté crue sur les ravages de la soirée. J'appelai ensuite United Airlines avant d'aller frapper à la porte de Mark, à 7 heures.

Il paraissait si alerte et en forme que mon humeur chuta encore d'un cran.

— Bonjour, Kay. Tu as changé d'avis ?

— Oui.

L'odeur familière de son eau de toilette me parvint, m'aidant à me réinstaller dans le moment.

— Je le savais.

— Et comment cela ?

— Je ne t'ai jamais vue te défiler à la perspective d'une bagarre, déclara-t-il en m'observant dans le miroir de la commode tandis qu'il finissait de nouer sa cravate.

Mark et moi étions convenus de nous retrouver dans les bureaux d'Orndorff & Berger en début d'après-midi. Le hall de réception du cabinet était glacial, vaste et tout en profondeur. Une massive console noire émergeait d'une moquette tout aussi noire, éclairée par une rampe de spots en cuivre. Un bloc de cuivre faisant office de table était coincé entre deux fauteuils noirs en acrylique. Rien d'autre, ni meubles, ni plantes, ni tableaux. Seules quelques sculptures torturées, évoquant des éclats d'obus, rompaient le vide immense de la pièce.

— Puis-je vous aider ? demanda la réceptionniste avec un sourire étudié de derrière la masse de son bureau.

Avant que j'aie pu répondre, une porte, dont le chambranle était indiscernable, noyé dans le sombre désert des murs, s'ouvrit en silence. Mark apparut et prit mon sac de voyage, me guidant le long d'un large couloir qui me sembla interminable. Les portes successives que nous dépassâmes ouvraient sur de spacieux bureaux dont les baies vitrées renforcées offraient une vue grisâtre de Manhattan. Je n'aperçus pas âme qui vive et en déduisis que tout le monde était parti déjeuner.

Je chuchotai :

— Mince... Qui a bien pu concevoir votre réception ?

— La personne que nous allons voir.

L'antre de Sparacino était deux fois plus grand que tous ceux que nous venions de passer. Des murs tapissés de livres entouraient un magnifique bloc d'ébène parsemé d'une collection de presse-papiers en pierres semi-précieuses, qui lui servait de table de travail. Tout aussi intimidant que la veille au soir, cet avocat des célébrités et des gens de lettres portait ce qui ressemblait à un coûteux costume John Gotti, dont la sobriété contrastait avec la touche rouge sang de sa pochette. Il conserva la même posture détendue à notre entrée, ne bronchant pas comme nous nous installions devant son bureau. L'espace d'un instant glacial, il ne daigna même pas nous jeter un regard.

Enfin il leva ses yeux bleus si réfrigérants vers nous en refermant un dossier de ses doigts épais.

— J'ai cru comprendre que vous comptiez aller déjeuner, lâcha-t-il. Je promets de ne pas vous retenir trop longtemps, docteur Scarpetta. Mark et moi avons passé en revue un certain nombre de détails relatifs à l'affaire de ma cliente, Beryl Madison. En tant qu'avocat de Beryl Madison et son exécuteur testamentaire, j'ai quelques requêtes très claires, et je suis certain que vous pourrez m'aider à exaucer les vœux de la défunte.

Je demeurai muette, cherchant en vain un cendrier.

— Robert a besoin de ses papiers, renchérit Mark d'un ton plat, et plus particulièrement du manuscrit qu'elle terminait d'écrire. Kay... Juste avant que tu n'arrives, j'expliquais à Robert que le bureau du médecin légiste n'était pas le dépositaire des effets personnels de Beryl, du moins pas en cette circonstance.

Nous avions répété cette rencontre au petit déjeuner. Mark était censé « manœuvrer » Sparacino avant ma venue, mais je commençais à éprouver le sentiment que c'était moi que l'on manipulait.

Je regardai Sparacino droit dans les yeux.

— Les pièces matérielles transmises à mes bureaux sont par nature des indices et n'incluent aucun papier dont vous puissiez avoir besoin.

— En d'autres termes, vous me dites ne pas être en possession du manuscrit.

— Tout à fait.

— Et vous ne savez pas non plus où il se trouve.

— Je n'en ai pas la moindre idée.

— Eh bien, voilà qui me pose quelques problèmes.

Toujours imperturbable, il ouvrit le dossier et en sortit la photocopie d'un document que j'identifiai comme le rapport de police concernant la mort de Beryl.

— D'après la police, on a retrouvé un manuscrit sur les lieux du crime. On me dit maintenant qu'il s'est volatilisé. Pouvez-vous m'aider à éclaircir ce point ?

— On a retrouvé quelques feuillets d'un manuscrit, répondis-je, mais je ne crois pas qu'il s'agisse de ce que vous cherchez, monsieur Sparacino. Ce texte ne semble pas faire partie d'un ouvrage en cours et, détail crucial, ces pages ne m'ont jamais été confiées.

— Combien de pages y avait-il ?

— Je n'ai pas vu le manuscrit.

— Qui l'a vu ?

— Le lieutenant Marino. C'est à lui que vous devez parler.

— C'est déjà fait. Il m'a affirmé vous avoir remis ces feuillets en mains propres.

Je doutais fort que Marino ait jamais dit une chose pareille.

— Il doit s'agir d'un malentendu, rétorquai-je. Marino devait faire allusion au fragment de manuscrit, dont certaines pages pourraient faire partie d'un ouvrage antérieur, qu'il a remis contre reçu aux laboratoires de la police scientifique. Ces laboratoires constituent un département à part, bien qu'ils soient, en effet, abrités dans mon bâtiment.

Je jetai un coup d'œil à Mark. Il avait le visage dur et transpirait.

Une plainte du cuir du fauteuil accompagna le mouvement de Sparacino lorsqu'il se redressa un peu.

— Je n'irai pas par quatre chemins, docteur Scarpetta. Je ne vous crois pas.

— Que voulez-vous que j'y fasse, je n'ai aucun contrôle sur ce que vous décidez de croire ou non ! répliquai-je d'un ton posé.

D'un ton qui rivalisait de calme avec le mien, il ajouta :

— J'ai beaucoup réfléchi à tout cela. Voyez-vous, le fait est que ce texte n'est qu'un tas de papier sans valeur, à moins que vous ne compreniez l'importance qu'il revêt pour certaines personnes. Au moins deux personnes de ma connaissance, sans compter des éditeurs, paieraient très cher pour récupérer le livre auquel travaillait Beryl lorsqu'elle est morte.

— Cet aspect des choses ne me concerne en rien. Mon bureau ne détient pas le manuscrit que vous avez mentionné. Qui plus est, il ne nous est jamais parvenu.

Son regard s'évada vers la baie vitrée.

— Mais quelqu'un l'a. Je connaissais Beryl mieux que quiconque, docteur Scarpetta, je connaissais ses habitudes. Elle s'était absentée un bon moment. Elle n'était de retour chez elle que depuis quelques heures lorsqu'elle a été assassinée. Je ne peux pas croire qu'elle n'avait pas son manuscrit sous la main. Dans son bureau, dans sa serviette ou dans sa valise... (Il m'épingla de nouveau de ses petits yeux bleus.) Beryl n'avait pas de coffre à la banque, ni aucun autre endroit où elle aurait pu le mettre à l'abri, si tant est qu'elle en ait eu l'idée, ce dont je doute fort. Elle l'avait emmené avec elle lors de son absence de Richmond afin d'y travailler. Il tombe sous le sens qu'elle avait toujours ce manuscrit en sa possession lorsqu'elle est rentrée.

— Son absence a duré un long moment, répétai-je. En êtes-vous certain ?

Mark prenait soin de ne pas me regarder.

Sparacino se renversa sur son fauteuil et croisa les doigts sur son gros ventre.

— Je savais que Beryl n'était pas chez elle, me dit-il. Cela faisait des semaines que j'essayais de la joindre. Et puis, il y a un mois, elle m'a appelé. Elle a refusé de me dire où elle se trouvait, mais m'a confié, je cite, qu'elle était « en sécurité ». Elle m'a ensuite tenu au courant de l'évolution de son livre, précisant qu'elle y travaillait d'arrache-pied. Pour abréger, je n'ai pas insisté. Beryl avait peur de ce timbré qui la menaçait. Au fond, je me fichais de savoir où elle avait atterri, ce qui m'importait, c'était qu'elle aille bien et qu'elle travaille afin de tenir ses délais. Cela vous paraîtra sans doute manquer de sensibilité, mais je me devais d'être pragmatique.

— Nous ignorons où se trouvait Beryl, précisa Mark. Apparemment, Marino n'a pas voulu lâcher l'information.

Le choix du pronom, ce « nous » l'associant à Sparacino, me blessa.

— Si vous attendez de moi une réponse à cette question...

— C'est exactement ce que j'attends de vous, coupa Sparacino. De toute façon, tôt ou tard on finira par apprendre qu'elle se trouvait en Caroline du Nord, à

Washington, au Texas ou Dieu sait où... Mais moi, j'ai besoin de le savoir *maintenant.* Vous me soutenez que votre bureau ne détient pas le manuscrit. De son côté, la police affirme aussi ne pas l'avoir. La seule façon pour moi de démêler cette charade est de découvrir où Beryl a séjourné tout ce temps afin de retrouver la trace du manuscrit. Peut-être quelqu'un l'a-t-il conduite à l'aéroport. Peut-être s'est-elle fait des amis là où elle se trouvait. Peut-être quelqu'un a-t-il une idée de ce qu'il est advenu de son livre. Découvrir au moins si elle l'avait toujours avec elle en montant dans l'avion pour Richmond serait un premier pas.

— Mon conseil est que vous obteniez cette information du lieutenant Marino, répliquai-je. Je ne suis pas autorisée à discuter des détails de cette affaire avec vous.

— Voilà qui ne m'étonne pas une seconde, lâcha Sparacino. Sans doute savez-vous que Beryl avait toujours son manuscrit lorsqu'elle a pris cet avion pour rentrer. Sans doute cet ouvrage est-il arrivé à l'institut médico-légal en même temps que son corps... Et maintenant il a disparu.

Il s'interrompit et plongea son regard froid dans le mien.

— Combien Cary Harper, ou sa sœur, ou les deux, vous ont-ils payé pour leur remettre le manuscrit ?

Mark semblait privé de réactions, le visage dénué de toute expression.

— Combien ? Dix, vingt, cinquante mille dollars ?

— Je crois que ceci met un terme à notre conversation, monsieur Sparacino, déclarai-je en ramassant mon sac.

— Oh, non, je ne crois pas, docteur Scarpetta, répondit-il.

Il feuilleta sans hâte le dossier étalé sur son bureau,

en tira plusieurs papiers qu'il jeta avec désinvolture dans ma direction.

Le sang reflua de mon visage lorsque je ramassai les photocopies d'articles parus dans les journaux de Richmond plus d'un an auparavant. Je les reconnus. Le premier d'entre eux m'était familier jusqu'à la nausée :

LE MÉDECIN LÉGISTE EXPERT
ACCUSÉ DE VOL SUR UN CADAVRE

> Lorsque Timothy Smathers a été abattu le mois dernier devant chez lui, il portait une montre en or, une alliance en or, et quatre-vingt-trois dollars en liquide dans la poche de son pantalon, aux dires de sa femme, témoin du meurtre, commis, semble-t-il, par un ancien employé mécontent. La police et les membres de l'équipe de secours appelés sur les lieux après le meurtre affirment que ces objets de valeur accompagnaient le corps de Smathers lorsque celui-ci a été transporté au bureau du médecin légiste en chef pour autopsie...

Nul n'était besoin de continuer à lire pour savoir ce que racontaient les autres coupures de journaux. L'affaire Smathers avait provoqué la pire vague de dénigrement à laquelle mes bureaux aient dû faire face.

Mark tendit la main et je lui passai les photocopies. Sparacino m'avait coincée, mais je n'avais nulle intention de me laisser enfoncer.

— Vous n'ignorez pas, si vous avez lu ces papiers, que cette affaire a donné lieu à une enquête poussée. Mes bureaux ont été lavés de tout soupçon.

— C'est exact. Vous avez personnellement remis les objets en question à l'établissement de pompes funèbres chargé des obsèques, et c'est après que ceux-ci ont disparu. Mais tout le problème a consisté à le prouver. Mrs Smathers, avec qui j'ai discuté, est toujours convaincue que l'OCME a dérobé les bijoux et l'argent de son mari.

— Robert, ses bureaux ont été innocentés, argua Mark d'un ton morne tandis qu'il examinait les articles. Et il est précisé ici qu'on a remis à Mrs Smathers un chèque en compensation de la valeur des objets.

— C'est exact, acquiesçai-je froidement.

— Rien ne peut rembourser une valeur sentimentale, remarqua Sparacino. Vous lui auriez donné un chèque *dix fois supérieur,* Mrs Smathers en serait toujours aussi affectée.

Là, c'en était vraiment trop ! L'herbe avait à peine repoussé sur la tombe de son défunt que Mrs Smathers épousait un riche veuf. De surcroît, la police l'avait toujours soupçonnée d'être impliquée dans le meurtre de son mari.

Sparacino poursuivait :

— Ainsi que le soulignent les articles plus récents, vos bureaux ont été incapables de produire le reçu attestant la remise des effets personnels de Mr Smathers à l'entreprise de pompes funèbres. Je connais les détails. Ledit reçu a été égaré par votre administrateur, lequel a depuis quitté vos services. Au bout du compte, il ne demeure que votre parole contre celle des pompes funèbres, et bien que l'affaire n'ait jamais été résolue, tout au moins à mes yeux, plus personne ne s'en souvient ou même ne s'en soucie.

— Où voulez-vous en venir ? demanda Mark du même ton plat.

Sparacino lui lança un regard, puis me consacra de nouveau toute son attention.

— Malheureusement, l'affaire Smathers n'est pas un

cas isolé. Au mois de juillet dernier, votre bureau a reçu le corps d'un vieillard décédé de mort naturelle, un certain Henry Jackson. Son cadavre est arrivé avec cinquante-deux dollars en liquide dans une poche. Il semble que l'argent ait à nouveau disparu, ce qui vous a contrainte à dédommager le fils du défunt. Celui-ci s'est plaint sur le plateau d'une chaîne de télévision locale. Je dispose d'une cassette vidéo de l'émission... si vous souhaitez la visionner.

Me cramponnant à ce qu'il me restait de sang-froid, je répondis :

— Jackson est, en effet, arrivé dans mes locaux avec cinquante-deux dollars en poche. Le cadavre était dans un état de décomposition avancé, les billets si attaqués par la putréfaction que même le voleur le plus téméraire ne s'y serait pas risqué ! J'ignore ce qu'est, au juste, devenu cet argent, mais selon moi il a été incinéré par inadvertance en même temps que les vêtements du défunt, tout aussi putrides et infestés d'asticots !

— Seigneur..., souffla Mark entre ses dents.

— Votre bureau a un problème, déclara Sparacino dans un sourire.

— C'est le cas de tous les bureaux, rétorquai-je d'un ton brusque en me levant. Si vous voulez récupérer les possessions qui ont accompagné la dépouille de Beryl, adressez-vous à la police.

— Je suis désolé, dit Mark lorsque nous nous retrouvâmes côte à côte dans la cabine d'ascenseur. Je ne me doutais vraiment pas que ce salopard allait te balancer tout ça à la figure ! Tu aurais dû m'avertir, Kay...

— T'avertir ? répétai-je, incrédule. De *quoi ?*

— De ces histoires d'objets manquants, de la mauvaise presse, c'est le genre de détails croustillants qui fait saliver Sparacino. Je nous ai menés tout droit dans le piège sans même le savoir, bon sang !

Le contrôle de ma voix m'échappa et je criai presque :

— Mais cela n'avait aucun rapport avec le meurtre de Beryl. Les incidents qu'il a mentionnés sont des tempêtes dans un verre d'eau, le genre de pagaille d'intendance qui se produit inévitablement quand des cadavres débarquent dans tous les états possibles et imaginables, que les flics et les employés des entreprises de pompes funèbres entrent et sortent toute la journée comme dans un moulin pour venir récupérer les effets personnels...

— Je t'en prie, ne te mets pas en colère contre moi.

— Je ne suis pas en colère contre toi !

— Je t'avais prévenue en ce qui concerne Sparacino. Mon but consiste à te protéger de lui.

— Mark, peut-être ai-je des doutes à ce sujet.

Nous continuâmes à nous échauffer tandis qu'il tentait de héler un taxi. La circulation était presque bloquée, le concert des klaxons et des rugissements de moteurs était soûlant, et je me sentais à deux doigts de la crise de nerfs. Un taxi finit par faire son apparition. Mark ouvrit la portière arrière et déposa mon sac de voyage sur le plancher. Ce ne fut qu'une fois montée à bord, alors qu'il tendait au chauffeur une poignée de billets, que je compris : il ne m'accompagnait pas. Il me renvoyait seule à l'aéroport, sans avoir déjeuné. Le taxi décolla du trottoir et se faufila dans la circulation avant que j'aie eu le temps de baisser la vitre pour lui parler.

La course jusqu'à La Guardia fut silencieuse, il me restait encore trois heures à perdre avant le départ de mon vol. J'étais en colère, blessée, abasourdie. Cette séparation, sa brutalité m'étaient intolérables. Je trouvai une table libre dans un bar, commandai un verre et allumai une cigarette. Je contemplai les volutes de fumée bleue se dissiper dans l'air brumeux. Quelques minutes plus tard, je glissai une pièce dans une cabine téléphonique.

Une voix féminine très professionnelle annonça :

— Orndorff & Berger.

Le souvenir de la grosse masse noire du comptoir de réception me revint.

— Mark James, s'il vous plaît, demandai-je.

Un instant s'écoula, puis la femme répondit :

— Je suis désolée, vous avez dû faire un faux numéro.

— Il travaille pour votre cabinet de Chicago, il est en visite à New York. Je l'ai rencontré dans vos bureaux un peu plus tôt aujourd'hui.

— Ne quittez pas.

J'eus droit pendant deux minutes à la version musique de supermarché du *Baker Street* de Jerry Rafferty avant que la réceptionniste ne reprenne :

— Je suis désolée, madame, mais nous n'avons personne de ce nom chez nous.

L'impatience me gagna :

— Mais enfin, je vous explique que je viens de le rencontrer dans votre hall de réception il y a moins de deux heures !

— J'ai vérifié, madame. Je suis désolée, mais peut-être avez-vous confondu avec un autre cabinet ?

Je raccrochai avec brutalité en étouffant un juron. J'interrogeai ensuite les renseignements, obtins le numéro d'Orndorff & Berger à Chicago et insérai ma carte de crédit dans l'appareil. Il me suffirait de laisser un message à Mark, lui demandant de me rappeler dès que possible.

Un froid glacial me figea lorsque la réceptionniste du bureau de Chicago m'annonça :

— Je suis désolée, madame. Aucun Mark James n'est employé par notre cabinet.

6

Mark ne figurait pas dans l'annuaire de Chicago. J'y avais bien découvert cinq Mark James et trois M. James, que j'avais appelés tour à tour une fois de retour à la maison, pour tomber soit sur une femme, soit sur une voix masculine inconnue. J'étais si secouée que je fus incapable de trouver le sommeil.

L'idée de contacter Diesner, le médecin expert général de Chicago que Mark prétendait avoir rencontré par hasard, ne me vint que le lendemain matin.

Ayant décidé que la meilleure stratégie consistait à me montrer directe, j'attaquai une fois les civilités échangées :

— Je cherche à joindre Mark James, un avocat de Chicago. Je crois que vous le connaissez.

— James..., répéta Diesner d'un ton pensif. Le nom ne m'évoque rien, Kay. Vous dites qu'il est avocat ici, à Chicago ?

Je me sentis vaciller, mais répondis :

— Oui. Chez Orndorff & Berger.

— Orndorff & Berger, en effet je connais, c'est un cabinet d'excellente réputation. Mais quant à un... euh... un Mark James, je ne me souviens pas...

Je l'entendis ouvrir un tiroir, tourner des pages.

Quelques longues secondes s'écoulèrent avant qu'il ne reprenne :

— Non, je ne le trouve pas non plus dans l'annuaire.

Une fois que j'eus raccroché, je me servis une autre tasse de café noir, le regard perdu au-delà de la fenêtre de la cuisine, contemplant la mangeoire à oiseaux vidée de ses graines. Une matinée grisâtre annonçait de la pluie. Il m'aurait fallu un bulldozer pour évacuer la montagne de travail qui s'empilait sur mon bureau en ville. Nous étions samedi et lundi était un jour férié. Mon personnel profitait du long week-end de trois jours et le bureau devait être désert. Une excellente opportunité pour moi de travailler au calme. Mais je m'en fichais. Mark occupait toutes mes pensées. On aurait dit qu'il n'existait pas. Un rêve, un produit de mon imagination. Plus j'essayais de trouver un sens à cette histoire, plus je m'embrouillais. Mais qu'est-ce que tout cela pouvait bien signifier ?

En désespoir de cause, je tentai d'obtenir le numéro personnel de Robert Sparacino auprès des renseignements et fus, au fond, soulagée d'apprendre qu'il était sur liste rouge. Il eût été suicidaire de ma part de l'appeler. Mark m'avait menti. Il m'avait fait croire qu'il travaillait pour Orndorff & Berger, qu'il habitait Chicago et connaissait Diesner. Un paquet de mensonges ! Je persistai à espérer la sonnerie du téléphone, la voix de Mark. Je m'absorbai dans le ménage, puis la lessive et le repassage. Je réchauffai une casserole de sauce tomate, préparai des boulettes de viande et triai le courrier.

Vers 17 heures, le téléphone sonna enfin.

— Salut, Doc, c'est Marino, annonça la voix familière. Je voulais pas vous casser les pieds durant le week-end, mais ça fait deux jours que j'essaie de mettre la main sur vous. Je voulais m'assurer que vous alliez bien.

Marino se prenait à nouveau pour mon ange gardien. Il continua :

— J'ai une cassette vidéo que je voudrais vous montrer. Je me disais que si vous étiez là, je passerais vous la déposer. Z'avez un magnétoscope ?

Il le savait très bien. Ce n'était pas la première fois, qu'il « passait » me déposer une bande.

— Quel genre de cassette ?

— Le mec que je me suis coltiné toute la matinée, à l'interroger sur Beryl Madison.

Il s'interrompit et je sentis à sa voix qu'il était assez satisfait de lui.

Plus je fréquentais Marino, plus il prenait plaisir à jouer aux devinettes avec moi. J'attribuais en partie cette attitude au fait qu'il m'avait sauvé la vie dans des circonstances effrayantes, ce sauvetage *in extremis* ayant eu pour conséquence de tisser entre nous un lien hautement improbable.

— Vous êtes de service ? demandai-je.

— Bordel, mais je suis toujours de service, grommela-t-il.

— Sérieusement.

— Pas officiellement, d'accord ? J'ai fini à 16 heures, mais ma femme s'est tirée dans le New Jersey voir sa mère, et j'ai plus de fils à nouer dans cette affaire qu'une foutue dentellière !

Sa femme était absente, ses enfants étaient grands, la météo nous gratifiait d'un samedi gris, fort peu réjouissant. Marino n'avait aucune envie de regagner un foyer déserté. La solitude de ma maison n'avait rien de particulièrement séduisant non plus et je n'étais pas d'humeur rayonnante. Je regardai la casserole de sauce qui mijotait sur la cuisinière.

— Je n'ai pas l'intention de sortir, déclarai-je. Passez

donc avec votre cassette et nous la regarderons ensemble. Vous aimez les spaghetti ?

Il hésita :

— C'est-à-dire...

— Avec des boulettes de viande. Je m'apprêtais à faire les pâtes. Vous dînez en ma compagnie ?

— Euh... Ben, ouais, je dis pas non.

Lorsque Beryl Madison voulait faire nettoyer sa voiture, elle se rendait au Masterwash situé dans le Southside. Voilà ce que Marino avait découvert en faisant le tour de toutes les stations de lavage haut de gamme de la ville. Relativement peu, une douzaine tout au plus, proposaient un service de lavage automatique. La voiture inoccupée passait sous une série de brosses ressemblant à des pagnes qui giflaient la carrosserie inondée d'eau savonneuse en même temps que de minces jets d'eau agressifs décollaient la saleté.

Une fois séché sous une soufflerie d'air chaud, un employé conduisait le véhicule jusqu'à une baie pour qu'il y soit aspiré, ciré, lustré. Les pare-chocs étaient alors astiqués, la carrosserie chouchoutée. La formule Masterwash « Super Deluxe » coûtait quinze dollars, m'informa Marino.

— J'ai eu une chance de cocu hier, dit-il en poussant ses spaghetti sur sa fourchette à l'aide de sa cuiller. Comment que vous remontez une piste comme ça, hein ? Les types nettoient quoi, soixante-dix, cent bagnoles par jour ? Vous croyez qu'ils vont faire attention à une Honda noire ? Mon œil !

Il me faisait penser à un chasseur triomphant qui ramène une époustouflante proie. Lorsque je lui avais transmis le rapport préliminaire concernant l'analyse de fibres la semaine précédente, je savais qu'il allait passer au peigne fin chaque station de lavage et chaque atelier de mécanique du coin. Car il aurait pu n'y avoir qu'un buisson au beau milieu du désert, il aurait quand même fallu que Marino aille vérifier ce qui se cachait derrière. C'était un point qu'on ne pouvait lui reprocher.

Il continua :

— Hier, j'ai touché le gros lot. J'ai passé un coup de fil au Masterwash, un des derniers sur ma liste, rapport à sa localisation. Je m'étais fourré dans le crâne que Beryl emmenait sa Honda dans un truc du West End... Ben non, c'était dans le Southside. À mon avis, la seule raison, c'est qu'ils ont aussi un atelier de réparation et de pièces détachées. Elle a amené sa voiture là-bas peu de temps après l'avoir achetée, au mois de décembre, pour faire faire un de ces traitements à cent dollars qui évitent la corrosion et protègent la peinture. Après, elle a pris un abonnement. Si on devient adhérent, on a des réductions de deux dollars sur chaque lavage et un petit coup de chiffon gratuit comme cadeau de la semaine.

— C'est comme ça que vous l'avez découvert ? Grâce à l'abonnement ?

— Ben, ouais. Y sont pas informatisés, et il a fallu que je me cogne toutes leurs foutues factures, mais j'ai retrouvé la trace du règlement de son adhésion. Si on en juge par la propreté de sa bagnole quand on l'a retrouvée dans le garage, elle a dû la faire nettoyer peu de temps avant de partir pour Key West. J'ai aussi épluché tous ses papiers et regardé ses facturettes de cartes de crédit. J'en ai trouvé qu'une pour Masterwash, c'était le truc à cent dollars dont je vous ai parlé. De toute évidence, après ça, quand elle faisait nettoyer sa caisse, elle payait en liquide.

— Que portent les employés de la station comme tenue de travail ?

— Rien d'orange, qui pourrait correspondre à la fibre bizarre que vous avez trouvée. Ils ont des jeans, des baskets, et ils portent tous des chemises bleues avec « Masterwash » brodé en blanc sur la poche de poitrine. J'ai fouiné partout quand j'y suis allé, j'ai rien remarqué de spécial. Le seul autre truc que j'ai vu, susceptible de semer des fibres, c'est les rouleaux blancs qu'ils utilisent pour essuyer les voitures.

— Rien de vraiment très prometteur, remarquai-je en repoussant mon assiette.

Au moins, Marino possédait un robuste coup de fourchette. En revanche, j'avais toujours l'estomac noué à la suite des événements de New York et j'hésitais à en parler avec le grand flic.

— Peut-être pas, dit-il, mais un des types à qui j'ai parlé a lâché un truc qui m'a fait dresser l'oreille.

Je patientai.

— Il s'appelle Alfred Hunt, vingt-huit ans, Blanc. Je l'ai eu tout de suite dans ma ligne de mire. Il supervisait tous les mecs qui bossaient comme des fous, et j'ai eu un déclic. Il avait pas l'air à sa place. Voyez le genre impeccable, propre sur lui et tout, vous l'auriez plutôt vu avec un costard trois pièces et un attaché-case. Ç'a commencé à me trotter dans la tête : « Qu'est-ce qu'un type comme ça fout dans ce trou à rats ? » (Il s'interrompit pour essuyer son assiette avec du pain aillé.) Alors je me ramène vers lui et je me mets à discuter le bout de gras. Je lui pose des questions sur Beryl, je lui montre la photo qu'y avait sur son permis de conduire. Je lui demande s'il se souvient de l'avoir vue dans les parages, et bingo ! Le voilà qui devient nerveux comme pas deux.

Je ne pus m'empêcher de penser que j'en mènerais pas large non plus si je voyais Marino « se ramener » vers moi. Il avait probablement dû débouler sur le pauvre type avec la finesse d'un bulldozer.

— Et puis ?

— Et puis on va à l'intérieur, on prend un café et on parle sérieusement. C'est un barge de première, le gars Hunt. D'abord, pour commencer, il a fait des études, il a un diplôme de psychologie, et il a travaillé comme *infirmier* au Metropolitan Hospital pendant deux ans, vous vous rendez compte ? Et quand je lui demande pourquoi il a quitté l'hôpital pour le Masterwash, je découvre que c'est son vieux le propriétaire. Le père Hunt a plein d'intérêts divers et variés dans pas mal de trucs en ville, le Masterwash, c'est qu'un de ses investissements. Il est aussi propriétaire de pas mal de parkings et de la moitié des taudis du Northside. J'en déduis donc automatiquement que le jeune Al fait ses armes pour prendre la suite de papa, non ?

L'histoire commençait à m'intéresser.

— Là où ça coince, c'est que notre petit Al porte pas de chouette costard. C'est dommage, d'ailleurs, avec son allure. Sous-entendu, c'est un naze. Le vieux ne tient pas à le mettre en costume rayé derrière un bureau. Vous vous rendez compte, le type est là au milieu de la station, à dire aux autres mecs comment cirer les bagnoles et frotter les pare-chocs. Ça, ça m'indique tout de suite qu'y a un truc qui tourne pas rond là-haut, conclut-il en pointant sa tempe d'un doigt plein de graisse.

— Vous devriez peut-être vous renseigner auprès de son père.

— C'est ça. Il va me lâcher sans hésiter que son super-rejeton d'héritier est un crétin ?

— Et que comptez-vous faire ?

— C'est déjà emballé, Doc, répondit-il. Regardez la

cassette que j'ai apportée. J'ai passé la matinée au QG avec Al Hunt. Ce type est capable de tchatcher sans reprendre son souffle, au point qu'il convaincrait un poisson de se noyer... Et il est sacrément curieux de ce qui est arrivé à Beryl. Il dit qu'il a lu ça dans les journaux...

— Comment savait-il qui était Beryl ? l'interrompis-je. Ni les journaux ni les chaînes de télévision n'ont montré de photo d'elle. Comment a-t-il fait le rapprochement ? À cause de son nom ?

— Ben, il prétend qu'y savait pas. Qu'avant que je lui montre la photo du permis de conduire, il avait aucune idée qu'il s'agissait de la jeune femme blonde qu'il avait vue à la station de lavage. Ensuite, il a fait tout un plat, genre : il était bouleversé, vachement secoué par tout ça. Il était suspendu à mes lèvres, il m'a posé des tas de questions, voulait discuter d'elle... J'vous dis, un gars genre super-intense et drôlement concerné pour quelqu'un qui la connaissait soi-disant ni d'Ève ni du chat de sa cousine. Mais le mieux, c'est que vous jugiez par vous-même, conclut-il en posant sa serviette de table froissée.

Je préparai le café, ramassai les assiettes sales, puis nous nous installâmes dans le salon afin de regarder la vidéo. Le décor m'était familier pour l'avoir déjà vu un nombre incalculable de fois. La salle d'interrogatoire du département de police était un petit box lambrissé et moquetté, seulement meublé d'une table nue plantée au milieu. Un interrupteur était scellé près de la porte et seul un expert ou un initié aurait remarqué qu'il y manquait la vis supérieure. De l'autre côté du minuscule trou noir, une pièce destinée aux enregistrements avait été installée et équipée d'une caméra grand angle.

À première vue, Al Hunt n'avait rien d'effrayant. Les

cheveux blond clair un peu dégarnis, le teint terreux, il aurait pu être séduisant, n'eût été ce menton fuyant qui disparaissait dans son cou. Vêtu de jeans et d'un blouson de cuir bordeaux, il tripotait avec nervosité de ses doigts effilés une canette de 7-Up tout en regardant Marino, assis droit en face de lui.

— Qu'est-ce qu'elle avait de spécial au juste ? demandait Marino. Qu'est-ce qui vous a fait remarquer Beryl ? Y a quand même un paquet de tires qui passent tous les jours dans la station. Vous vous souvenez de tous vos clients ?

— De beaucoup plus que vous ne pouvez l'imaginer, surtout les habitués. Je ne retiens pas nécessairement leurs noms, mais je me souviens de leurs visages, parce que la plupart des gens restent là pendant que les employés nettoient leurs voitures. Beaucoup d'entre eux supervisent, si vous voyez ce que je veux dire. Ils gardent un œil sur la voiture, s'assurent qu'on n'a rien oublié. Il y en a même qui ramassent un chiffon et donnent un coup de main, surtout s'ils sont pressés, ou si c'est le genre de gens à ne pas pouvoir rester en place.

— Beryl faisait partie de cette catégorie ? Elle surveillait ?

— Non, monsieur. On a fait installer quelques bancs dehors. Elle sortait toujours s'asseoir. Elle lisait de temps en temps un journal ou un livre. Elle ne prêtait pas attention aux employés. Ce n'était pas quelqu'un de familier ou de cordial. Peut-être est-ce pour cela que je l'ai remarquée.

— Que voulez-vous dire ?

— Je veux dire, ce sont les signaux qu'elle envoyait qui m'ont intrigué.

— Des signaux ?

— Oui, les gens adressent toutes sortes de signaux,

expliqua Hunt. J'y suis très réceptif, je les perçois. Je peux en dire beaucoup sur quelqu'un d'après les signaux qu'il ou elle émet.

— Et moi, je vous envoie des signaux, Al ?

— Oui, monsieur. Tout le monde.

— Et les miens sont comment ?

— Rouge pâle, répondit Hunt avec le plus grand sérieux.

— Hein ? fit Marino, l'air ahuri.

— Je reçois ces impulsions sous forme de couleurs. Vous pouvez trouver ça bizarre, mais je ne suis pas un cas isolé. Certains d'entre nous perçoivent les couleurs émises par les autres. Ce sont les signaux auxquels je fais allusion. Et ceux que je perçois de vous sont rouge pâle. Plutôt chaleureux, mais aussi pleins de colère, comme un signal d'avertissement. C'est une émission engageante mais qui suggère aussi une menace...

Marino arrêta la bande et me lança un sourire narquois.

— Alors, c'est pas un cinglé ?

— À vrai dire, il est plutôt perspicace. Vous êtes *vraiment* à la fois chaleureux, coléreux et dangereux.

— Merde, Doc, ce type est givré. À l'entendre, toute la population est un putain d'arc-en-ciel ambulant !

— Ce qu'il explique est tout à fait recevable d'un point de vue psychologique, rétorquai-je d'un ton sans emphase. De nombreuses émotions sont associées à des couleurs. C'est une des bases logiques sur lesquelles sont fondés les choix qui président à la décoration des lieux publics, des chambres d'hôtel, de diverses institutions. Par exemple, le bleu est associé à la dépression, et vous ne trouverez pas beaucoup d'hôpitaux psychiatriques peints de la sorte. Le rouge, c'est la colère, la violence, la passion. Le noir est morbide, sinistre, etc., etc. Si je me souviens bien, vous m'avez dit qu'Hunt avait un diplôme de psychologie.

L'air contrarié, Marino remit la bande en route.

— ... D'un autre côté, c'est assez normal avec le rôle que vous jouez, disait Hunt. Vous êtes enquêteur. Ainsi, en ce moment, vous cherchez ma coopération, mais vous ne me faites pas confiance, et vous pourriez représenter un danger pour moi, si j'avais quelque chose à cacher. C'est là que réside l'« avertissement » que je perçois en rouge pâle. La partie chaleureuse de votre personnalité, c'est votre extraversion. Vous voulez que les gens se sentent à l'aise avec vous, peut-être voulez-vous vous rapprocher d'eux. Vous vous conduisez comme un dur, mais, en fait, vous avez envie que l'on vous aime...

— Bon, d'accord, interrompit Marino. Et Beryl Madison ? Elle émettait des couleurs, elle aussi ?

— Oh, oui, c'est d'ailleurs ce qui m'a tout de suite frappé chez elle. Elle était différente, vraiment à part.

— Comment ça ? insista Marino en croisant les bras sur sa poitrine et en se laissant aller contre le dossier de sa chaise, qui geignit avec force.

— Elle était très distante, répondit Hunt. Des couleurs glaciales émanaient d'elle. Du bleu froid, un jaune très pâle comme un faible soleil hivernal et un blanc polaire, vous savez, comme de la neige carbonique, elle vous brûle la peau lorsque vous la frôlez. C'était le blanc qui était vraiment différent. La plupart des femmes m'envoient des auras pastel. Des nuances féminines, qui s'accordent aux vêtements qu'elles portent. Rose, jaune, des bleus et des verts tendres pour les dames passives, fragiles, calmes. De temps en temps, je croise une femme qui dégage des couleurs sombres, puissantes, comme des bleu marine, des bordeaux, des rouges. Ce sont des personnalités plus fortes, elles sont en général plus agressives... Des avocates, des médecins, des femmes d'affaires. Elles choisissent souvent une garde-robe qui décline ces teintes-là. C'est le genre qui reste près de sa voiture, les mains sur les hanches, à surveiller tout ce que font les employés, et elles n'hésitent pas à souligner qu'il reste des dégoulinures sur le pare-brise ou une trace de poussière sur la carrosserie.

— Vous aimez ce type de femmes ?

Il hésita.

— Pour dire la vérité, non, monsieur.

Marino éclata de rire, se pencha et avoua :

— Ben, moi non plus, j'aime pas ce genre-là. Je préfère les petits lots pastel.

Je jetai un de mes regards peu amènes au Marino qui se trouvait dans mon salon, mais il m'ignora, tandis que sur l'écran sa décalcomanie disait à Hunt :

— Dites-m'en un peu plus sur Beryl, sur ce que vous sentiez à son sujet.

Hunt fronça les sourcils de concentration.

— Les nuances pastel qu'elle émettait n'étaient pas si inhabituelles, mais je ne les percevais pas vraiment comme des indicateurs de fragilité ou de passivité. Ainsi que je vous l'ai dit, ses couleurs étaient plus froides, plus glaciales que printanières. Comme si le message qu'elle adressait au monde était de se tenir éloigné, de lui laisser davantage d'espace.

— Genre comme si elle était frigide, peut-être ?

Hunt se remit à jouer avec sa canette de 7-Up.

— Non, monsieur, je ne crois pas pouvoir affirmer cela. D'ailleurs, ce n'était pas ça que je percevais. C'est plutôt cette sensation de distance qui me venait à l'esprit. Une immense étendue qu'il aurait fallu franchir afin de parvenir à l'atteindre. Mais une fois de l'autre côté, si toutefois elle vous laissait approcher aussi près, vous couriez le risque de vous brûler à son intensité. C'est là que le blanc brûlant se manifestait, c'est pour cette raison que je la percevais avec tant de force, qu'elle était si différente à mes yeux. Elle était intense, tellement intense. Il me semblait évident qu'elle devait être très intelligente, très complexe. Même quand elle restait assise toute seule sur son banc, sans se soucier de personne, son esprit ne cessait de travailler, il enregistrait tout ce qui se passait autour d'elle. Elle était à la fois distante et brûlante comme une étoile.

— Vous aviez remarqué qu'elle était célibataire ?

— Elle ne portait pas d'alliance, répondit Hunt sans réfléchir. J'en avais déduit qu'elle était célibataire. Et rien de ce que j'avais remarqué dans sa voiture ne démentait cette supposition.

— J'comprends pas, remarqua Marino d'un air déconcerté. Comment que vous pouvez-vous déduire ça de sa caisse ?

— Je crois que c'est la deuxième fois où elle est venue. Je regardais un de nos gars pendant qu'il nettoyait l'intérieur... rien de masculin là-dedans. Par exemple son parapluie, à l'arrière : c'était un de ces minces parapluies bleus que portent les femmes. Les hommes préfèrent les noirs, à grosse poignée de bois. Sans doute sortait-elle tout juste de la blanchisserie parce que son linge était étalé sur la banquette arrière... Que des vêtements de femme, rien qui puisse appartenir à un homme. Or la plupart des femmes mariées rapportent également le linge de leur mari lorsqu'elles passent au pressing pour chercher le leur. Et puis, dans le coffre, il n'y avait ni outils, ni câbles de démarrage, bref ce que l'on peut associer à une voiture conduite par un homme. C'est assez intéressant, vous savez : quand vous voyez défiler des voitures toute la journée, vous commencez à remarquer plein de petits détails. Et puis vous en tirez des suppositions au sujet de leurs propriétaires, sans même y penser.

— Ben, en ce qui la concerne, on dirait bien que vous y avez réfléchi, remarqua Marino. Il vous est jamais venu l'idée de la sortir, Al ? Vous êtes bien certain que vous saviez pas son nom ? Vous l'auriez pas remarqué, des fois, sur l'étiquette du pressing ou sur une enveloppe qu'elle aurait laissée dans la voiture ?

Hunt secoua la tête en signe de dénégation.

— Je ne connaissais pas son nom, et peut-être qu'au fond je n'y tenais pas.

— Pourquoi ?

— Je ne sais pas..., commença-t-il.

Son attitude changea, il eut soudain l'air mal à l'aise et troublé.

— Allez, quoi, Al, vous pouvez me le dire. Peut-être bien que moi aussi, j'aurais aimé l'inviter à prendre un verre, hein ? C'était une belle femme, intéressante. J'y aurais sûrement pensé. J'me serais sûrement débrouillé pour apprendre son nom, j'aurais peut-être même essayé de l'appeler.

— ... Eh bien, je ne l'ai pas fait, déclara Hunt le regard fixé sur ses mains. Je n'ai rien fait de tout cela.

— Pourquoi pas ?

Il y eut un silence et Marino insista :

— Peut-être parce qu'un jour vous avez eu affaire à une femme comme ça, et que vous avez pris une grosse veste ?

Le silence d'Hunt persista.

— Bordel, ça nous arrive à tous, Al !

— À l'université, répondit Hunt d'une voix presque inaudible. Je suis sorti avec une fille, pendant deux ans. Et puis, finalement, elle a préféré un étudiant en médecine.

Ces femmes-là... elles cherchent un certain genre, vous savez, quand elles commencent à vouloir se poser.

— Ouais, elles jettent leur dévolu sur les caïds, dit Marino d'un ton qui se faisait tranchant. Les avocats, les médecins, les banquiers. Elles cherchent pas les mecs qui bossent dans des stations de lavage.

Hunt releva la tête d'un mouvement brusque.

— Je n'y travaillais pas encore à cette époque-là !

— Aucune importance, Al. C'est pas les gonzesses de première classe comme Beryl Madison qui vont s'arrêter pour te dire un mot gentil, mon gars. Je parie qu'elle savait même pas que tu existais, hein ? Je parie qu'elle t'aurait pas reconnu si t'étais rentré dans sa foutue bagnole quelque part en ville...

— Ne dites pas des choses comme ça...

— Vrai ou faux ?

Hunt fixait ses poings serrés.

Marino enfonça le couteau dans la plaie :

— Peut-être bien que t'avais un petit béguin pour Beryl, hein ? Peut-être que tu pensais tout le temps à cette nana pâle et brûlante comme une étoile. Elle te faisait fantasmer. Tu te demandais comment ce serait de sortir avec elle, de coucher avec elle. Peut-être que t'en avais pas assez dans le froc pour oser l'aborder parce que t'étais convaincu qu'elle te prenait pour un moins que rien, inférieur à elle...

— Arrêtez ! Vous voulez me pousser à bout ! Arrêtez ! hurla Hunt d'une voix suraiguë. Laissez-moi tranquille !

De l'autre côté de la table, Marino lui jeta un regard dénué de toute émotion.

— Je te rappelle ton vieux, hein, Al ? dit-il en allumant une cigarette qu'il agita pour accompagner ses mots. Le vieux Hunt, qui croit que son fils unique est une putain de pédale simplement parce c'est pas un enfoiré de proprio de taudis de merde qui en a rien à foutre des sentiments ou du bien-être des autres. (Il exhala un nuage de fumée, puis reprit avec une sorte de douceur :) J'en connais un paquet sur le vieux Hunt tout-puissant. Je sais qu'il a déclaré à tous ses copains que tu étais une tapette, qu'il avait honte que son sang coule dans tes veines quand t'es devenu infirmier. La vérité, c'est que t'es venu travailler dans cette foutue station de lavage parce que sinon il menaçait de te déshériter.

— Vous savez cela ? Comment savez-vous cela ? bredouilla Hunt.

— Je sais beaucoup de choses. Et je sais aussi que le personnel du Metropolitan Hospital te considérait comme une recrue de premier ordre. Paraît que tu savais t'y prendre avec les patients, tout en douceur, et qu'ils ont foutrement regretté ton départ. Je crois que le mot qu'ils ont utilisé pour te décrire, c'était « sensible », peut-être trop sensible pour que ce soit tout à fait confortable, hein, Al ? Ça explique pourquoi que tu ne sors pas, que t'as pas de petite amie. Tu as peur. La vérité, c'est que Beryl te flanquait une trouille bleue, n'est-ce pas ?

Hunt prit une profonde inspiration.

— C'est pour ça que tu voulais pas apprendre son nom ? Comme ça, y avait aucune chance que tu sois tenté de l'appeler, d'entrer en contact ?

— Je l'ai simplement remarquée, protesta nerveusement Hunt. Vraiment, il n'y avait rien de plus. Je ne pensais pas à elle de la façon dont vous le suggérez. J'étais juste très... euh... conscient de sa présence. Mais je n'ai jamais entretenu ce genre de pensées. Je ne lui avais même jamais parlé, sauf la dernière fois, lorsqu'elle est venue...

Marino enfonça de nouveau le bouton d'arrêt en annonçant :

— Ça y est, on arrive au truc important...

Il s'interrompit et m'observa attentivement.

— Hé, ça va, Doc ?

— Était-il vraiment nécessaire de vous montrer aussi brutal ? demandai-je sans chercher à dissimuler mon émotion.

— Ben, si vous pensez que ça, c'est brutal, c'est que vous me connaissez pas trop !

— Désolée, j'avais oublié que j'étais en compagnie d'Attila le Hun.

— Mais c'est rien que du cinéma ! protesta-t-il d'un ton blessé.

— Le genre de prestation qui devrait vous valoir une nomination aux Oscars.

— Oh, allez, arrêtez, Doc !

— Vous lui avez complètement sapé le moral.

— C'est une ficelle du métier, d'accord ? Un outil destiné à secouer les gens, à leur faire lâcher des choses auxquelles ils auraient peut-être pas songé autrement...

Il se retourna vers l'écran et appuya sur la touche de lecture en ajoutant :

— ... Rien que pour ce qu'il m'a dit ensuite... ce qu'on va voir maintenant, quoi, ça valait la peine.

— C'était quand ? demandait Marino à Al Hunt. La dernière fois qu'elle est venue, c'était quand ?

— Je ne me souviens pas de la date avec précision. Il y a deux ou trois mois. Ce dont je suis certain, c'est qu'il s'agissait d'un vendredi... euh, en fin de matinée. Je peux être aussi affirmatif parce que je devais déjeuner avec mon père ce jour-là. Nous déjeunons toujours ensemble le vendredi pour discuter des affaires. (Il récupéra son 7-Up.) Je m'habille donc un peu mieux, et ce jour-là je portais une cravate.

Marino le recentra :

— Donc Beryl vient un vendredi en fin de matinée pour faire laver sa voiture, et ce jour-là tu lui as parlé ?

— En fait, c'est elle qui m'a adressé la parole, rectifia Hunt comme si ce détail était crucial. Sa voiture sortait du lavage automatique quand elle s'est dirigée vers moi. Elle avait renversé quelque chose sur le tapis du coffre et voulait savoir si nous pouvions le nettoyer. Elle m'a entraîné jusqu'à sa voiture, a ouvert le coffre et j'ai vu que la moquette était détrempée. De toute évidence, elle avait déposé ses sacs de courses dedans et une bouteille de jus d'orange s'était brisée. Je suppose que c'est pour ça qu'elle a décidé de faire nettoyer sa voiture tout de suite.

— Les courses étaient dans le coffre quand elle a amené la bagnole chez vous ?

— Non.

— Tu te souviens de ce qu'elle portait ce jour-là ?

Hunt hésita.

— Une tenue de tennis, des lunettes de soleil. Euh... on aurait dit qu'elle venait juste de terminer une partie. Je m'en souviens parce que je ne l'avais jamais vue habillée comme ça, elle était toujours en vêtements de ville. Dans le coffre, il y avait sa raquette et deux-trois autres trucs. Elle les a enlevés afin que nous puissions shampouiner. Elle les a essuyés et déposés sur la banquette arrière.

Marino sortit un agenda de sa poche de poitrine, l'ouvrit et feuilleta quelques pages.

— Ç'aurait pu être la deuxième semaine de juillet qu'elle est venue ? Le vendredi 12 ?

— Ce n'est pas exclu.

— Tu te souviens d'autre chose ? Elle a rien dit de particulier ?

— Elle était presque amicale, ça, je m'en souviens. Sans doute parce que je l'aidais, que je m'assurais qu'on s'occupait bien de son coffre, alors que je n'avais pas à le faire. J'aurais pu l'envoyer acheter un shampooing à trente dollars au magasin, mais je voulais l'aider. Et pendant que les types travaillaient, je suis resté là à examiner la voiture. C'est comme ça que j'ai remarqué que la portière avant, côté passager, était abîmée. C'était bizarre, on aurait dit que quelqu'un avait utilisé sa clé pour graver un cœur et des lettres sur la portière, juste au-dessous de la poignée. Lorsque je lui ai demandé comment la chose avait pu se produire, elle a fait le tour pour venir constater les dégâts, et elle est restée là, pétrifiée, à regarder. Je vous jure, elle est devenue livide. Ça ne fait aucun doute dans mon esprit qu'elle n'avait rien remarqué avant. J'ai essayé de la calmer, je lui ai dit que je comprenais qu'elle soit ennuyée. Une Honda toute neuve, sans une égratignure, une voiture de vingt mille dollars, et un abruti vient faire un truc comme ça ! Sûrement un gamin qui n'avait rien d'autre d'intéressant pour s'occuper !

— Et qu'est-ce qu'elle a dit d'autre, Al ? Elle avait une explication ?

— Non, monsieur, elle n'a pas dit grand-chose. J'ai eu soudain le sentiment qu'elle avait peur. Elle jetait des regards nerveux autour d'elle, vraiment bouleversée. Et puis elle m'a demandé où il y avait un téléphone. Je lui ai indiqué la cabine payante de la station. Le temps qu'elle revienne, la voiture était prête et elle est partie...

Marino arrêta la bande et la retira du magnétoscope. Le café me revint en mémoire, je me levai et allai nous en préparer deux tasses.

— Voilà qui semble répondre à l'une de nos questions, remarquai-je en revenant.

— Oh, ouais, acquiesça-t-il en tirant vers lui le lait et le sucre. Moi, voilà comment je vois le tableau : Beryl a probablement utilisé le téléphone pour appeler sa banque ou bien la compagnie d'aviation pour réserver sa place. Le petit cœur sur sa portière, c'était la goutte d'eau qui lui a fait péter les plombs. Bref, elle perd les pédales et fonce de la station de lavage à sa banque. J'ai vérifié avec l'agence où elle gardait son compte. Le 12 juillet à 12 h 50, elle a vidé tout son fric et retiré presque dix mille dollars en liquide. C'était une de leurs clientes patrimoniales, ils ont pas fait de problème.

— Elle a pris des chèques de voyage ?

— Non, c'est dingue, vous trouvez pas ? Ça, pour moi, c'est un signe qu'elle avait davantage peur que quelqu'un la retrouve plutôt que de se faire plumer. Dans les Keys, elle paie tout en liquide. Si elle règle rien par carte de crédit ou chèques de voyage, y a pas moyen qu'on reconnaisse son nom.

— Elle devait être terrifiée, remarquai-je doucement. Je ne me trimbalerais jamais avec autant d'argent en liquide... À moins d'avoir perdu l'esprit ou d'être aveuglée par la panique.

Il alluma une cigarette et je l'imitai. J'éteignis mon allumette d'un petit geste et lui demandai :

— Croyez-vous que le cœur ait pu être gravé sur sa voiture alors qu'elle se trouvait au lavage ?

— J'ai posé la question à Hunt pour voir sa réaction. Il a juré que c'était pas possible, que quelqu'un aurait vu le tagueur en pleine action. Moi, j'en suis pas si sûr que ça. Bordel, dans ce genre de taules, vous laissez cinquante *cents* dans votre compartiment à monnaie et ils ont disparu quand vous récupérez votre bagnole. C'est pire qu'en plein bois, des vrais bandits. Ils piquent tout : fric, parapluies, carnets de chèques, tout, et personne a jamais rien vu quand vous posez la question ! Qu'est-ce qui me dit que c'est pas Hunt qu'a fait ça, hein ?

Je concédai :

— J'admets qu'il est un peu particulier. C'est déroutant qu'il conserve un souvenir aussi vif de Beryl, au milieu de la foule de gens qui traverse chaque jour cet endroit. À quelle fréquence venait-elle ? Une fois par mois, peut-être un peu moins ?...

Il acquiesça d'un signe de tête avant de compléter :

— Et pourtant, pour lui, elle sortait du lot. C'est peut-être innocent, mais on peut pas exclure l'inverse.

Le commentaire de Mark me revint en mémoire. Il avait, pour décrire Beryl, usé d'un adjectif : « remarquable ».

Je dégustai mon café en silence en compagnie de Marino. Mes pensées s'assombrissaient à nouveau. Mark. Il devait s'agir d'un quiproquo. Il devait exister une explication rationnelle au fait qu'il n'apparaisse pas dans la liste du personnel qu'employait Orndorff & Berger. Peut-être son nom avait-il été oublié ? Peut-être la société venait-elle d'être informatisée et l'orthographe de son nom avait-elle été mal saisie, celui-ci n'apparaissant pas lorsqu'on le tapait sur le clavier de l'ordinateur ? Peut-être les deux réceptionnistes – de New York et de Chicago – étaient-elles nouvelles et ne connaissaient-elles pas tous les avocats ? Mais, en ce cas, pourquoi Mark n'était-il pas enregistré dans l'annuaire de Chicago ?

— Quelque chose a l'air de vous turlupiner, finit par lâcher Marino. Je l'ai remarqué dès mon arrivée.

— Je suis simplement fatiguée.

— Mon cul, répondit-il en avalant une gorgée de café.

Je faillis m'étrangler avec le mien lorsqu'il continua :

— Rose dit que vous vous êtes absentée de Richmond. Vous avez eu une petite conversation productive avec Sparacino à New York ?

— Quand Rose vous a-t-elle dit cela ?

— Qu'est-ce que ça peut faire ? Et sautez pas à la gorge de votre secrétaire, ajouta-t-il. Elle a juste dit que vous étiez en déplacement. Mais elle a rien lâché sur où, avec qui ou pourquoi. Je me suis débrouillé tout seul pour trouver.

— Et comment cela ?

— Ben, votre réaction à l'instant était parlante, non ? Vous avez pas nié ? Alors de quoi que vous avez discuté avec Sparacino ?

— Il m'a expliqué qu'il vous avait joint par téléphone. Peut-être serait-il préférable que vous me rapportiez au préalable cette conversation ?

— Rien de particulier, soupira-t-il en reprenant sa cigarette qui se consumait dans le cendrier. L'autre soir, il m'appelle chez moi. Me demandez pas comment il a obtenu mon foutu numéro de téléphone ou même mon nom. Donc il exige les papiers de Beryl. Problème : j'ai pas l'intention de les lui filer. Peut-être bien que j'aurais pu me montrer plus coopératif, mais bon, ce mec est un vrai connard. Et v'là qu'il me donne des ordres, qui me la joue je-sais-pas-trop-quoi. Et il commence à me raconter qu'il est l'exécuteur testamentaire, et v'là que le mec me menace...

— En conséquence de quoi vous avez agi de façon très élégante en me renvoyant le requin.

Marino me jeta un regard d'incompréhension.

— Ben, non. J'ai même pas mentionné votre nom.

— Vous êtes sûr ?

— Je veux, oui ! La conversation a pas duré plus de

trois minutes, c'est tout. Et vous êtes jamais arrivée sur le tapis.

— Et le manuscrit que vous aviez mentionné dans le rapport de police ? Sparacino vous en a-t-il parlé ?

— Ouais. Mais j'y ai pas donné de détails, je lui ai dit que tous les papiers étaient considérés comme pièces à conviction, et je lui ai sorti le baratin habituel, comme quoi j'étais pas autorisé à discuter de l'affaire avec des extérieurs.

— Mais, vous n'avez pas précisé que le manuscrit que vous aviez trouvé sur la commode de la chambre de Beryl avait été confié à mon bureau ?

Marino me lança un regard intrigué.

— Bordel, sûrement pas ! Pourquoi que j'aurais été raconter un truc pareil ? D'autant que c'est pas le cas. J'ai fait relever les empreintes par Vander, même que je suis resté planté là, à côté, pendant tout le temps de l'examen. Ensuite, je suis reparti avec le machin. À l'instant où nous parlons, le manuscrit se trouve dans la salle des indices, au quartier général, avec toutes les autres merdes de Beryl. (Il s'interrompit quelques instants, puis reprit :) Pourquoi que vous me demandez ça ? Qu'est-ce qu'il a raconté, Sparacino ?

Je me levai pour remplir de nouveau nos tasses de café. Après m'être réinstallée dans le salon, je racontai tout à Marino. Lorsque j'eus achevé mon récit, il me fixa avec une sorte d'incrédulité mêlée d'autre chose, une chose qui me démonta tout à fait. Je crois que c'était la première fois que je percevais la peur chez Marino.

— Et qu'est-ce que vous allez faire s'il appelle ? demanda-t-il.

— Qui ? Mark ?

— Non, Blanche Neige et les sept nains... Qui d'autre ? rétorqua-t-il d'un ton sarcastique.

— Je vais exiger qu'il s'explique. Lui demander comment il se fait qu'il travaille chez Orndorff & Berger sans que personne l'y connaisse, comment il peut vivre à Chicago alors qu'il n'existe aucune trace de lui dans cette ville. Je ne sais pas, dis-je tout en sentant monter une colère de frustration, mais j'ai bien l'intention de creuser cette histoire !

Marino détourna le regard, les mâchoires crispées.

— Vous vous demandez si Mark n'est pas impliqué... lié à Sparacino, impliqué dans des activités illégales, criminelles, n'est-ce pas, Marino ?

J'étais à peine capable de formuler cet effrayant soupçon.

Il alluma une nouvelle cigarette d'un geste rageur.

— À votre avis, qu'est ce que je peux penser d'autre ? Vous avez pas vu votre ex-Roméo depuis plus de quinze ans. Vous avez plus aucun contact avec lui et pas la moindre idée de l'endroit où il se trouve. C'est comme s'il avait disparu de la surface de la terre. Et d'un seul coup, il débarque sur le pas de votre porte. Comment pourriez-vous savoir ce qu'il a vraiment fichu pendant tout ce temps ? Hein ? Vous n'en savez foutrement rien. Tout ce que vous savez, c'est ce qu'il vous raconte...

La sonnerie métallique du téléphone nous fit sursauter tous les deux. Je jetai un coup d'œil instinctif à ma montre tout en me dirigeant vers la cuisine. Il n'était pas tout à fait 22 heures. Une vague d'appréhension m'envahit lorsque je décrochai le combiné.

— Kay ?

— Je déglutis avec difficulté.

— Mark ? Où es-tu ?

— Chez moi. Je viens tout juste d'atterrir à Chicago, j'arrive à l'instant chez moi...

— J'ai essayé de te joindre de l'aéroport... à New York et à Chicago, au bureau..., bredouillai-je.

Un silence tendu tomba. Puis :

— Écoute, je n'ai que très peu de temps. Je tenais à t'appeler pour te dire que je suis désolé de la façon dont tout cela s'est passé et pour m'assurer que tu vas bien. Je te recontacterai.

— Où es-tu ? répétai-je. Mark ? Mark !

Seule la tonalité me répondit.

7

Le lendemain, dimanche, je n'entendis pas la sonnerie de mon réveil, ratai l'heure de la messe et même celle du déjeuner. Lorsque je finis par m'extirper du lit, je me sentais vaseuse, les pensées embrouillées. Le souvenir de mes rêves m'échappait, pourtant ils avaient laissé une empreinte déplaisante dans mon esprit.

La sonnerie du téléphone retentit peu après 19 heures, alors que j'émincais des oignons et des poivrons pour confectionner une omelette que, de toute évidence, je n'étais pas destinée à déguster. En effet, je me retrouvai quelques minutes plus tard au volant de ma voiture, filant à toute vitesse dans la nuit sur la 64e Est. Sur mon tableau de bord trônait un bout de papier où j'avais griffonné les indications pour me rendre jusqu'à Cutler Grove. Mon esprit ressassait en permanence les mêmes pensées, comme une machine désaxée, tournant en boucle, moulinant sans répit les mêmes informations. Cary Harper venait d'être assassiné. Une heure auparavant, alors qu'il rentrait chez lui après avoir quitté un bar de Williamsburg, il avait été attaqué en sortant de son véhicule. Tout s'était passé en quelques secondes, et le crime avait été très brutal. Et comme Beryl Madison, il avait eu la gorge tranchée.

Une obscurité totale régnait. Des bancs de brouillard réfléchissaient l'éclat bas du faisceau de mes phares, m'aveuglant. La visibilité, presque nulle, me rendait soudain cette autoroute, que j'avais tant de fois parcourue, étrangère. Je ne savais plus très bien où je me trouvais. Je tentais d'allumer nerveusement une cigarette lorsque je m'aperçus que des phares me rattrapaient. Une voiture sombre, que je distinguai mal, frôla dangereusement mon pare-chocs arrière, pour se stabiliser ensuite, se maintenant à la même distance de moi durant des kilomètres, que j'accélère ou que je ralentisse. Lorsque j'entrevis enfin la bretelle que je cherchais, je bifurquai... tout comme le véhicule que je précédais.

Le chemin de terre dans lequel j'obliquai ensuite n'était indiqué par aucun panneau. Les phares, derrière moi, demeurèrent collés à mon pare-chocs. J'avais laissé mon calibre 38 à la maison, et je n'avais rien d'autre pour me défendre qu'une petite bombe lacrymogène fourrée dans ma sacoche médicale. Lorsque la grande maison apparut au détour d'un virage, je fus tellement soulagée que je m'écriai à voix haute : « Oh, merci, mon Dieu ! » L'allée en demi-cercle était encombrée d'une file de voitures. La lueur des gyrophares inondait par saccades le gravier, comme un pouls lumineux. Je me garai et mon suiveur s'arrêta brutalement derrière moi. Stupéfaite, je vis Marino descendre du véhicule en remontant jusqu'aux oreilles le col de son manteau.

— Bon sang ! sifflai-je avec irritation, mais c'est invraisemblable !

— Ouais, moi, c'est pareil, grommela-t-il en me rejoignant à grandes enjambées. Je peux pas y croire.

Il jeta un regard revanchard à l'éblouissant cercle de lumière qui environnait une vieille Rolls Royce garée près de l'entrée de service du manoir.

Marino vitupéra :

— Merde, c'est tout ce que j'ai à dire. Bordel de merde, à la fin !

L'endroit grouillait de policiers, le visage blême sous les flots de lumière artificielle. Le grondement des moteurs résonnait dans l'air humide et glacial, et des parasites mêlés de bribes de conversations s'échappaient des radios. Un ruban de scène de crime lié à la rampe de l'escalier de service scellait les alentours, délimitant un rectangle d'un jaune menaçant.

Un officier en civil, vêtu d'un vieux blouson de cuir marron, s'approcha de nous.

— Docteur Scarpetta ? Je suis l'inspecteur Poteat.

J'ouvris ma sacoche pour en sortir un paquet de gants de chirurgie et une torche.

— Personne n'a touché au corps, m'informa Poteat. J'ai suivi à la lettre les instructions du Doc Watts.

Le Dr Watts était médecin généraliste, un des cinq cents médecins légistes de l'État rattachés à mes services et l'un de mes dix pires emmerdeurs. Lorsque la police l'avait joint ce soir-là, il m'avait aussitôt appelée. Certes, cela faisait partie de la procédure d'informer le médecin expert général lorsqu'un personnage connu décédait de mort suspecte, voire seulement inattendue. Mais pour Watts, cela faisait aussi partie de sa procédure personnelle d'éviter le maximum d'affaires possible, de les refiler à quelqu'un d'autre ou même carrément de s'en laver les mains. Ce monsieur ne supportait pas la paperasse et encore moins qu'on le dérange. Il était réputé pour la rareté de ses apparitions sur les scènes de crimes. Du reste, je ne distinguais pas la moindre trace de son passage ce soir-là.

— Je suis arrivé à peu près en même temps que la première voiture de l'équipe d'intervention, expliquait

Poteat. J'ai veillé à ce que les gars en fassent pas trop. Ils l'ont pas retourné, ils ont touché à rien, ni ses vêtements ni rien d'autre. Il était mort quand on est arrivés.

— Merci, répondis-je d'un ton absent.

— On dirait qu'il a été frappé à la tête, lacéré. On lui a peut-être tiré dessus, y avait des plombs partout, des petits plombs de chasse, vous allez voir. On n'a pas trouvé d'arme. Apparemment, il est arrivé vers 18 h 45, a garé sa voiture là où elle se trouve. Ce qu'on en déduit, pour l'instant, c'est qu'il a été agressé au moment où il descendait de son véhicule, conclut-il avec un regard en direction de la Rolls Royce blanche noyée dans l'ombre des épais bosquets de buis.

— La portière côté conducteur était-elle ouverte lorsque vous êtes arrivé ? demandai-je.

— Non, madame. Les clés de la voiture sont par terre, comme s'il les tenait dans la main quand il est tombé. Comme je vous ai dit, on a touché à rien, on attendait que vous arriviez ou que le temps nous oblige à continuer. Va pleuvoir, expliqua-t-il en plissant les yeux en direction des gros nuages qui s'amassaient en chape au-dessus de nos têtes. Peut-être même bien neiger. Y a pas de désordre à l'intérieur de la voiture, aucun signe de lutte. Ce qu'on s'est dit, c'est que l'agresseur devait attendre planqué quelque part, probablement dans les buissons. Tout ce qu'on est certains, c'est que ça s'est passé rudement vite, Doc. Sa sœur, qu'était à l'intérieur, a rien entendu, qu'elle nous a dit, même pas un coup de feu.

Je le laissai discuter avec Marino, me glissai sous le ruban pour m'approcher de la Rolls Royce, passant instinctivement en revue le moindre centimètre carré sur lequel je posais le pied. La voiture était garée parallèlement aux marches de l'entrée de service, à moins de deux mètres, la portière du conducteur faisait face à la demeure. Je fis le tour du capot orné de son bouchon de radiateur si célèbre, m'arrêtai et sortis mon appareil photo.

Cary Harper reposait sur le dos, la tête à quelques centimètres du pneu avant. L'aile si blanche était souillée d'un panache de sang. Le sang s'était figé sur son gros pull marin de laine beige, le raidissant. Un trousseau de clés traînait à hauteur de ses hanches. Le faisceau des projecteurs faisait luire la nappe rouge et visqueuse qui semblait tout recouvrir. Les cheveux blancs de la victime, eux aussi, étaient maculés de sang. La peau de son visage et de son crâne avait été lacérée, éclatant par endroits sous la violence acharnée des coups portés à l'aide d'un instrument contondant. Sa gorge avait été tranchée d'une oreille à l'autre et la plaie béante le décapitait presque. Partout, où que je dirige ma lampe, de petits plombs scintillaient comme de minuscules perles d'étain. J'en repérai des centaines sur son corps et autour, et même sur le capot de la voiture, mais ils ne provenaient d'aucune arme.

Je continuai à prendre des photos, puis m'accroupis et sortis un long thermomètre que je glissai avec précaution sous son pull, pour le nicher sous son aisselle gauche. La température du corps était de trente-quatre degrés et la température ambiante flirtait avec le zéro. Le corps se refroidissait au rythme relativement rapide d'un degré et demi à deux degrés par heure, parce que le mercure tombait au-dessous de zéro et qu'Harper n'était pas très corpulent, ni chaudement vêtu. La rigidité avait commencé de s'installer, gagnant les muscles du cou. J'estimai qu'il était mort depuis moins de deux heures.

J'entrepris ensuite de rechercher toute trace d'indice

que le trajet jusqu'à la morgue risquait de compromettre. Les fibres, les cheveux ou autres résidus adhérant au sang résisteraient au transport. Je m'inquiétais plutôt des indices labiles, passant sans hâte au crible le corps et ses abords, lorsque le mince faisceau de lumière accrocha quelque chose près du cou de la victime. Je me penchai sans rien toucher, examinant d'un air intrigué une petite boule verdâtre semblable à de la pâte à modeler, dans laquelle s'étaient fichés plusieurs plombs. Je la glissai dans une pochette en plastique lorsque la porte de la maison s'ouvrit. Je levai les yeux pour découvrir le regard terrifié d'une femme debout dans le vestibule. Un agent de police tenant un porte-bloc métallique se trouvait à son côté.

Des pas résonnèrent, ceux de Marino et Poteat. Ils plongèrent sous le ruban, bientôt rejoints par l'agent au porte-bloc. La porte de la maison se referma avec douceur.

— Quelqu'un va rester avec elle ? demandai-je.

— Oh, oui, répondit l'agent, dont le souffle se matérialisait en buée. Miss Harper dit que ça va aller, une de ses amies va venir. On a plusieurs unités déployées dans le coin, histoire de s'assurer que le type ne remettra pas ça.

— Qu'est-ce qu'on cherche ? me demanda Poteat.

Il glissa les mains dans les poches de son blouson et voûta les épaules pour combattre le froid. De gros flocons de neige, larges comme des pièces de monnaie, commençaient de tourbillonner.

— Différentes sortes d'armes, répondis-je. Les blessures à la tête et au visage sont des traumatismes infligés avec grande brutalité par un objet contondant. De toute évidence, continuai-je en pointant un doigt ganté couvert de sang, la blessure au cou a été portée avec un instrument tranchant. Quant aux plombs, ils ne sont pas déformés et aucun ne semble avoir pénétré dans la chair.

Marino examina les plombs éparpillés alentour d'un air ahuri. Poteat acquiesça de la tête.

— C'est bien ce qui me semblait. Je croyais pas trop à un coup de feu, mais j'avais pas de certitude. Donc on cherche probablement pas un fusil, mais un couteau et peut-être quelque chose comme un cric ?

— C'est possible, mais je n'exclus rien pour l'instant. Ce que je peux affirmer, c'est qu'une lame effilée est responsable de la blessure à la gorge et que la victime a été frappée avec un objet contondant, de forme rectiligne.

Poteat remarqua dans un froncement de sourcils :

— Ça pourrait être des tas de trucs, Doc.

— C'est exact, approuvai-je.

Une hypothèse m'était venue au sujet des plombs de chasse, mais je me retins de la formuler, ayant appris à mes dépens, lors d'expériences passées, le danger des spéculations. Les généralités étaient souvent interprétées au premier degré. Un exemple m'avait marquée : les flics étaient un jour passés à côté d'une aiguille de tapissier ensanglantée, oubliée dans le salon de la victime, parce que j'avais déclaré que le profil de l'arme était « compatible » avec un pic à glace.

— Ils peuvent l'emmener, annonçai-je en ôtant mes gants.

On enveloppa Harper dans un drap blanc immaculé et son corps fut glissé dans une poche à cadavre. Debout près de Marino, je suivis des yeux l'ambulance qui regagnait lentement l'allée sombre et déserte. Pas de gyrophares ni de sirènes. La hâte n'est plus de mise lorsque l'on transporte les morts. La neige tombait de plus en plus dru, semblant décidée à persister au sol.

— Vous rentrez ? me demanda Marino.

— Pourquoi ? Vous comptez me suivre à nouveau ? rétorquai-je sans la moindre trace d'humour.

Son regard se perdit vers la vieille Rolls Royce, baignée de la lumière laiteuse qui semblait encercler l'allée. Les flocons de neige fondaient au contact des taches de sang qui fonçaient le gravier.

— J'vous suivais pas, lâcha Marino d'un ton sérieux. J'ai reçu le message radio au moment où je rentrais à Richmond...

— Rentré ? l'interrompis-je. Rentré *d'où ?*

— D'ici, répondit-il en fouillant dans sa poche à la recherche de ses clés. J'ai découvert qu'Harper était un habitué de la Culpeper's Tavern, alors je me suis dit que j'allais m'accrocher à ses basques. Je suis resté avec lui environ une demi-heure... Après, il m'a conseillé d'aller me faire foutre, en gros, et il s'est cassé. Et donc, me v'là sur le chemin du retour quand, à une vingtaine de bornes de Richmond, Poteat demande à un répartiteur de me loger par radio et me raconte ce qui s'est passé. Je radine mon cul à toute blinde par ici et je reconnais votre caisse. Donc je me suis collé à vous pour pas que vous vous perdiez.

Clouée de surprise, je répétai :

— Vous avez vraiment parlé à Harper ce soir au bar ?

— Oh, ouais. Et il me plante là pour se faire dégommer cinq minutes plus tard...

Il se dirigea vers sa voiture d'un pas nerveux et je perçus son agitation.

— ... Bon, je vais me coincer Poteat, voir ce que je peux dégoter d'autre. Je passerai demain matin assister à l'autopsie, si vous y voyez pas d'objections.

Je le regardai s'éloigner, chassant d'une main la neige qui collait à ses cheveux. Lorsque je mis le contact de la Plymouth, la voiture de Marino avait déjà disparu. Les essuie-glaces repoussèrent une mince couche de neige, puis pilèrent net au milieu du pare-brise. Une dernière tentative désespérée et le moteur de mon véhicule de fonction rendit l'âme, deuxième victime de la soirée.

La bibliothèque des Harper était une pièce chaleureuse, égayée des tons chauds des tapis persans rouges et des magnifiques meubles anciens de bois précieux. J'étais quasiment certaine que le canapé était un authentique Chippendale. Je n'en avais jamais touché de ma vie. Quant à m'y installer, encore moins. Le haut plafond était orné de moulures rococo, les murs chargés de livres, pour la plupart reliés de cuir. Juste en face de moi s'élevait une cheminée de marbre que l'on venait de garnir de bûches.

Je me penchai, tendant les mains vers les flammes, et détaillai à nouveau la grande huile suspendue au-dessus du manteau de la cheminée. Le portrait était celui d'une jeune fille, presque une fillette, ravissante, aux longs cheveux très blonds, vêtue de blanc. Elle était assise sur un petit banc, ses mains serrant à peine la brosse à cheveux en argent qui reposait sur ses genoux. La lueur chaude du feu parait le tableau d'un reflet presque sinistre qui rehaussait le regard aux paupières lourdes, les lèvres humides délicatement entrouvertes. Son profond décolleté plongeait vers une poitrine à peine naissante, d'un blanc de porcelaine. Pourquoi cet étrange portrait était-il ainsi mis en valeur ? La sœur de Cary Harper pénétra dans la pièce à cet instant, refermant la porte derrière elle aussi silencieusement qu'elle l'avait ouverte.

— J'ai pensé que cela vous réchaufferait un peu, annonça-t-elle en me tendant un verre de vin.

Elle posa le plateau sur la table basse, puis s'installa sur le coussin de velours rouge d'un fauteuil baroque, ramenant ses pieds sur le côté, comme font les dames bien élevées, qui l'ont appris de leurs aînées bien élevées.

Je la remerciai tout en me confondant de nouveau en excuses.

La batterie de ma voiture avait rendu l'âme, et ce n'étaient pas les câbles de démarrage qui allaient la ressusciter. La police avait contacté un dépanneur par radio et promis de me raccompagner à Richmond dès qu'elle en aurait terminé avec la scène du crime. Mes options étaient assez réduites. Il était exclu que je patiente une heure dehors sous la neige ou même dans une voiture de police. J'avais donc frappé à la porte de Miss Harper.

Elle dégusta son vin, le regard perdu vers l'âtre. À l'instar des objets de valeur qui l'entouraient, Miss Harper était admirablement esthétique, sans doute une des femmes les plus élégantes que j'aie jamais rencontrées. Sa chevelure argentée encadrait avec douceur un beau visage patricien. Elle avait les pommettes hautes, les traits fins, une silhouette mince mais bien dessinée, et portait ce soir-là un sweater beige à capuche et une jupe de velours côtelé. Lorsque je contemplais Sterling Harper, le qualificatif de « vieille fille » me semblait particulièrement inadapté.

Elle demeurait silencieuse. Des flocons de neige venaient mourir en embrassant les fenêtres et des bourrasques de vent arrachaient des plaintes aux avant-toits. Pour rien au monde, je n'aurais souhaité vivre seule dans cette demeure.

— Vous avez de la famille ? demandai-je.

— Plus personne.

— Je suis désolée, mademoiselle Harper...

— Vraiment, docteur Scarpetta, cessez de parler comme cela.

Elle leva de nouveau son verre et la large émeraude de sa bague étincela à la lueur du feu. Son regard se fixa sur moi. Je me souvins de la terreur que j'avais lue dans ses yeux lorsqu'elle avait ouvert la porte alors que j'examinais le cadavre de son frère. Elle avait à présent recouvré tout son calme.

— Cary était prudent, remarqua-t-elle. Voyez-vous, ce qui me surprend le plus, c'est la façon dont cela s'est produit. Je n'aurais pas imaginé que quelqu'un pousse l'audace jusqu'à le guetter devant la maison.

— Et vous n'avez rien entendu ?

— J'ai entendu la voiture arriver, et après cela plus rien. Étonnée qu'il n'entre pas, j'ai ouvert la porte... Et j'ai aussitôt appelé le 911.

— Fréquentait-il d'autres établissements que la Culpeper's ?

— Non, aucun autre. Il s'y rendait tous les soirs, précisa-t-elle tandis que son regard se perdait dans le vague. Je l'avais mis en garde contre cet endroit, contre les dangers de notre époque. Vous comprenez, Cary transportait toujours de l'argent liquide et il avait l'art de pousser les autres hors de leurs gonds. Il ne restait jamais très longtemps au bar, une heure, deux tout au plus. Il me disait que cela lui servait d'inspiration, que c'était un moyen de se mêler aux gens normaux. Après *The Jagged Corner,* Cary n'avait plus rien à exprimer.

J'avais lu le roman lorsque j'étudiais à l'université Cornell, et il ne m'en restait que des impressions : le tableau d'un Sud gothique où la violence, l'inceste et le racisme étaient évoqués au travers de l'enfance d'un futur écrivain, grandissant dans une ferme de Virginie. À l'époque, la lecture du roman m'avait déprimée.

— Mon frère possédait cet infortuné talent, celui des écrivains qui ne portent en eux qu'un seul livre, ajouta Miss Harper.

— D'autres excellents écrivains font partie de cette catégorie.

— Il n'a vécu que ce qu'il a été contraint de vivre dans sa jeunesse, continua-t-elle du même ton monotone, si déroutant. Après cela, il s'est vidé de tout, promenant partout son désespoir tranquille. Il n'a plus écrit que des ébauches, qu'il finissait par jeter au feu. Il regardait les feuilles se consumer d'un air de reproche, puis errait dans la maison comme une bête furieuse, jusqu'au moment où il était prêt à recommencer. Cela durait depuis des années, depuis plus longtemps que je ne tiens à m'en souvenir.

— Vous êtes particulièrement sévère envers votre frère, remarquai-je d'un ton calme.

— Je suis particulièrement sévère envers moi-même, docteur Scarpetta, souligna-t-elle en rencontrant mon regard. Cary et moi étions de la même étoffe. La seule différence entre nous, c'est que je ne suis pas obsédée par le besoin d'analyser ce qui ne peut être modifié. Il fallait que Cary dissèque en permanence sa nature, son passé, les forces qui l'avaient façonné. Cela lui avait valu le prix Pulitzer. Quant à moi, j'ai choisi de ne pas combattre l'évidence.

— C'est-à-dire ?

— C'est la fin de la lignée Harper, stérile et dégénérée. Une fin de race qui s'éteindra avec nous.

Le vin était un banal bourgogne de table, sec, abandonnant dans la gorge un léger goût métallique. Quand la police aurait-elle terminé ? Il m'avait semblé percevoir le grondement d'un camion un petit moment plus tôt, peut-être la dépanneuse chargée de remorquer ma voiture.

— J'ai accepté que mon destin consiste à prendre soin de mon frère, à accompagner l'extinction sans heurt de notre famille, reprit Miss Harper. Mais Cary ne me manquera que parce qu'il était mon frère. Je ne mentirai pas et ne prétendrai pas qu'il s'agissait d'un être merveilleux. Je dois vous paraître épouvantablement froide, non ? remarqua-t-elle après avoir bu une gorgée de son vin.

« Froide » n'était pas le terme qui convenait.

— J'apprécie votre honnêteté.

— Cary était doué d'imagination et secoué par des émotions exacerbées mais instables. J'en suis presque dépourvue. Au demeurant, si cela n'avait pas été le cas, je n'aurais pas pu supporter ma situation. En tout cas, je n'aurais pas vécu ici.

— En effet, on doit se sentir très isolé ici, remarquai-je, supposant que c'était à cela qu'elle faisait allusion.

— Ce n'est pas l'isolement qui me gêne.

— Alors, quoi, mademoiselle Harper ? insistai-je en prenant mes cigarettes.

— Désirez-vous un autre verre de vin ? proposa-t-elle, le visage à demi dissimulé par l'ombre que projetait le feu.

— Non, merci.

— J'aurais préféré que nous n'emménagions jamais dans cette maison. Rien de bon ne peut y survenir.

— Qu'allez-vous faire, mademoiselle Harper ?...

La vacuité de son regard me glaça.

— Allez-vous rester ici ?

— Je n'ai nul autre endroit où aller, docteur Scarpetta.

— Vendre Cutler Grove ne devrait pas être très difficile, répondis-je tandis que mon attention se reportait sur le portrait suspendu au-dessus de la cheminée.

La jeune fille en blanc souriait mystérieusement dans la lueur du feu à l'évocation de secrets qu'elle ne révélerait jamais.

— C'est si ardu d'abandonner son poumon d'acier, docteur Scarpetta.

— Pardon ?

— Je suis trop vieille pour changer, expliqua-t-elle.

Je suis trop vieille pour me préoccuper de mener une vie saine, de nouer de nouveaux liens. Je ne respire que par le passé, il est ma vie. Vous êtes jeune, docteur Scarpetta, mais un jour vous apprendrez à votre tour ce regard que l'on jette derrière soi. Vous découvrirez que nul ne peut y échapper. Vous verrez comment votre histoire personnelle vous ramène en ces lieux familiers où – ironie du sort – se sont déroulés les événements qui ont fini par concourir à votre propre éloignement de la vie. Vous constaterez qu'avec le temps la dureté du chagrin est finalement plus confortable que tout le reste, et les gens qui vous ont trahis plus amicaux à mesure que s'évade le temps. Et vous vous précipiterez vers ces douleurs auxquelles vous cherchiez tant à échapper auparavant. C'est plus facile... Que pourrais-je dire de plus ? C'est plus facile, voilà tout.

Cherchant désespérément à changer de sujet, je lui posai une question directe :

— Avez-vous la moindre idée de la personne qui a pu tuer votre frère ?

Elle ne répondit pas, fixant le feu, les yeux élargis.

— Et Beryl ? insistai-je.

— Je sais qu'elle était harcelée depuis des mois déjà, enfin avant.

— Des mois avant sa mort ?
— Nous étions très proches, Beryl et moi.
— Et donc vous étiez au courant de ce harcèlement ?
— Oui. Des menaces qu'elle avait reçues.
— Elle vous en a parlé *de vive voix,* mademoiselle Harper ?
— Bien entendu.
Marino avait épluché les relevés téléphoniques de Beryl sans trouver trace d'appels longue distance pour Williamsburg. Il n'avait pas non plus découvert de lettres écrites par Miss Harper ou par son frère à la jeune romancière.
— Vous étiez donc demeurée en étroit contact avec elle toutes ces années ?
— En effet, très étroit, insista-t-elle. Enfin, autant que cela nous était possible, à cause du livre qu'elle écrivait et de la violation flagrante du contrat que Beryl avait passé avec mon frère. Cette histoire est devenue très sordide. Cary était furieux.
— Comment l'avait-il appris ? L'avait-elle informé de ce qu'elle écrivait ?
— Son avocat l'a fait.
— Sparacino ?
— Je ne connais pas au juste les détails de ce qu'il a raconté à Cary, précisa-t-elle, le visage dur, mais mon frère a été mis au courant du projet de Beryl. Il en savait assez pour être fou de rage. L'avocat a envenimé les choses à plaisir, en coulisses, allant de l'un à l'autre, leur jurant tour à tour aide et fidélité.
— Savez-vous ce qu'est devenu ce livre ? m'enquis-je avec précautions. Est-il en possession de Sparacino ? Est-il en voie de publication ?
— Ce monsieur a appelé Cary il y a quelques jours. J'ai saisi des bribes de conversation, assez pour en

conclure que le manuscrit avait disparu. Votre bureau a été mentionné. J'ai entendu Cary évoquer le médecin légiste expert, je suppose qu'il s'agissait de vous ? À ce moment-là, il s'est énervé. J'en ai conclu que Mr Sparacino essayait de déterminer si mon frère n'avait pas récupéré le manuscrit.

— Et serait-ce possible ?

— Beryl ne l'aurait jamais confié à Cary ! assura-t-elle avec force. C'eût été insensé. Cary était formellement opposé à ce projet.

Nous demeurâmes silencieuses un moment, puis je demandai :

— Que craignait donc tant votre frère, mademoiselle Harper ?

— La vie.

Je la détaillai avec attention, attendant qu'elle poursuive. Son regard s'était de nouveau évadé en direction du feu.

— Et plus il redoutait la vie, plus il s'en éloignait, expliqua-t-elle d'un ton étrange. La solitude a des conséquences bizarres sur l'esprit. Elle vous tord le cerveau, elle accélère jusqu'à la déraison les pensées, les faisant dévier jusqu'à ce qu'elles adoptent des formes singulières. Je crois que Beryl est la seule personne que mon frère ait vraiment aimée. Il s'accrochait à elle, il était habité du besoin irrésistible de la posséder, de la garder liée à lui pour toujours. Lorsqu'il s'est convaincu qu'elle le trahissait, qu'il n'exerçait plus de pouvoir sur elle, sa folie n'a fait que s'amplifier. Je suis sûre qu'il a commencé de s'imaginer d'affreuses et délirantes fables que Beryl pourrait divulguer sur lui, sur notre existence ici.

Sa main tremblait lorsqu'elle se pencha pour reprendre son verre. Elle parlait de son frère comme s'il était mort depuis des années. Sa voix se faisait coupante, tendue, comme si l'amour qu'elle avait pu éprouver pour lui s'était peu à peu muré derrière l'hostilité et la souffrance. Elle poursuivit :

— Lorsque Beryl est arrivée, Cary et moi étions seuls. Nos parents étaient morts, chacun de nous n'avait plus que l'autre. Cary était un homme difficile, un démon qui écrivait comme un ange, et il avait besoin qu'on prenne soin de lui. J'étais disposée à l'aider afin qu'il satisfasse son ambition : laisser son empreinte sur ce monde.

— De tels sacrifices s'accompagnent souvent de ressentiment, hasardai-je.

Le silence retomba. La lueur du feu vacillait par instants sur son ravissant visage fin.

— Comment avez-vous trouvé Beryl ? demandai-je.

— C'est elle qui nous a trouvés. À cette époque-là, elle vivait à Fresno avec son père et sa belle-mère. Elle écrivait, je veux dire qu'elle était obsédée par l'écriture, expliqua-t-elle en continuant de fixer le feu. Un jour, Cary a reçu une lettre d'elle, par l'intermédiaire de son éditeur. Elle était accompagnée d'une nouvelle manuscrite. Je m'en souviens encore très bien, d'ailleurs. Le texte était prometteur. On y sentait une imagination en germe qui n'avait besoin que d'aide, d'un guide. C'est ainsi que la correspondance a débuté. Quelques mois plus tard, Cary l'a invitée à nous rendre visite, lui a envoyé un billet. Peu de temps après, il a acheté cette maison et entrepris de la restaurer. Il l'a fait pour elle. Une ravissante jeune fille venait d'apporter un peu de magie dans son univers.

— Et vous ?

Elle ne répondit pas immédiatement.

Une bûche roula dans l'âtre, projetant une gerbe d'étincelles.

— Disons qu'une fois qu'elle s'est installée ici, l'existence n'a pas été dépourvue de complications, docteur Scarpetta. J'ai observé ce qui se passait entre eux.

— Entre votre frère et Beryl ?

— Je ne cherchais pas à l'emprisonner, contrairement à mon frère. Dans ses continuelles tentatives pour se cramponner à elle, pour l'avoir tout à lui, il a fini par la perdre.

— Vous aimiez beaucoup Beryl.

Sa voix se brisa, mais elle continua :

— C'est impossible à expliquer. C'était une situation très difficile.

J'insistai encore :

— Votre frère vous interdisait tout contact avec elle.

— Surtout ces derniers mois, à cause du livre. Cary l'a reniée. Son nom ne devait plus être prononcé dans cette maison et il m'a interdit d'entretenir quelque lien que ce soit avec elle.

— Mais vous avez outrepassé cet ordre, résumai-je.

— Si peu, admit-elle d'une voix difficile.

— Ce devait être très dur pour vous, d'être ainsi séparée de quelqu'un qui vous était si cher.

Elle détourna le regard, détaillant de nouveau les flammes.

— Mademoiselle Harper, quand avez-vous appris la mort de Beryl ?

Elle ne répondit pas.

— Vous a-t-on téléphoné ?

— Je l'ai appris à la radio le lendemain matin, murmura-t-elle.

Ah, mon Dieu, songeai-je, quelle horreur !

Il ne lui restait plus aucun mot à formuler. Les blessures de cette femme étaient hors de ma portée, et quel qu'ait été mon désir de lui offrir un mot de réconfort, il n'y avait rien que je puisse dire. Nous demeurâmes donc assises en silence pendant ce qui sembla un long moment. Lorsque je finis par jeter discrètement un œil à ma montre, je m'aperçus qu'il était presque minuit.

La maison était très calme – trop calme, réalisai-je avec un sursaut.

Après la chaleur de la bibliothèque, le hall d'entrée me parut aussi glacial qu'une cathédrale. J'ouvris la porte de derrière et étouffai une exclamation de surprise. Les traces de pneus abandonnées par les voitures de police disparaissaient presque sous la couverture neigeuse qui noyait l'allée de gravier. La neige continuait de tomber en tourbillon laiteux et ces foutus flics étaient partis sans moi. Ma voiture avait été remorquée depuis longtemps, et ils avaient oublié que je me trouvais dans la maison. Bon sang ! Merde, à la fin !

Lorsque je regagnai la bibliothèque, Miss Harper nourrissait le feu d'une nouvelle bûche.

— Mes chauffeurs sont de toute évidence repartis sans moi, annonçai-je d'un ton dont je ne parvins pas à gommer la tension. Pourrais-je utiliser votre téléphone ?

— J'ai bien peur que ce ne soit impossible, répondit-elle d'un ton plat. La ligne a été coupée peu de temps après le départ de l'agent de police. C'est fréquent en cas de mauvais temps.

Je la regardai tisonner les bûches brûlantes, contemplant les volutes de fumée qui se frayaient un chemin sous elles, tandis qu'un essaim d'étincelles jaillissait pour se perdre dans le conduit de cheminée.

Une chose me revint à l'esprit, que j'avais oubliée jusque-là.

— Votre amie...

8

Miss Harper revint avec du vin comme la grande horloge du couloir menant à la bibliothèque sonnait douze coups. Mon hôtesse se crut obligée d'expliquer :

— La pendule a dix minutes de retard. Depuis toujours.

Le téléphone était bel et bien coupé, j'avais vérifié. Plusieurs kilomètres nous séparaient de la ville, kilomètres d'une marche forcée en raison des dix centimètres de neige récemment tombés. J'étais bel et bien coincée dans cette maison.

Son frère était mort. Beryl était morte. Il ne restait plus que Miss Harper. J'espérais qu'il ne s'agissait que d'une coïncidence. J'allumai une cigarette et avalai une gorgée de vin.

Miss Harper n'était pas dotée d'une force physique suffisante pour avoir tué son frère et Beryl. Et si le tueur en avait également après elle ? Si jamais il revenait ?

Mon 38 était à la maison.

La police devait patrouiller dans les environs.

Et comment ? En motoneige ?

Je me rendis compte que Miss Harper s'adressait à moi.

— Pardon, dis-je avec un sourire forcé.

— Vous avez l'air gelée, répéta-t-elle.

Elle s'assit dans le fauteuil baroque et contempla le feu, le visage serein. Les hautes flammes claquaient par moments comme un étendard au vent et des rafales de vent projetaient par intermittence des cendres sur le foyer. Elle semblait rassurée par ma présence. Si j'avais été à sa place, je n'aurais pas aimé demeurer seule, moi non plus.

— Ça va.

Je mentais. J'avais froid.

— Je peux vous prêter un pull.

— Je vous en prie, ne vous donnez pas cette peine. Ça va, vraiment...

— Cette maison est pratiquement impossible à chauffer, continua-t-elle. Les plafonds sont très hauts et elle n'est pas isolée. On finit par s'y habituer.

Je songeai à ma maison moderne de Richmond, chaleureuse avec son chauffage au gaz, je songeai à mon grand lit avec son matelas ferme et sa couverture électrique. Je pensai aussi à la cartouche de cigarettes rangée dans le placard près du réfrigérateur et au délicieux whisky qui patientait dans mon bar. Surtout, je songeai aux étages poussiéreux, sombres et parcourus de courants d'air de Cutler Grove.

— Je serai très bien ici, en bas, sur le canapé.

— Ridicule. Le feu ne va pas tarder à mourir.

Elle tripotait un bouton de son sweater, les yeux toujours rivés sur la cheminée.

Je fis une dernière tentative :

— Mademoiselle Harper, avez-vous la moindre idée de la personne qui a pu faire cela à Beryl, à votre frère ? Et pour quelle raison ?

— Vous pensez qu'il s'agit du même homme.

Il ne s'agissait pas d'une question, mais d'une affirmation.

— Je suis obligée de l'envisager.

— J'aimerais pouvoir vous aider, répondit-elle. Mais peut-être cela n'a-t-il plus aucune importance, après tout. Qui que ce soit, ce qui est fait est fait.

— Vous ne voulez pas qu'il soit puni ?

— Il y a eu assez de punition comme cela. Rien ne défera ce qui a été fait.

— Vous pensez que Beryl n'aurait pas voulu qu'il soit arrêté ?

Elle se tourna vers moi, les yeux agrandis.

— J'aurais tant aimé que vous fassiez sa connaissance.

— Je crois que c'est le cas. En un certain sens, je la connais, dis-je avec douceur.

— Je suis incapable d'expliquer...

— C'est inutile, mademoiselle Harper.

— La vie aurait pu être si bonne...

Et durant un instant j'entrevis l'immense chagrin qui se cachait derrière ce visage crispé. Elle reprit aussitôt son sang-froid. Elle n'avait pas besoin d'achever sa phrase. La vie aurait pu être si bonne maintenant qu'il n'y avait plus personne pour séparer Beryl et Miss Harper. Des compagnes, des amies. L'existence est si déserte quand on est seul, lorsqu'il n'y a personne à aimer.

— Je suis navrée, dis-je avec sincérité. Je suis tellement navrée, mademoiselle Harper.

— Nous ne sommes qu'à la mi-novembre, répondit-elle en détournant de nouveau le regard. C'est inhabituel d'avoir de la neige aussi tôt. Elle fondra rapidement, vous pourrez repartir en fin de matinée, docteur Scarpetta. Ceux qui vous ont oubliée se souviendront de vous à ce moment-là. C'était vraiment très aimable à vous de venir.

On aurait dit qu'elle savait que je serais là. J'éprouvais le sentiment bizarre qu'elle l'avait en quelque sorte prévu. Mais c'était idiot.

— Cependant je vous demanderai une faveur, ajouta-t-elle.

— Quoi donc, mademoiselle Harper ?

— Revenez me voir au printemps. Revenez au mois d'avril, précisa-t-elle à l'adresse des flammes.

— J'en serais ravie.

— Les myosotis seront en fleur, le terrain de boules se colore alors de bleu pâle... C'est tellement joli, c'est ma saison favorite. Beryl et moi avions l'habitude de les cueillir. Avez-vous déjà étudié un myosotis ou bien êtes-vous de ces gens qui considèrent qu'ils font partie du décor et qui les remarquent à peine parce qu'ils sont si minuscules ? Ils sont ravissants quand on les détaille vraiment ! Si beaux, comme de la porcelaine peinte de la main de Dieu. Beryl et moi, nous en ornions nos cheveux, nous en faisions de gros bouquets pour les vases de la maison. Promettez-moi de revenir en avril. Vous me le promettez, n'est-ce pas ?

Elle se retourna vers moi et l'émotion prisonnière de son regard me peina.

— Oui, oui, bien sûr, assurai-je avec conviction.

— Que préférez-vous pour le petit déjeuner ? demanda-t-elle en se levant.

— La même chose que vous me conviendra tout à fait.

— Vous savez, le réfrigérateur est plein, remarqua-t-elle bizarrement. Prenez votre verre de vin, je vais vous conduire à votre chambre.

Elle me précéda dans le magnifique escalier sculpté qui menait à l'étage, sa main frôlant à peine la rampe. Aucun lustre n'éclairait la cage et seules des appliques pointillaient notre ascension de halos lumineux. L'air, lourd d'une odeur de moisi, était aussi glacial que celui d'une cave.

— Si vous avez besoin de quoi que ce soit, je suis de l'autre côté du couloir, à trois portes de là, me dit-elle en me faisant pénétrer dans une petite chambre.

Les meubles étaient en acajou incrusté de marqueteries en bois satiné d'Inde. Des tableaux représentant des arrangements floraux et une vue de la rivière ornaient les murs tapissés de bleu tendre. Sur le lit à baldaquin ouvert s'empilaient des édredons et une porte ouverte donnait sur une salle de bains carrelée. La pièce sentait la poussière et le renfermé, comme si on n'ouvrait jamais les fenêtres, comme si elle n'avait plus été peuplée que de souvenirs depuis bien longtemps. J'étais convaincue que personne n'avait dormi là depuis de nombreuses années.

— Vous trouverez une chemise de nuit en flanelle dans le tiroir supérieur de la commode, ainsi que des serviettes-éponges et tout le nécessaire de toilette dans la salle de bains. Bien, je vous laisse, si vous n'avez plus besoin de rien ?

— Tout va bien, je vous remercie, dis-je avec un sourire. Bonne nuit !

Je refermai la porte et manœuvrai la piètre serrure. La commode ne contenait rien d'autre que la chemise de nuit, et le sachet parfumé glissé en dessous avait perdu depuis longtemps ses effluves. Tous les autres tiroirs étaient vides. Comme me l'avait promis Miss Harper, je trouvai dans la salle de bains une brosse à dents dans son étui de cellophane, un minuscule tube de dentifrice, un savon à la lavande neuf et un grand nombre de serviettes de toilette. Le lavabo était plus sec que du calcaire, et lorsque je tournai les robinets dorés, il s'en écoula une eau couleur de rouille qui mit un temps infini à se clarifier et à se réchauffer suffisamment pour que je trouve le courage de me laver le visage.

Je me fis la réflexion que la chemise de nuit, vieille mais propre, était d'un bleu pâle de myosotis. Je me couchai, remontant jusqu'au menton les édredons imprégnés de l'odeur d'humidité avant d'éteindre. Tapotant l'oreiller moelleux pour le rendre plus accueillant, je sentis le picotement des plumes du rembourrage. Le sommeil m'avait fuie. Le nez gelé, je finis par m'asseoir dans l'obscurité de cette pièce dont j'étais certaine qu'elle avait été la chambre de Beryl et terminai mon verre de vin. Il régnait un tel silence dans la maison que je me figurais percevoir la douceur ouatée de la neige tombant de l'autre côté de la fenêtre, étouffant de son silence tout autre son.

Sans doute avais-je fini par m'assoupir. Lorsque j'ouvris brusquement les paupières, mon cœur battait à se rompre et j'étais tétanisée au fond du lit. Impossible de me rappeler mon cauchemar. Tout d'abord, j'éprouvai un mal fou à me souvenir de l'endroit où je me trouvais. Le bruit qui venait de me réveiller était-il bien réel ? Le robinet de la salle de bains fuyait et les gouttes d'eau heurtaient avec lenteur l'émail du lavabo. Le parquet grinça de nouveau doucement, au-delà de la porte de ma chambre fermée.

Une liste d'explications défila à toute vitesse dans mon esprit. Le parquet avait grincé en raison de la baisse de température. Ou bien des souris. Ou alors quelqu'un se déplaçait lentement dans le couloir. Je tendis l'oreille, retenant mon souffle, tandis que l'écho de pas étouffés par des pantoufles murmurait de l'autre côté de ma porte. Miss Harper. Il devait s'agir de Miss Harper, qui semblait descendre au rez-de-chaussée. Je m'agitai et me retournai en tous sens pendant une éternité, puis finis par allumer la lumière et me lever. Il était 3 h 30. Il était exclu que je parvienne à me rendormir. Frissonnant dans ma chemise de nuit d'emprunt, j'enfilai mon manteau, déverrouillai la porte et suivis le couloir plongé dans une dense obscurité jusqu'à distinguer enfin l'ombre de la rampe arrondie de l'escalier.

La lueur de la lune filtrait par deux petites fenêtres situées de part et d'autre de la porte d'entrée, éclairant avec parcimonie le hall d'entrée glacial. La neige avait cessé et les étoiles brillaient. Les branches des arbres et les buissons s'étaient figés dans des formes indistinctes, sous la couche de givre blanche qui les recouvrait. Je me faufilai sans bruit jusqu'à la bibliothèque, attirée par la promesse de la chaleur du feu crépitant.

Miss Harper était assise dans le canapé, enveloppée d'un châle afghan. Elle fixait les flammes, les joues humides de larmes qu'elle ne songeait pas à essuyer. Je m'éclaircis la gorge et soufflai son nom, de peur de la faire sursauter.

Elle demeura immobile.

— Mademoiselle Harper ? répétai-je d'une voix plus forte. Je vous ai entendue descendre...

Elle s'était laissée aller contre le dossier incurvé du canapé et ses yeux ternes fixaient le feu sans ciller. Lorsque je me précipitai pour m'asseoir à son côté, pressant deux doigts sur son cou, sa tête s'inclina mollement sur le côté. Elle était encore chaude, mais son pouls était inerte. Je l'allongeai sur le tapis et, passant alternativement de ses lèvres à son sternum, tentai désespérément de forcer la vie dans ses poumons, d'obliger son cœur à repartir. Je ne sais pas combien de temps cela dura, mais lorsque je finis par renoncer, mes lèvres étaient engourdies. Des contractions électrisaient les muscles de mon dos et de mes bras, et je tremblais de tous mes membres.

La ligne du téléphone était toujours coupée, j'étais dans l'incapacité de joindre qui que ce soit. Je ne pouvais rien faire. Debout devant la fenêtre de la bibliothèque, j'écartai les rideaux et contemplai à travers mes larmes l'étendue d'une invraisemblable blancheur, illuminée par la lune. Un peu plus loin, la rivière s'écoulait, noir d'encre, et je ne distinguais rien au-delà.

J'ignore comment j'y parvins, mais je réussis à installer de nouveau son corps sur le canapé. Je recouvris doucement Miss Harper de son châle, tandis que le feu baissait progressivement et que la très jeune fille du portrait disparaissait peu à peu dans la pénombre. La mort de Sterling Harper m'avait prise au dépourvu et me laissait assommée. Je m'assis sur le tapis devant le canapé et regardai mourir le feu. J'étais incapable de le maintenir en vie, lui aussi. Au demeurant, je ne l'avais pas même tenté.

J'avais été incapable de pleurer lorsque mon père était mort. Il était malade depuis tant d'années que j'étais devenue experte dans l'art de réprimer mes émotions. Mon père était resté alité presque toute mon enfance. Un soir, il avait fini par s'éteindre à la maison, et le chagrin dévastateur de ma mère m'avait poussée vers un détachement plus grand encore. C'était de là, de ce refuge en apparence plus protégé, que j'avais cultivé à la perfection l'art de contempler le naufrage familial.

Armée d'une réserve censément imperturbable, j'avais regardé progresser le chaos entre ma mère et ma jeune sœur, Dorothy. Depuis le jour de sa naissance, ma cadette n'avait cessé de faire un éblouissant étalage de son narcissisme et de son irresponsabilité.

Je finis par m'abstraire en silence des disputes et des affrontements, des hurlements qui les opposaient, tandis qu'intérieurement je luttais pour ma survie. Désertant les guérillas qui faisaient rage sous notre toit, je m'accrochais de plus en plus à ces heures d'études qui suivaient les cours et que surveillaient des religieuses, ou bien je m'installais à la bibliothèque, où je commençai à découvrir ma précocité et les avantages que celle-ci pouvait m'apporter. J'excellais en sciences et la biologie humaine m'intriguait. À quinze ans, je m'absorbais dans l'*Anatomie* de Gray, qui devint l'incontestable pilier de mon éducation d'autodidacte, le symbole de ma révélation personnelle. Je décidai de quitter Miami pour l'université. À une époque où les femmes étaient professeurs, secrétaires, mères de famille, j'allais devenir médecin.

Au lycée, je n'eus que les meilleures notes. Durant toutes les vacances, je jouais au tennis et dévorais tous les livres qui me tombaient sous la main, tandis que ma famille continuait de lutter, à l'instar de vétérans confédérés qui auraient oublié que la guerre avait été depuis longtemps gagnée par le Nord. Je m'intéressais peu aux garçons, quant aux amis, ils étaient rares. Diplômée parmi les premiers de ma classe, je partis pour Cornell grâce à une bourse. Johns Hopkins m'accueillit ensuite pour mes études de médecine, puis la faculté de droit à Georgetown, pour revenir à Johns Hopkins afin d'y achever mon internat et ma spécialisation en anatomopathologie. Je n'avais qu'une vague conscience de ce que je tissais pour moi-même. La carrière dans laquelle je m'étais engagée devait me ramener jusqu'à la fin de mes jours sur la scène d'un terrible crime : la mort de mon père. J'allais réduire la mort en pièces pour la reconstituer des milliers de fois. J'allais maîtriser ses règles, j'allais la traîner à la barre. J'allais percer ses secrets, ses tenants, ses aboutissants. Pourtant rien de tout cela ne ramènerait jamais mon père à la vie, et l'enfant qui demeurait en moi ne cesserait jamais de pleurer.

Les braises dégringolaient dans l'âtre, et je somnolais, m'éveillant parfois en sursaut pour replonger aussitôt dans un demi-sommeil.

Quelques heures plus tard, le bleu glacé de l'aube commença de dessiner les contours de ma prison. Je me levai avec raideur, le dos et les jambes douloureux, et m'approchai de la fenêtre. Le soleil ressemblait à un œuf pâle au-dessus de la rivière couleur d'ardoise et les troncs d'arbres se détachaient en noir sur la blancheur de la neige. Les braises s'étaient éteintes dans la cheminée et deux questions se télescopaient dans mon esprit : Miss Harper serait-elle morte si je n'avais pas été là ? Avait-il été plus rassurant, plus aisé aussi pour elle de disparaître alors que je me trouvais chez elle ? Pourquoi s'était-elle rendue dans la bibliothèque ? Je l'imaginai descendre l'escalier, tisonner le feu, s'installer sur le canapé. Et tandis qu'elle fixait les flammes, son cœur avait cessé de battre. À moins que son dernier regard n'ait été pour le portrait ?

J'allumai toutes les lampes de la pièce, puis rapprochai une chaise de l'âtre. Je m'y hissai et dégageai le lourd tableau de ses crochets. Vu de près, le portrait n'était plus aussi troublant, et l'effet d'ensemble s'estompait dans les nuances de couleurs subtiles et les délicats coups de pinceau dans l'épaisseur de l'huile. Un mince nuage de poussière s'éleva de la toile lorsque je descendis pour la déposer au sol. Elle n'était ni datée ni signée, et sans doute pas aussi ancienne que je l'avais d'abord imaginé. Les couleurs avaient été volontairement atténuées afin de patiner le portrait et la peinture ne présentait aucune craquelure perceptible.

Je la retournai, et examinai l'encadrement et le dos

tendu de papier brun. Il portait en son centre un sceau doré, gravé du nom d'une boutique d'encadrement de Williamsburg. J'en pris note, puis remontai sur la chaise et raccrochai le tableau. Ensuite je m'accroupis devant la cheminée et remuai délicatement les cendres avec un crayon repêché dans mon sac. Une étrange couche de cendre blanchâtre et vaporeuse, qui ondoyait comme une toile d'araignée au moindre mouvement, recouvrait les restes de bois calcinés. En dessous, je trouvai un morceau d'un matériau qui ressemblait à du plastique fondu.

— Doc, c'est pas pour vous embêter, mais vous avez une drôle de sale tête ! déclara Marino tandis qu'il sortait en marche arrière de la place de parking.

— Merci bien, marmonnai-je.

— Non, j'vous jure, c'est pas pour être désagréable. Faut dire que vous avez pas dû dormir beaucoup.

Lorsque je ne m'étais pas montrée le lendemain matin pour procéder à l'autopsie de Cary Harper, Marino avait contacté sans tarder la police de Williamsburg. En milieu de matinée, deux agents à l'air penaud avaient fait leur apparition au manoir, dans un véhicule aux pneus chaînés qui s'était frayé un chemin dans la couche de neige lisse et épaisse. Après l'interminable suite de questions déprimantes concernant la mort de Sterling Harper, le corps de celle-ci avait été hissé dans une ambulance en direction de Richmond, et les agents m'avaient déposée au poste du centre de Williamsburg, où l'on m'avait gavée de café et de *doughnuts* jusqu'à l'arrivée de Marino.

— Moi, pour rien au monde je serais resté toute la nuit dans cette baraque, continua Marino. L'aurait pu faire moins trente degrés, j'aurais préféré me geler les miches dehors plutôt que passer la nuit avec un macchabée...

Je l'interrompis :

— Vous connaissez Princess Street ?

— Ouais, pourquoi ? demanda-t-il en tournant vers moi le regard de ses lunettes à verres réfléchissants.

La réverbération du soleil sur la neige était intense et les rues se transformaient en gadoue.

— C'est le 507 Princess Street qui m'intéresse, rétorquai-je d'un ton qui indiquait sans ambages que je comptais qu'il m'y conduise.

L'adresse correspondait à une boutique située à la limite du quartier historique, coincée entre d'autres commerces dans Merchant's Square. Une douzaine de voitures aux toits chargés de neige occupaient le parking récemment aménagé, et je constatai avec soulagement que The Village Frame Shoppe & Gallery était ouvert.

Je sortis de voiture et Marino se garda de me poser des questions. Sans doute percevait-il que je n'étais pas d'humeur à répondre pour l'instant. Il n'y avait qu'un autre client à l'intérieur du magasin, un jeune homme en pardessus noir qui passait distraitement en revue des gravures alignées sur un présentoir, tandis que derrière le comptoir une femme aux longs cheveux blonds se concentrait sur une calculette.

Elle leva les yeux sur moi avec amabilité.

— Puis-je vous aider ?

— Tout dépend depuis quand vous travaillez ici, répondis-je.

Le regard froid et incertain dont elle me gratifia alors me fit comprendre que je devais avoir une mine épouvantable. J'avais dormi enroulée dans mon manteau et mes cheveux prenaient des allures de désastre miniature. Je rectifiai avec gêne une de mes mèches rebelles, pour me rendre compte que je m'étais également débrouillée pour perdre une boucle d'oreille. Je me présentai, enfonçant le clou en lui montrant l'étui de cuir noir qui abritait mon écusson en cuivre de médecin légiste expert.

— Je travaille ici depuis deux ans, répondit-elle.

— Je m'intéresse à un tableau que votre boutique a dû encadrer, sans doute bien avant votre arrivée. Un portrait que vous avait confié Cary Harper.

— Oh, mon Dieu, j'ai entendu, ce matin à la radio ce qui lui était arrivé. Mon Dieu, c'est affreux ! bredouilla-t-elle. Il vaut mieux que vous en discutiez avec Mr Hilgeman.

Elle disparut dans l'arrière-boutique à sa recherche.

Mr Hilgeman était un monsieur distingué, à l'élégance très *gentleman-farmer,* qui déclara d'un ton très assuré et sans appel :

— Cary Harper n'a pas mis les pieds dans ce magasin depuis des années et personne ici ne le connaissait si bien que cela, du moins à ma connaissance.

— Monsieur Hilgeman, le portrait d'une très jeune fille blonde est accroché dans la bibliothèque de Cary Harper, au-dessus de la cheminée. Selon moi, il a été encadré par vos soins, probablement il y a des années de cela. Vous en souvenez-vous ?

Aucun signe de reconnaissance ne brilla dans les yeux gris qui m'examinaient par-dessus des lunettes en demi-lune.

— Il paraît très ancien, mais, selon moi, il s'agit d'une œuvre relativement récente, expliquai-je. Il s'agit d'une bonne imitation, cependant le traitement du sujet est assez inhabituel. La jeune fille, ou plutôt la fillette, doit avoir neuf, dix ans, douze au maximum, mais elle est vêtue comme une jeune femme, en blanc. Elle est assise sur un petit banc et tient une brosse à cheveux en argent.

Quelle idiote d'avoir omis de prendre un Polaroïd du tableau ! Mon appareil était rangé dans ma trousse, mais ce qui s'était passé à Cutler Grove m'avait tant bouleversée que l'idée ne m'avait même pas effleurée.

Le regard de Mr Hilgeman s'éclaira.

— Ah, oui, je crois que je vois à quoi vous faites allusion. Une très jolie petite fille, mais oui, un portrait insolite. Oui... assez suggestif, si ma mémoire est bonne.

Je le laissai continuer.

— Cela doit remonter à une quinzaine d'années... Attendez..., ajouta-t-il en portant un index à ses lèvres. Non, ce n'est pas moi, précisa-t-il en secouant la tête.

— Ce n'est pas vous ? Que voulez-vous dire ?

— Je ne l'ai pas encadré. C'est probablement Clara, une assistante qui travaillait ici à l'époque. Il me semble – d'ailleurs non, j'en suis certain – qu'il s'agissait de Clara. Un travail plutôt onéreux et pas vraiment justifié, si vous voulez mon avis. Le tableau était de facture assez médiocre. D'ailleurs, ajouta-t-il avec un froncement de sourcils, je trouve qu'elle l'avait moins bien réussi que d'autres...

— Elle ? l'interrompis-je. Vous parlez de Clara ?

— Non, de Sterling Harper. C'est elle l'artiste, expliqua-t-il avec un regard étonné. (Il s'interrompit quelques instants avant de préciser :) Cela doit remonter à pas mal d'années, à l'époque où elle peignait beaucoup. J'ai cru comprendre qu'ils avaient installé un atelier là-bas, bien que je n'y sois jamais allé. Mais elle avait l'habitude de nous confier nombre de ses œuvres, essentiellement des natures mortes, des paysages. Le seul portrait dont je me souvienne est celui qui vous intéresse.

— À quelle époque l'a-t-elle peint ?

— Il y a au moins quinze ans, comme je vous l'ai dit.

— Quelqu'un a-t-il posé pour le portrait ?

— Je suppose qu'elle aurait pu travailler d'après photo... En fait, ajouta-t-il après réflexion, je ne peux vraiment pas répondre à votre question. Mais s'il y a eu un modèle, je ne sais pas du tout de qui il pouvait s'agir.

Je dissimulai ma surprise. À l'époque, Beryl devait avoir seize ou dix-sept ans, et elle vivait à Cutler Grove. Était-il possible que Mr Hilgeman, que les gens en ville l'aient ignoré ?

— Quelle tristesse, dit-il d'un ton songeur. Des gens si talentueux, si intelligents, qui n'avaient ni famille ni enfants.

— Des amis, peut-être ?

— Oh, je ne les connaissais pas assez, ni l'un ni l'autre, pour pouvoir vous répondre.

Et il est trop tard, maintenant, songeai-je, lugubre.

Marino bichonnait son pare-brise avec une peau de chamois lorsque je rejoignis le parking. La neige fondue et le sel répandu par les équipes de déneigement avaient éclaboussé et terni sa belle voiture noire, ce qui semblait vivement le contrarier. Il avait vidé son cendrier sans cérémonie et un tas de mégots dégoûtant gisait sur le sol, juste sous la portière côté conducteur.

Nous bouclâmes nos ceintures et je déclarai d'un ton grave :

— Deux choses. Le portrait d'une petite fille blonde, que Miss Harper a fait encadrer dans ce magasin il y a une quinzaine d'années, se trouve dans la bibliothèque du manoir.

— Beryl Madison ? interrogea-t-il en sortant son briquet.

— Ce n'est pas exclu, mais si c'est le cas, elle est représentée sous les traits d'une fillette beaucoup plus jeune que Beryl ne l'était lorsque les Harper l'ont rencontrée. Et le traitement du sujet est un peu particulier, dans le genre Lolita...

— Hein ?

— Sexy, traduisis-je sans prendre de gants. Une petite fille peinte de façon à donner une impression de sensualité.

— D'accord. Donc vous êtes en train de me dire que Cary Harper était un pédophile planqué.

— Je vous rappelle que c'est sa sœur qui a peint le portrait.

— Merde ! geignit-il.

— Deuxième chose, continuai-je, j'ai eu le net sentiment que le propriétaire du magasin d'encadrement ignorait que Beryl vivait avec les Harper. Je me demande si d'autres gens étaient au courant, et dans le cas contraire c'est assez incompréhensible ! Elle a vécu là-bas *pendant des années*, Marino. C'est à peine à quelques kilomètres de la ville, et c'est une *petite* ville.

Il conduisait sans un mot, regardant la route droit devant lui.

— Enfin, tout cela peut se révéler n'être que de l'ordre de la spéculation, tranchai-je. Ils vivaient en reclus. Cary Harper peut avoir dissimulé la présence de Beryl aux yeux du monde. Quoi qu'il en soit, la situation ne me semble vraiment pas très saine. Cela étant, peut-être est-ce sans aucun rapport avec leur mort.

— Bordel, cracha-t-il sèchement, ça, c'est sûr que « sain », c'est pas le mot qui convient. Reclus ou pas, à moins qu'ils l'aient séquestrée ou enchaînée au pied du lit, c'est pas logique que personne ait su qu'elle vivait là-bas. Enfoirés de pervers. Je hais les pervers. Je hais les gens qui s'en prennent aux gamins. Vous savez, dit-il en me jetant un coup d'œil, je les déteste vraiment. Du coup, ça me recolle cette idée dans la tête.

— Quelle idée ?

— Que M. le Grand Prix Pulitzer s'est débarrassé de Beryl. Elle est sur le point de tout balancer dans son bouquin, il pète les plombs et va la voir avec un couteau.

— Dans ce cas-là, qui l'a tué, lui ?

— Sa siphonnée de sœur, c'est pas impossible.

L'assassin de Cary Harper était assez puissant physiquement pour infliger des coups qui avaient réduit sa victime à l'inconscience. De surcroît, l'égorgement ne correspondait pas à un agresseur de sexe féminin. Je n'avais jamais rencontré une seule affaire dans laquelle une femme ait accompli un acte similaire.

Un long silence régna, que Marino brisa enfin :

— Vous avez eu l'impression que la vieille Miss Harper était sénile ?

— Excentrique me semble convenir davantage, mais pas sénile, non.

— Cinglée ?

— Non.

— D'après ce que vous m'avez raconté, j'ai pas l'impression que sa réaction à l'assassinat de son frère était tout à fait appropriée, rétorqua-t-il.

— Marino, elle était en état de choc. Les gens en état de choc réagissent le plus souvent de façon très paradoxale.

— Vous croyez qu'elle s'est suicidée ?

— C'est très possible.

— Vous avez trouvé des médicaments, là-bas ?

— Des choses très banales qu'on peut se procurer sans ordonnance, rien de létal.

— Vous avez constaté des blessures ?

— Je n'ai rien vu.

— En conclusion, vous savez pas de quoi elle a claqué, c'est ça ? demanda-t-il en me regardant, le visage dur.
— Non. Je n'en ai toujours pas la moindre idée.

Marino se gara sur le parking situé derrière les bureaux de l'OCME.
— Je suppose que vous retournez à Cutler Grove ?
— Oui, et je peux pas vous dire comme ça me réjouit, grommela-t-il. Rentrez chez vous et dormez un bon coup.
— N'oubliez pas la machine à écrire de Cary Harper.
Marino pêcha un briquet dans sa poche, pendant que j'énumérais :
— La marque, le modèle et tous les rubans usagés.
Il alluma une cigarette.
— Sans oublier le papier à lettres ou à machine que vous trouverez dans la maison. Je vous suggère de récolter vous-même les cendres de la cheminée. Elles vont être très délicates à préserver...
— Doc, c'est pas pour vous embêter, mais vous commencez à me rappeler ma mère.
— Marino, je suis sérieuse ! rétorquai-je d'un ton sec.
— Ouais, ça, c'est sûr, vous êtes sérieuse – et vous avez sérieusement besoin d'une bonne nuit de sommeil.
L'insatisfaction de Marino n'avait rien à envier à la mienne, son urgent besoin de repos non plus.
La baie de déchargement était déserte et fermée à clé. Des taches huileuses maculaient son sol de ciment.
Une fois à l'intérieur de la morgue, le bourdonnement monotone des équipements électriques et des générateurs m'environna. Je le remarquais à peine durant les heures d'activité. Lorsque je pénétrai dans la chambre froide, le courant d'air putride me parut exceptionnellement agressif.

Leurs corps étaient allongés sur des chariots poussés l'un contre l'autre le long du mur de gauche. Peut-être était-ce la fatigue, mais lorsque je tirai le drap qui recouvrait Sterling Harper, mes genoux se dérobèrent sous moi et je laissai choir ma sacoche à mes pieds. L'intense beauté de son visage me revint, son regard terrifié lorsque la porte de la demeure s'était ouverte et qu'elle m'avait regardée alors que j'examinais son frère, les gants vernis du rouge de son sang. Le frère et la sœur étaient là, enregistrés comme le voulait la procédure. C'était tout ce que je souhaitais vérifier. Je la recouvris doucement, voilant un visage maintenant aussi vide qu'un masque. Tout autour de moi, des pieds nus auxquels pendaient des étiquettes dépassaient des draps.

J'avais vaguement remarqué la boîte jaune de pellicule photo tombée sous le chariot de Sterling Harper lorsque j'étais entrée dans la chambre froide, mais ce n'est qu'en me baissant pour ramasser ma sacoche que je l'examinai vraiment et compris sa signification. Du Kodak 35 mm, vingt-quatre poses. Le fournisseur officiel de pellicule pour mon bureau était Fuji, et nous commandions toujours des boîtes de trente-six poses. Les ambulanciers qui avaient amené le corps de Miss Harper avaient dû entrer et repartir bien des heures auparavant et ils n'avaient aucune raison de prendre des clichés.

Je ressortis dans le couloir. Le tableau lumineux au-dessus de l'ascenseur attira mon attention. La cabine était arrêtée au deuxième étage. Je n'étais pas seule dans l'immeuble ! Sans doute s'agissait-il du vigile en train d'effectuer sa ronde. Mais soudain cette boîte vide de pellicule photo me revint à l'esprit et un frisson m'électrisa. J'agrippai avec fermeté la poignée de ma sacoche et me ruai vers l'escalier. Parvenue sur le palier du deuxième, j'ouvris la porte avec prudence et tendis l'oreille avant d'avancer dans le couloir. Les bureaux de l'aile est étaient vides, les lumières éteintes. Je bifurquai à droite dans le couloir principal, dépassai la salle de classe déserte, la bibliothèque et le bureau de Fielding, sans rien voir ni entendre. Afin de me rassurer totalement, je décidai d'appeler la sécurité en pénétrant dans mon bureau.

Le souffle me manqua lorsque je le découvris. Durant l'espace d'un épouvantable instant, il me sembla que mon esprit refusait de fonctionner. Sans un bruit, il fouillait avec méthode dans un de mes classeurs de rangement. Le col de son blouson de marine était remonté jusqu'aux oreilles et il portait des gants de latex. Des lunettes sombres d'aviateur dissimulaient son regard. Une bandoulière de cuir, soutenant un appareil photo, était suspendue à son épaule puissante. Une solidité de bloc de marbre se dégageait de lui, et je n'eus pas le temps de battre en retraite. Les mains gantées suspendirent soudain leur geste.

Lorsqu'il bondit sur moi, je n'eus qu'un réflexe. Je balançai ma sacoche vers l'arrière pour la propulser avec violence entre ses cuisses. L'impact fut si brutal que ses lunettes de soleil en tombèrent. Il bascula vers l'avant, plié de douleur, déséquilibré. Un coup de pied aux chevilles acheva de le déstabiliser et il s'effondra, ses côtes s'écrasant sur l'objectif de son appareil, redoutable coussin.

Mes instruments médicaux valdinguèrent de tout côté comme je fouillais frénétiquement ma trousse à la recherche de la petite bombe de gaz lacrymogène que je transportais toujours. Le jet puissant, reçu en pleine figure, lui arracha un rugissement. Il se roula par terre en hurlant, frottant ses yeux comme un possédé. Je me précipitai sur le téléphone pour appeler à l'aide. Je l'aspergeai d'une nouvelle giclée de gaz pour faire bonne mesure avant l'arrivée du gardien. Ensuite, la police débarqua. Mon otage hystérique supplia qu'on l'emmène à l'hôpital, mais un agent peu compatissant lui tordit les bras dans le dos pour lui passer les menottes et l'embarqua.

Si l'on en croyait son permis de conduire, l'intrus se nommait Jeb Price. Il était âgé de trente-quatre ans et habitait Washington. Un automatique 9 mm Smith & Wesson avec quatorze balles dans le chargeur et une engagée dans la culasse était fourré à l'arrière de son pantalon de velours côtelé.

Je ne me souviens pas d'être allée chercher les clés de l'autre voiture de fonction accrochées au tableau de la loge du gardien de la morgue. Cela dut pourtant être le cas, puisque la nuit commençait de tomber lorsque je garai le break bleu marine dans mon allée. Destiné au transport des corps, le véhicule était démesuré. Le pare-brise du hayon arrière était voilé d'un store discret. Le plancher amovible en contre-plaqué du long coffre devait être lavé au jet plusieurs fois par semaine. Le véhicule ressemblait à un hybride malheureux entre une voiture familiale et un corbillard, et, en tout cas, virait au cauchemar sur roues dès qu'il s'agissait de réussir un créneau.

Je grimpai l'escalier jusqu'à ma chambre tel un zombie, sans prendre la peine d'écouter mes messages ou d'éteindre le répondeur. Mon coude et mon épaule droite étaient douloureux, et toutes les articulations de ma main m'élançaient. Je me déshabillai, jetant mes vêtements sur une chaise, me glissai dans un bain chaud, avant de tituber jusqu'à mon lit. Je sombrai dans un sommeil profond, tellement profond qu'il ressemblait à un coma. J'essayais de remonter de l'épaisse obscurité dans laquelle je me noyais, traînant mon corps qui me semblait lesté de plomb, lorsque la sonnerie du téléphone près de mon lit fut coupée net par le déclenchement du répondeur.

— ... ne sais pas quand je pourrai te rappeler, alors écoute-moi. Écoute-moi bien, Kay. J'ai appris la nouvelle pour Cary Harper...

J'ouvris les yeux, mon cœur battant à se rompre. La voix insistante de Mark me tira tout à fait de ma torpeur.

— ... je t'en prie, Kay, ne t'occupe pas de ça. Ne t'en mêle pas, *je t'en supplie.* Je te recontacte dès que possible...

Je parvins ensuite à mettre la main sur le combiné, mais seule la tonalité me répondit. Je réécoutai le message, m'affalai sur mes oreillers et fondis en larmes.

9

Marino débarqua à la morgue le lendemain matin, à l'instant où je pratiquais une incision en Y sur le torse de Cary Harper.

Je soulevai la cage thoracique avant d'extraire la masse des organes tandis qu'il observait sans un mot. La pièce résonnait du bruit de l'eau tambourinant dans les éviers et du cliquetis métallique des instruments chirurgicaux. À l'autre extrémité de la salle, un des assistants affûtait un couteau, arrachant des geignements à la longue lame lorsqu'elle embrassait la pierre à aiguiser. Quatre autopsies nous attendaient ce matin-là et toutes les tables en acier inoxydable étaient occupées.

Marino ne paraissant pas disposé à lâcher quoi que ce fût, j'abordai le sujet :

— Qu'avez-vous découvert au sujet de Jeb Price ?

— Ben, y a rien qu'est sorti de notre recherche de casier judiciaire, commença-t-il avec une nervosité palpable, son regard semblant incapable de se poser. Pas de condamnations antérieures, aucun mandat contre lui, rien. Et, en plus, il est pas disposé à nous chanter son grand air, j'ai l'impression. Remarquez, s'il se décidait... Y doit avoir chopé une jolie voix de soprano, après le coup que vous lui avez balancé. Avant de descendre, je me suis arrêté au labo de l'identification judiciaire. Ils sont en train de développer la pellicule qui se trouvait dans son appareil. Dès qu'il y aura un jeu d'épreuves de prêt, je vous l'apporterai.

— Vous y avez jeté un œil ?

— Ouais, enfin aux négatifs.

— Et alors ?

— C'est des clichés des deux Harper, frère et sœur, dans le frigo.

J'en aurais mis ma main au feu.

— Aurions-nous affaire à un journaliste de feuilles à scandales ? plaisantai-je.

— Vous pouvez toujours rêver.

Je relevai les yeux de ma tâche. Marino n'était pas d'humeur joviale. Encore plus débraillé que d'habitude, il s'était coupé à deux reprises en se rasant et ses yeux étaient injectés de sang. Il continua :

— Parce que, voyez, les journalistes que je connais, ils se trimbalent pas avec des 9 mm chargés de cartouches Glaser. Et quand on les secoue un peu, ils ont plutôt tendance à geindre et à réclamer leur coup de fil pour appeler l'avocat du papier. Ce type-là, c'est un vrai pro, il décoince pas un mot. Il a dû forcer une serrure pour rentrer. Il s'introduit un lundi après-midi, jour férié, où y aura sûrement personne dans les parages pour le déranger. On a trouvé sa caisse à trois rues d'ici, sur le parking de Farm Fresh, une voiture de location équipée d'un téléphone mobile. Y avait assez de munitions et de chargeurs dans le coffre pour arrêter une petite armée, sans oublier un pistolet mitrailleur Mac Ten et un gilet pare-balles en kevlar. Si ça, c'est un reporter en manque de scoop...

— Je ne suis pas si certaine qu'il s'agisse d'un *pro*, soulignai-je en glissant une nouvelle lame dans mon scalpel. Abandonner une boîte de pellicule dans la chambre froide, c'est du travail bâclé. Et s'il avait voulu mettre toutes les chances de son côté, il se serait introduit dans le bâtiment à 2 ou 3 heures du matin, pas en plein jour.

— Vous avez raison, la boîte de pellicule, fallait être un gros nul. Mais je comprends pourquoi il a choisi ce moment. Imaginez qu'une ambulance ou une entreprise de pompes funèbres amène un corps pendant que Price farfouille dans votre grand frigo ? En plein jour, s'il est assez malin, il peut se débrouiller pour faire croire qu'il bosse là, genre : c'est logique qu'il se trouve sur les lieux. Mais s'il se fait surprendre à 2 heures du mat', c'est une autre paire de manches... Jamais de la vie il dégotera d'explication convaincante à sa présence.

Quoi qu'il en soit, Jeb Price ne plaisantait pas. Les Glaser Safety Slugs sont parmi les munitions les plus efficaces du marché : l'étui est rempli de petits plombs qui se dispersent au moment de l'impact et déchiquettent la chair et les organes comme une grêle d'acier. Le Mac Ten est le « joujou » favori des terroristes et des barons de la drogue, un pistolet mitrailleur qu'on ramasse à la pelle pour trois francs-six sous en Amérique centrale, au Moyen-Orient et dans ma ville natale de Miami.

Marino ajouta :

— Vous pourriez peut-être envisager d'installer une serrure à la chambre froide.

— J'ai déjà prévenu les services généraux.

C'était une précaution que je repoussais depuis des années, car les entreprises de pompes funèbres et les ambulanciers devaient avoir accès à la chambre froide à toute heure du jour ou de la nuit. Dorénavant, il faudrait confier des clés aux vigiles, ainsi qu'aux médecins légistes de garde. Il y aurait des récriminations, des problèmes. Bon sang, j'en avais par-dessus la tête, des problèmes !

Marino détaillait le corps de Cary Harper. Inutile d'être un génie ou de pratiquer une autopsie pour déterminer la cause de la mort.

— Multiples fractures crâniennes et lésions cérébrales, expliquai-je.

— C'est comme pour Beryl ? On lui a tranché la gorge en dernier ?

— Les veines jugulaires et les artères carotides sont sectionnées, pourtant les organes ne sont pas particulièrement décolorés, répondis-je. S'il avait encore eu une pression sanguine, il aurait fait une hémorragie fatale en quelques minutes. En d'autres termes, l'ex-sanguination est insuffisante pour expliquer son décès. Il était mort ou agonisant de ses blessures à la tête lorsqu'il a eu la gorge tranchée.

— Des blessures défensives ?

— Aucune.

Je posai le scalpel et dépliai avec effort les doigts récalcitrants d'Harper.

— Regardez... Pas d'ongles cassés, pas de coupures ou de contusions. *A priori,* aucune tentative pour parer les coups.

— M'est avis qu'il a jamais vu ce qui lui tombait dessus, commenta Marino. Il rentre à la nuit tombée. Le mec le guette, probablement planqué dans les buissons. Harper se gare, descend de sa Rolls. Il est en train de fermer sa portière lorsque le type arrive derrière lui et le frappe à la tête...

— L'artère carotide primitive gauche est sténosée à vingt pour cent, remarquai-je à voix haute tout en cherchant mon crayon.

— Harper s'écroule et le taré continue à frapper, continua Marino.

— Contre environ trente pour cent pour la coronaire droite, dis-je en gribouillant mes notes sur un emballage vide de gants chirurgicaux. Pas de cicatrices d'infarctus antérieurs. Le cœur est sain mais légèrement hypertrophié. Présence d'un début de calcification de l'aorte, ainsi qu'une modeste athérosclérose.

— Puis il lui tranche la gorge, probablement pour s'assurer qu'il est bien mort.

Je levai les yeux.

— M'est avis que le mec voulait être sûr qu'Harper était mort, répéta-t-il.

— Personnellement, je ne gratifierais pas l'agresseur d'une réflexion aussi rationnelle, répliquai-je. Regardez ça, Marino, dis-je en lui montrant les lignes de fracture qui zébraient le crâne fracassé, si apparentes maintenant que j'avais incisé et repoussé la peau recouvrant la calotte crânienne. Harper a été frappé à sept reprises au moins, avec une telle force qu'il n'aurait survécu à aucun de ces coups. Puis son agresseur lui tranche la gorge de part en part. Nous sommes face à un cas typique de surmeurtre, de volonté d'extermination, de massacre, comme pour Beryl.

— D'accord, c'est du surmeurtre, je conteste pas ça. Tout ce que je dis, c'est que le tueur voulait être sûr que Beryl et Harper étaient bien claqués. Quand vous décapitez presque votre victime, vous pouvez vous tirer tranquille : elle survivra pas pour raconter ce qui lui est arrivé.

Marino eut une grimace lorsque j'entrepris de vider le contenu stomacal dans un récipient en carton.

— Vous cassez pas, Doc. Je peux vous dire ce qu'il a

mangé, j'étais juste à côté. Des cacahuètes et deux Martini.

À l'heure de sa mort, les cacahuètes qu'il avait ingérées commençaient d'être attaquées par les sucs gastriques. Il ne demeurait plus grand-chose d'autre qu'un fluide brunâtre, dont les relents alcoolisés me parvinrent.

— Que vous a-t-il appris ? demandai-je.

— Que dalle.

Je lui jetai un coup d'œil tout en étiquetant le récipient.

— Voilà, je suis en train de boire un Schweppes citron au bar, il était genre 16 h 45, et à 17 heures pétantes Harper se pointe.

— Comment l'avez-vous reconnu ?

Les reins avaient un aspect légèrement granuleux. Je les déposai dans la balance et relevai leur poids.

— Impossible de le rater, avec sa crinière blanche. Il correspondait à la description de Poteat. À la seconde où il est entré, je l'ai repéré. Il se prend une table tout seul, sans dire un mot à personne, il commande juste « comme d'habitude » et se met à bouffer des cacahuètes en attendant. Je l'observe un moment, puis je me dirige vers sa table. Je prends une chaise et je me présente. Y me sort comme ça qu'il a rien qui puisse m'aider et qu'il veut pas en parler. J'insiste, je lui balance que Beryl était menacée depuis plusieurs mois et je lui demande s'il le savait. Je lui ai trouvé l'air mal dans ses pompes tout d'un coup, mais il a répondu que non, y savait rien.

— Vous croyez qu'il disait la vérité ?

Des infiltrations graisseuses envahissaient le foie d'Harper et cette stéatose pouvait évoquer une consommation alcoolique déraisonnable.

— Comment vous voulez que je le sache ? rétorqua Marino en expédiant la cendre de sa cigarette sur le sol. Ensuite, je lui demande où il était le soir où Beryl a été assassinée. Paraît qu'il se trouvait au bar à son heure habituelle et qu'il est rentré chez lui ensuite. Mais quand j'insiste – genre : est-ce que sa sœur peut en témoigner ? –, il me répond qu'elle était pas à la maison.

Surprise, je relevai les yeux, le scalpel suspendu au milieu d'un geste.

— Et où était-elle ?

— Pas en ville.

— Il n'a pas précisé ?

— Non. Il m'a dit, je cite : « Ce sont ses affaires et cela ne me concerne pas. »

Marino contemplait d'un regard dédaigneux les sections de foie que je découpais. Il ajouta :

— Autrefois, mon plat préféré, c'était le foie revenu aux oignons, vous vous rendez compte ? Je connais pas un seul flic qui ait assisté à une autopsie et qui soit encore capable de bouffer du foie...

Le vrombissement de la scie Stryker noya la suite, tandis que je m'attaquais à la tête. Marino jeta l'éponge et recula devant le nuage de poussière d'os qui s'élevait dans l'air chargé d'un désagréable relent un peu âcre. Même les corps en bon état répandent une odeur nauséabonde lorsqu'on les ouvre, quant à la vue, elle n'est pas non plus enchanteresse. Je devais reconnaître au moins ce point en faveur de Marino : il assistait toujours aux autopsies concernant ses affaires, quel que fût l'état du cadavre.

Le cerveau d'Harper était mou et portait de nombreuses déchirures à bords inégaux. L'hémorragie avait été très faible, confirmant qu'il n'avait pas survécu longtemps à ses premières blessures. Au moins sa mort avait-elle été rapide. Contrairement à Beryl, la terreur et la souffrance lui avaient été épargnées, et il n'avait pas eu à supplier qu'on lui laisse la vie sauve. D'autres caractéristiques distinguaient les deux assassinats. Autant que nous le sachions, il n'avait reçu aucune menace. Quant à son meurtre, il était dépourvu d'implications sexuelles. Il n'avait pas été poignardé mais frappé, et aucun de ses vêtements ne manquait.

— J'ai compté cent soixante-huit dollars dans son portefeuille, dis-je à Marino. Nous avons aussi porté sa montre ainsi que sa chevalière sur l'inventaire de ses effets personnels.

— Et sa chaîne ?

Je n'avais aucune idée de ce dont il parlait. Il expliqua :

— Il avait une grosse chaîne en or avec une médaille, un écusson, un truc comme un blason. Je l'ai remarqué au bar.

— Eh bien, elle manquait à l'appel lorsque le corps est arrivé à la morgue et je ne me souviens pas de l'avoir vue sur la scène du crime...

Je faillis ajouter « hier soir », mais en réalité Harper était mort dimanche en début de soirée, et nous étions mardi. J'avais perdu toute notion du temps. Les deux derniers jours s'étaient déroulés dans une sorte d'irréalité, et si je n'avais pas réécouté le message laissé par Mark sur mon répondeur le matin même, j'aurais mis en doute jusqu'à son existence.

— Ben, peut-être que le taré l'a prise, comme souvenir.

— C'est absurde, contrai-je. Si le meurtre de Beryl est l'œuvre d'un cerveau dérangé pour qui elle représentait une obsession, je comprends qu'il ait emporté un objet personnel. Mais pourquoi faire la même chose dans le cas d'Harper ?

— C'est peut-être des trophées ? suggéra Marino. Il ramène des dépouilles de sa chasse. Genre : un tueur à gages qui aime conserver des babioles de ses contrats.

— Selon moi, un professionnel de l'assassinat serait plus prudent.

— Sans blague ? Parce que, toujours selon vous, Jeb Price est vachement trop prudent pour abandonner une boîte de pellicule dans le frigo ? rétorqua-t-il d'un ton ironique.

Je retirai mes gants, puis finis d'étiqueter les tubes à essais et les autres échantillons biologiques prélevés. Je réunis mes papiers et Marino m'emboîta le pas jusqu'à l'étage où était situé mon bureau.

Rose avait déposé le journal de l'après-midi sur mon sous-main. L'assassinat d'Harper et le décès subit de sa sœur faisaient les gros titres. Quant à la colonne de droite, elle me démolit le moral pour le reste de la journée :

LE MÉDECIN EXPERT GÉNÉRAL ACCUSÉ
D'AVOIR « ÉGARÉ » UN MANUSCRIT
CONTROVERSÉ

Il s'agissait d'une dépêche du bureau de New York de l'Associated Press, et la une était suivie d'un compte rendu narrant la façon dont j'avais « réduit à l'impuissance » un nommé Jeb Price, que j'avais trouvé l'après-midi de la veille en train de « saccager » mon bureau. Une bouffée de colère m'envahit. Sparacino devait être à l'origine des allégations concernant le manuscrit. Quant à la tirade au sujet de Jeb Price, sans doute était-elle inspirée du rapport de police. Au demeurant, lorsque je passai mes messages en revue, je constatai que la majorité d'entre eux émanaient de journalistes.

— Avez-vous vérifié ses disques informatiques ? demandai-je à Marino en lui jetant le journal.

— Ouais, je les ai regardés.

— Y avez-vous vu quelque chose qui ressemble à ce livre qui semble mettre pas mal de gens à feu et à sang ?

— Nan, marmonna-t-il en parcourant la première page.

La déception me fit éclater :

— Comment cela, il n'y est pas ? Il n'est pas sur ses disquettes ? Mais comment est-ce possible si elle l'écrivait sur son ordinateur ?

— Hé, c'est pas à moi qu'y faut demander ça. Moi, je vous dis juste que je me suis tapé peut-être une douzaine de disquettes et qu'y a rien de récent dessus. On dirait des vieux trucs, du genre de ses romans, vous voyez. Rien qui la concerne, elle, ou Harper. J'ai trouvé quelques vieilles lettres, y compris deux lettres professionnelles adressées à Sparacino, rien de vraiment très excitant.

— Peut-être a-t-elle mis les disquettes en sécurité avant de partir pour Key West.

— Peut-être, mais on les a pas trouvées.

Fielding fit son apparition, ses bras d'orang-outang dépassant des manches courtes de sa blouse verte, ses mains robustes recouvertes de la fine couche de talc imprégnant les gants en latex qu'il venait d'ôter. Le corps de Fielding était son chef-d'œuvre. Dieu sait combien d'heures par semaine il passait à se sculpter quelque part dans une salle de musculation. J'en étais arrivée à formuler une théorie très personnelle : son obsession pour le *body-building* était inversement proportionnelle à son obsession pour son travail. Mon adjoint en chef avait intégré notre équipe un peu plus d'un an auparavant et il montrait déjà des signes d'usure. Plus le désenchantement le gagnait, plus il prenait en volume et en muscles. Je ne lui donnais pas deux ans avant de se retirer dans le monde plus propre et plus lucratif de la pathologie hospitalière, à moins de devenir l'héritier de l'Incroyable Hulk.

— Je vais devoir patienter un peu pour Sterling Harper, déclara-t-il, hésitant nerveusement devant mon bureau. Son alcoolémie n'est que de 0,03, quant au contenu gastrique, il n'y a pas grand-chose à en dire. Pas d'hémorragie, pas d'odeur inhabituelle. Le cœur est en bon état, pas de trace d'infarctus ancien, les coronaires sont parfaites. Le cerveau est normal. Mais un truc cloche. Le foie est hypertrophié, il pèse environ deux mille cinq cents grammes, et la rate pas loin d'un kilo, avec épaississement de la capsule. J'ai également repéré quelques nodosités lymphatiques.

— Des métastases ?

— Rien en premier examen.

— Bon, on passe en microscopie, décidai-je. Il acquiesça et nous quitta aussitôt. Marino me jeta un regard interrogateur.

— Pas mal d'hypothèses sont possibles, expliquai-je. Une leucémie, un lymphome ou toutes sortes de maladies liées au collagène – certaines sont bénignes, d'autres pas. La rate et les ganglions lymphatiques sont des composants du système immunitaire – en d'autres termes, la rate est presque toujours concernée lors d'une maladie du sang. Quant au volume excessif du foie, cela ne nous aide guère à poser un diagnostic. Je ne saurai rien de précis avant d'avoir examiné les modifications histologiques éventuelles au microscope.

— Ça vous embêterait de causer en compréhensible ? demanda-t-il en allumant une cigarette. Racontez-moi avec des mots simples ce que Herr Doktor Schwarzenegger a trouvé.

— Le système immunitaire de Sterling Harper était stimulé, il réagissait à quelque chose. En d'autres termes, elle était malade.

— Assez malade pour expliquer qu'elle passe l'arme à gauche sur son canapé ?

— Aussi brusquement ? J'en doute.

— Et si c'était à cause d'une espèce de médicament, genre un truc délivré sur ordonnance ? suggéra-t-il. Vous voyez, elle avale tous les comprimés et balance le flacon dans le feu. Du coup, ça explique le plastique fondu que vous avez retrouvé dans la cheminée et le fait qu'on a rien déniché, aucun médicament un peu béton dans la baraque, rien que des merdes de base.

Une overdose médicamenteuse était une de mes hypothèses privilégiées. Cependant, il était inutile que je m'en inquiète pour l'instant. Malgré mes supplications, malgré les serments qu'on me ferait, me promettant que ses examens seraient traités en priorité, les résultats toxicologiques prendraient des jours, voire des semaines.

En revanche, j'avais développé une théorie au sujet du frère.

— Marino, je crois que Cary Harper a été frappé avec une matraque de fortune. Par exemple, un tuyau de métal empli de plomb de chasse pour l'alourdir, avec quelque chose comme de la pâte à modeler aux extrémités pour boucher le tout. Après plusieurs coups, un morceau de la pâte s'est arraché et les plombs se sont éparpillés partout.

Il tapota sa cendre d'un air pensif.

— Ça cadre pas vraiment avec l'attirail genre baroudeur-mercenaire qu'on a découvert dans la caisse de Jeb

Price. Ni avec un truc qui aurait pu germer dans la tête de la vieille dame Harper.

— Je suppose que vous n'avez rien trouvé à l'intérieur de la maison qui ressemble à de la pâte à modeler ou des plombs ?

— Bordel, non, répondit-il en secouant la tête.

Mon téléphone ne cessa de sonner tout le reste de la journée. Les comptes rendus fantaisistes et très exagérés sur mon rôle prétendu dans la disparition d'un « mystérieux manuscrit de valeur », ainsi que sur la façon dont j'avais « mis hors de combat un agresseur » qui s'était introduit dans mon bureau avaient fait le bonheur de toutes les agences d'information. D'autres journalistes essayaient de tirer profit du scoop, et certains d'entre eux rôdaient sur le parking de l'OCME ou surgissaient soudain dans le hall de l'immeuble, micros et caméras pointés comme des armes. Un DJ local, particulièrement irrévérencieux, clamait sur les ondes que j'étais la seule femme médecin légiste du pays à préférer « les gants de boxe aux gants de latex ». La situation s'emballait et je commençais à prendre un peu plus au sérieux les avertissements de Mark. Je ne doutais pas que Sparacino soit capable de me rendre la vie intenable.

Lorsque quelque chose préoccupait Thomas Ethridge IV, il composait aussitôt le numéro de ma ligne directe, sans passer par l'intermédiaire de Rose. Son appel ne me surprit pas et je crois même que j'en fus soulagée.

Je me rendis dans son bureau en fin d'après-midi. Ethridge était assez âgé pour être mon père. Il faisait partie de ces hommes dont l'absence de charme juvénile se transforme avec les années en une formidable personnalité. Avec son visage à la Winston Churchill, il aurait été tout à fait à sa place au Parlement ou dans un salon, enveloppé par la fumée des cigares. Nous nous étions toujours très bien entendus.

— Un coup publicitaire ? Kay, vous pensez vraiment que quelqu'un va croire à cela ? demanda l'attorney général tout en tripotant d'un air distrait la chaîne en or de sa montre de gousset.

— J'ai surtout l'impression que *vous* ne me croyez pas.

Pour toute réponse, il ramassa un épais stylo Mont-Blanc dont il entreprit de dévisser le bouchon.

— D'autant que personne n'aura l'opportunité de se forger une conviction, ajoutai-je sans enthousiasme. Tom, mes soupçons ne reposent sur rien de concret. Si je porte une accusation comme celle-ci pour contrer les agissements de Sparacino, il va s'en donner à cœur joie.

— Vous vous sentez très isolée, n'est-ce pas, Kay ?

— Parce que c'est le cas, Tom.

— Ce type de situations a le don de s'emballer selon le fameux principe de la boule de neige, remarqua-t-il d'un air songeur. Le problème va consister à étouffer celle-ci dans l'œuf sans attirer davantage d'attention.

Il frotta ses yeux fatigués derrière ses lunettes cerclées d'écaille, tourna une page vierge de son bloc et se lança dans une de ses listes à la Nixon, traçant une ligne au milieu de la page jaune et notant les avantages d'un côté, les désavantages de l'autre – avantages et désavantages de quoi, je n'en avais pas la moindre idée. Après une demi-page de notes, une colonne s'était étirée de façon indiscutable et alarmante en comparaison de l'autre. Ethridge se redressa sur son siège, leva les yeux et fronça les sourcils.

— Kay, vous êtes-vous déjà interrogée sur le fait que vous vous impliquez dans vos affaires beaucoup plus que vos prédécesseurs ?

— Je n'ai connu aucun de mes prédécesseurs, répliquai-je.

Il eut un petit sourire.

— Ce n'est pas une réponse, maître.

— Honnêtement, je n'ai jamais réfléchi à la question.

Sa réponse me prit de court :

— Le contraire m'aurait étonné, Kay... Oui, en vérité, parce que vous êtes totalement concentrée sur ce que vous faites. C'est, au demeurant, une des nombreuses raisons pour lesquelles j'ai appuyé votre nomination. Le bon côté, c'est que rien ne vous échappe, vous êtes une excellente anatomo-pathologiste et une très bonne administratrice. Le mauvais, c'est que vous avez de temps en temps tendance à vous mettre en délicatesse, pour ne pas dire en danger. Je pense à ces affaires d'étranglement il y a un an, par exemple. N'eût été votre ténacité, elles auraient pu demeurer sans solution et d'autres femmes auraient sans doute été assassinées. Mais vous avez failli y laisser votre vie. Prenez cet incident, hier... (Il s'interrompit, secoua la tête et pouffa de rire.) Cela dit, je dois admettre que je suis plutôt impressionné. « Elle l'a mis KO », me semble-t-il avoir entendu à la radio ce matin. *C'est vrai ?*

— Pas tout à fait, répondis-je, gênée.

— Savez-vous de qui il s'agit et ce qu'il cherchait ?

— Pas vraiment. Mais il s'est introduit dans la chambre froide de la morgue et a pris des photos des corps de Cary et Sterling Harper. Et les dossiers dans lesquels il fouillait lorsque je l'ai surpris ne m'ont rien appris.

— Des dossiers par ordre alphabétique ?

— Il cherchait dans le casier M à N.

— M comme « Madison » ?

— Peut-être. De toute façon son dossier est sous clé

dans le bureau du devant. Il n'y a rien dans mes classeurs.

À l'issue d'un long silence, il tapota son bloc de son index et déclara :

— J'ai noté tout ce que je savais de ces morts récentes. Beryl Madison, Cary Harper, Sterling Harper. Nous avons déjà là tous les ingrédients d'un roman policier, n'est-ce pas ? Ajoutez à cela maintenant, l'ultime ressort : le manuscrit disparu auquel est soi-disant mêlé le bureau du médecin légiste expert... J'ai deux ou trois choses à vous dire, Kay. D'abord, si n'importe qui d'autre vous contacte à propos de ce fameux texte, je vous conseille de diriger la personne en question vers mes bureaux, cela vous facilitera la vie. Je m'attends à ce qu'une plainte forgée de toutes pièces nous tombe dessus. Je mets mon équipe là-dessus tout de suite pour voir si nous ne pouvons pas les coiffer au poteau. Deuxièmement – et, croyez-moi, j'y ai bien réfléchi –, je veux que vous vous conduisiez comme un iceberg.

— Que voulez-vous dire au juste ? demandai-je avec une certaine appréhension.

— Que ce qui affleure à la surface ne représente qu'une fraction de ce qui existe en dessous, répondit-il. Entendez-moi bien : je ne suis pas en train de vous recommander de faire profil bas, même si, pour ce qui concerne les aspects pratiques, c'est exactement la façon dont vous devez vous conduire... Déclarations à la presse réduites au minimum et une attitude aussi passe-muraille que faire se peut. Mais, ajouta-t-il en tripotant de nouveau sa chaîne de montre, votre invisibilité est inversement proportionnelle à votre degré d'activité, ou d'implication, si vous préférez.

— Mon implication ? protestai-je. Est-ce votre façon de me conseiller de me consacrer à mon travail, et rien qu'à mon travail, en évitant de placer mon bureau sous le feu des projecteurs ?

— Oui et non. Oui pour ce qui est de faire votre travail. Quant à préserver vos bureaux des médias, je crains que cela ne soit plus en votre pouvoir...

Il s'interrompit, joignant les mains sur son bureau, avant de lâcher :

— Je connais assez bien Robert Sparacino.

— Vous l'avez déjà rencontré ?

— J'ai eu l'indéniable infortune de faire sa connaissance à la faculté de droit.

Je le dévisageai avec incrédulité.

— Université Columbia, promotion 1951, continua Ethridge. Un jeune homme arrogant et obèse présentant une sérieuse faille de caractère. De surcroît, extrêmement intelligent. Il aurait pu sortir major de promotion et devenir assistant du président de la Cour suprême si je n'avais pas décidé de donner un bon coup de collier. Résultat, je suis parti pour Washington, où j'ai bénéficié du privilège de travailler aux côtés d'Hugo Black, le président, et Robert est resté à New York.

— Vous l'a-t-il jamais pardonné ? demandai-je tandis que mes soupçons s'amoncelaient. Je suppose que la rivalité a dû être terrible. Vous a-t-il jamais pardonné de l'avoir devancé et d'être sorti major ?

— Oh, il ne manque jamais de m'envoyer une carte de vœux, répondit Ethridge, pince-sans-rire. Sortie tout droit d'un listing informatique, avec pour signature un tampon, sans oublier une faute d'orthographe à mon nom. Juste assez impersonnelle pour être insultante.

Je commençais à comprendre pour quelles raisons Ethridge souhaitait que les litiges avec Sparacino transitent par le bureau de l'attorney général.

Je suggérai avec hésitation :

— Seriez-vous en train de dire qu'il tente de me coincer dans l'unique but de vous atteindre ?

— Quoi ? Que l'histoire du manuscrit manquant serait un stratagème et qu'il en est parfaitement conscient ? Vous croyez que tout cet esclandre dans le Commonwealth est destiné à me casser les reins par procuration et à me filer la migraine ? (Il eut un sourire sardonique.) Non, c'est peu plausible. Je ne crois pas que cela constitue l'essentiel de sa motivation.

— Alors peut-être juste la touche de piment supplémentaire, remarquai-je. Il sait très bien que n'importe quel embrouillamini juridique, n'importe quel litige potentiel concernant mon bureau sera nécessairement arbitré par l'attorney général de Virginie, donc vous. Et j'en déduis de ce que vous venez de me révéler que Sparacino est un homme vindicatif.

Ethridge fixait un point indéterminé tout en tapotant ses doigts joints.

— Je vais vous raconter une anecdote qu'on m'a rapportée au sujet de ce monsieur, du temps où nous étions à Columbia. Ses parents ont divorcé et il a été élevé par sa mère, tandis que son père faisait fortune à Wall Street. Apparemment, le gamin, qui rendait visite à son père là-bas plusieurs fois par an, était précoce, c'était un lecteur boulimique, passionné par le monde littéraire. Au cours d'une de ses visites, il a réussi à persuader son père de l'emmener déjeuner à l'Algonquin un jour où Dorothy Parker et son cénacle étaient censés s'y trouver. Robert, qui n'avait pas plus de neuf ou dix ans à l'époque, avait tout prévu. C'est du moins ce qu'il aurait raconté des années plus tard à plusieurs compagnons de beuverie à Columbia. Il comptait s'avancer jusqu'à la table de Dorothy Parker, lui tendre la main et se présenter en l'assurant de son plaisir de la rencontrer. Bref, il avait longuement répété son introduction : « Miss Parker, c'est un véritable honneur. Permettez-moi de me présenter... » Quand il s'est trouvé devant elle, au lieu de cela, il a ânonné : « Miss Parker, permettez-moi... c'est un véritable honneur de vous introduire... » Ce à quoi elle a répondu du tac au tac, comme elle en avait le secret : « Nombre d'hommes me l'ont déjà affirmé, quoique vous soyez le plus jeune d'entre eux. » L'hilarité générale qui a salué la réplique de Miss Parker a mortifié Sparacino. Il ne l'a jamais oublié.

L'image du petit grassouillet tendant sa main moite en débitant une chose pareille était si pitoyable que je n'eus pas envie d'en rire. Si un des héros de mon enfance m'avait humiliée de la sorte, je ne l'aurais pas non plus oublié.

— Je vous raconte cette vieille histoire, Kay, afin d'éclairer ce que nous sommes en train de subir. Le jour où Sparacino raconta sa mésaventure à ses copains d'université, il était ivre, plein d'amertume, et il se répandait devant qui voulait l'entendre sur le fait qu'il prendrait sa revanche, qu'il allait montrer à Dorothy Parker et tous ses semblables, ceux de l'élite, qu'on ne le ridiculisait pas impunément. Et que s'est-il passé ? dit-il en me jetant un regard interrogateur. C'est aujourd'hui l'un de plus puissants avocats de l'édition de tout le pays. Il côtoie éditeurs, agents, écrivains... Tous ces gens-là le détestent peut-être en privé, mais ils savent qu'il est plus sage de le redouter. Il paraît qu'il déjeune régulièrement à l'Algonquin et insiste pour signer sur place tous ses contrats de cinéma et d'édition. Sans doute nargue-t-il en son for intérieur le fantôme de Dorothy Parker. Cela vous paraît tiré par les cheveux ? conclut-il après un instant de silence.

— Non. Inutile d'être diplômé de psychologie pour comprendre cela.

— Voilà ce que je vous suggère, poursuivit-il en me regardant droit dans les yeux. Laissez-moi m'occuper de Sparacino. Mon souhait est que vous n'entreteniez aucun contact avec lui, autant que faire se peut. Ne le sous-estimez pas, Kay. Alors même que vous êtes convaincue de lâcher le moins d'informations possible, il sait lire entre les lignes. Il est d'une rare perspicacité et parvient à tirer des conclusions diaboliquement percutantes. J'ignore jusqu'à quel point il était mêlé aux histoires de Beryl Madison, des Harper. Je ne parviens pas à déterminer le but qu'il poursuit réellement. Peut-être s'agit-il d'un mélange assez peu recommandable. Mais ce qui est certain, c'est que je ne veux pas qu'il découvre plus de détails qu'il n'en connaît déjà sur ces assassinats.

— Il s'est déjà débrouillé pour en apprendre beaucoup, dont le rapport de police concernant le meurtre de Beryl Madison. Ne me demandez pas comment...

— Oh, mais il est plein de ressources, m'interrompit Ethridge. Un conseil : retirez de la circulation tous les rapports, ne les envoyez qu'en cas d'absolue nécessité. Mettez la pression sur vos équipes, renforcez la sécurité, rangez sous clé tous les dossiers. Assurez-vous que les membres de votre personnel ne laissent filtrer aucune information sur ces affaires, à moins d'être certains de l'identité et de la qualité du demandeur. Sparacino tirera parti de la moindre bribe d'information qui lui tombera sous la dent. Pour lui, il s'agit d'un jeu, mais beaucoup de gens pourraient en souffrir, vous comprise. Sans parler de ce qui pourrait advenir au tribunal, le moment venu. S'il parvient à faire mousser toutes ces affaires comme il l'entend, nous serons obligés de déplacer le procès au fin fond de l'Antarctique !

— Il a peut-être anticipé votre stratégie ? suggérai-je doucement.

— Le fait que j'assume le rôle du paratonnerre ? Que je monte sur le ring au lieu de laisser un ou une assistante agir à ma place ?

J'acquiesçai d'un hochement de tête.

— Ma foi, peut-être.

Quant à moi, j'en étais convaincue. Ce n'était pas moi que pourchassait Sparacino, mais son vieil ennemi. Il lui était impossible de s'en prendre directement à l'attorney général. La vigilance de ses divers chiens de garde, assistants et secrétaires, l'intercepterait. Sa seule solution de rechange consistait à s'attaquer à moi. Obtenir le résultat escompté devait le satisfaire. L'idée d'être ainsi instrumentalisée me rendit encore plus furieuse, et Mark me vint subitement à l'esprit. Quel était au juste son rôle dans toute cette affaire ?

— Vous êtes contrariée, déclara Ethridge. Je vous comprends, Kay, mais vous allez devoir ravaler votre orgueil et vos émotions. J'ai besoin de votre aide.

Je me contentai de l'écouter.

— Le fond de ma pensée, c'est que ce manuscrit qui fascine tant de gens risque de représenter notre seule issue de secours du cirque que Sparacino essaie de monter. Y a-t-il la moindre chance pour que vous puissiez retrouver sa trace ?

Je me sentis devenir écarlate.

— Tom, cet objet n'a jamais transité par mes bureaux...

Il m'interrompit avec fermeté :

— Kay, là n'est pas ma question. Des tas de choses ne passent jamais par vos bureaux et pourtant le médecin légiste expert se débrouille quand même pour les découvrir. Des médicaments prescrits sur ordonnance, une douleur à la poitrine dont s'était plaint le défunt quelque temps avant de tomber raide, des idées suicidaires qu'un membre de la famille finit par vous divulguer... Il ne relève pas de vos attributions de punir, mais vous pouvez enquêter. Et vous êtes en mesure de découvrir des détails que personne ne souhaite révéler à la police.

— Je ne veux pas être appelée en tant que témoin ordinaire, Tom.

— Bien sûr que non, vous êtes un témoin expert. Le contraire serait du gâchis.

— Et les flics sont meilleurs en matière d'interrogatoire, ajoutai-je. Ils n'attendent jamais la vérité des gens.

— Vous l'attendez, vous ?

— Votre bon docteur généraliste s'y attend, lui, il est convaincu que ses patients lui diront la vérité telle qu'ils la perçoivent. Et, de fait, ils font de leur mieux.

La plupart des médecins ne s'attendent pas à ce que leurs patients leur mentent.

— Kay, ce ne sont que des généralités, ça !

— Je ne veux pas me trouver en position...

— Le Code indique que le médecin légiste expert enquêtera sur la cause et la manière du décès, et transcrira ses découvertes et conclusions par écrit. C'est une définition très large, qui vous investit de pouvoirs d'investigation très réels. La seule chose à laquelle vous ne puissiez pas procéder, c'est une arrestation, et vous le savez. La police ne mettra jamais la main sur ce manuscrit. Vous êtes la seule personne capable de le retrouver, car *il représente plus* pour vous et votre réputation que pour eux, conclut-il en soutenant mon regard.

J'étais pieds et poings liés. Ethridge avait déclaré la guerre à Sparacino et je venais d'être réquisitionnée.

— Trouvez ce manuscrit, Kay, insista l'attorney général

en jetant un coup d'œil à sa montre. Je vous connais. Si vous décidez de vous y mettre, vous y parviendrez, ou tout au moins vous découvrirez ce qu'il en est advenu. Trois personnes sont mortes. L'une d'entre elles était un lauréat du prix. Pulitzer dont le roman est une de mes œuvres favorites. Nous devons aller au fond de cette affaire. De surcroît, je veux être au courant de tout ce que vous pourrez dénicher en rapport avec Sparacino. Vous ferez de votre mieux, n'est-ce pas ?

— Oui, monsieur. Bien sûr, je ferai de mon mieux.

Je commençai par harceler les chercheurs.

L'examen des documents est une des rares procédures scientifiques qui puissent fournir des réponses tangibles, aussi concrètes que du papier et de l'encre. Le chef du département, un certain Will, Marino et moi y consacrâmes plusieurs heures. Mercredi en fin d'après-midi, le piteux résultat de nos recherches avait de quoi désespérer le meilleur d'entre nous !

Qu'en avais-je espéré au juste, je n'en sais trop rien. Certes, si nous avions pu déterminer immédiatement que Miss Harper avait brûlé le manuscrit disparu de Beryl Madison dans sa cheminée, la solution aurait été simple. Nous en aurions conclu que Beryl l'avait confié à la garde de son amie. Nous aurions supposé que le texte contenait des indiscrétions telles que Miss Harper avait choisi de ne pas les divulguer au reste du monde. Plus important encore, nous nous serions acheminés vers la conviction que le manuscrit n'avait donc pas disparu de la scène du crime.

Cependant la quantité et les caractéristiques du papier que nous examinions battaient en brèche cette hypothèse. Il ne demeurait que quelques fragments ayant échappé aux flammes, des fragments guère plus larges qu'une pièce de monnaie. Il était inutile de les soumettre à l'objectif équipé d'un filtre infrarouge du comparateur vidéo. Aucune technique, aucune méthodologie chimique ne rendrait possible l'examen des pellicules de cendre blanche qui ressemblaient à de fines membranes. Elles étaient si fragiles que nous n'osions pas les extraire de la petite boîte en carton dans laquelle les avait placées Marino. Nous avions poussé la prudence jusqu'à fermer la porte et éteindre la climatisation du laboratoire pour nous garder du moindre courant d'air.

Notre tâche pouvait se résumer à une corvée frustrante et délicate qui consistait à séparer à l'aide de fines pinces des copeaux de cendre qui paraissaient sans poids, à la recherche d'un mot, d'une lettre épargnée par le feu. Nous savions pour l'instant que Miss Harper avait brûlé des feuilles de papier fait de pâte de chiffon, portant des caractères tapés à l'aide d'un ruban de carbone. De cela nous pouvions être sûrs pour plusieurs raisons. Le papier fabriqué à partir de la pulpe de bois noircit lorsqu'il se consume, tandis que celui qui est issu du coton reste propre. Les cendres qui en résultent sont blanches et fines comme celles que j'avais retrouvées dans la cheminée de Miss Harper. Les quelques fragments intacts que nous examinions correspondaient à un papier de belle épaisseur. De plus, le carbone ne brûle pas. La chaleur avait rétréci les lettres à de petits caractères correspondant environ à une police de taille 6 ou 7. Quelques mots se détachaient en noir sur la frêle pellicule de cendre blanche, lisibles dans leur entier. Le reste, morcelé et barbouillé de suie, prenait l'aspect de minuscules bouts de hiéroglyphes.

— *A-R-R-I-V,* épela Will, les yeux injectés de sang derrière d'inélégantes lunettes à monture noire, son visage jeune tiré de fatigue.

Il fournissait de gros efforts pour ne pas perdre patience.

J'ajoutai le mot incomplet à ceux qui couvraient déjà la moitié d'une page de mon bloc.

— *Arrivé, arrivant, arrive,* poursuivit-il dans un soupir. Je ne vois rien d'autre.

— *Arrivée, arriviste,* dis-je à haute voix.

— *Arriviste ?* demanda Marino avec aigreur. Bordel, qu'est-ce que c'est, ça ?

— Comme dans « il a les dents qui raclent le plancher », traduisis-je.

— Un peu trop ésotérique pour moi, remarqua Will sans aucun humour.

— Probablement un peu trop ésotérique pour la plupart des gens, concédai-je, ne rêvant que du tube d'aspirine qui se trouvait dans mon sac, en bas, et attribuant ma migraine à la lassitude oculaire.

— Seigneur, gémit Marino. Des mots, des mots et encore des mots. J'ai jamais vu autant de mots de toute ma putain de vie, et je connais même pas la moitié d'entre eux, ce dont je me contrefous, d'ailleurs.

Avachi dans un fauteuil tournant, les pieds sur un bureau, il poursuivait la lecture du texte que Will avait reconstitué en déchiffrant une à une les lettres qui se succédaient sur le ruban récupéré de la machine à écrire de Cary Harper. Ce ruban-là n'était pas en carbone, ce qui signifiait que les pages qu'avait brûlées Miss Harper n'avaient pas été tapées sur la machine à écrire de son frère. De toute évidence, le romancier travaillait à une nouvelle tentative de roman de façon assez décousue. Ce que lisait Marino n'avait en grande partie aucun sens. Lorsque je l'avais parcouru un peu auparavant, je m'étais demandé si l'inspiration d'Harper n'avait pas sombré au fond d'une bouteille.

— À votre avis, ça peut se vendre, ce genre de merde ? demanda Marino.

Will venait de repêcher une nouvelle bribe de phrase dans le magma maculé de suie, et je me penchai pour l'inspecter.

— Vous savez, continua Marino, quand un auteur célèbre casse sa pipe, ils sortent toujours des trucs de derrière les fagots. En général des merdes que le pauvre mec aurait jamais voulu voir publier.

— Oui. Ils pourraient appeler ça « Restes d'un banquet littéraire », grommelai-je.

— Hein ?

— Rien, Marino, ne vous cassez pas la tête, répondis-je d'un ton distrait, il n'y a même pas dix pages là-dedans. Difficile d'en tirer un livre.

— Ouais, ben, ça peut se publier dans *Esquire* ou *Playboy*. Ça vaut bien quelques billets, non ?

Imperméable à la conversation qui se déroulait autour de lui, Will réfléchit tout haut :

— Ce mot-là indique un nom propre, un lieu, une entreprise, quelque chose comme ça. Il y a une capitale à *Co*.

— Très intéressant, remarquai-je.

Marino se leva pour venir jeter un œil.

— Attention de ne pas respirer ! avertit Will.

Maîtrisant les pinces d'une main aussi sûre que s'il manipulait un scalpel, il retourna avec un luxe de précautions le fragile copeau de cendre blanche sur lequel se détachait en minuscules lettres noires *bor Co*.

— *Comté, Compagnie, Country, Collège,* suggérai-je, tandis qu'une bourrasque d'adrénaline me galvanisait.

— Ouais, mais *bor,* d'où ça peut venir ? insista Marino, perplexe.

— Ann Arbor, dans le Michigan ? suggéra Will.

— Pourquoi pas un comté de Virginie ? demanda Marino.

Il nous fut cependant impossible de dénicher un comté de Virginie qui se termine par les lettres *bor.*

— *Harbor,* lançai-je. Beaucoup d'établissements portuaires incluent ce nom dans leur intitulé.

— D'accord, mais suivi de *Co ?* argua Will d'un ton dubitatif.

— Peut-être un truc du genre Machin-Chose Harbor Company ? dit Marino.

Je feuilletai l'annuaire du téléphone, et trouvai cinq entreprises dont les noms commençaient par *Harbor* : Harbor East, Harbor South, Harbor Village, Harbor Imports et Harbor Square.

— Moi, je vous dis qu'on est en train de se foutre dedans, remarqua Marino.

Les renseignements téléphoniques que j'appelai ensuite pour demander la liste des entreprises de la région de Williamsburg dont le nom commençait par *Harbor* ne nous permirent pas de progresser de beaucoup, si ce n'est que nous pûmes ajouter un immeuble résidentiel baptisé de la sorte. J'appelai ensuite l'inspecteur Poteat, de la police de Williamsburg. Hormis ce même bâtiment, il n'eut aucune suggestion à nous offrir.

Agacé, Marino bougonna :

— C'est peut-être pas la peine de se prendre autant la tête sur ce coup-là !

Will s'était replongé dans l'examen de la boîte de cendre. Marino se pencha par-dessus mon épaule pour parcourir à nouveau la liste des mots que nous avions déchiffrés jusque-là.

Vous, vôtre, je, mon et *bien* faisaient partie des mots interchangeables. D'autres constituaient le ciment de n'importe quelle phrase usuelle – *et, est, était, ceci, cela, dont*, *un* et *une*. Certains étaient un peu plus spécifiques : *ville, maison, connaître, s'il vous plaît, peur, travail, penser* et *manquer*. Quant aux mots incomplets, nous n'avions pas d'autre solution que d'essayer de deviner leur signification. À défaut de trouver un autre mot courant commençant par *terri* ou *terrib*, nous avions opté à plusieurs reprises pour *terrible*. Les nuances, cependant, nous échappaient. L'auteur de ces mots avait-il voulu dire *terrible* comme dans « Est-ce si terrible ? » ? S'agissait-il de *terriblement* comme dans « Je suis terriblement bouleversé » ou « Tu me manques terriblement » ? Ou la signification était-elle encore plus banale comme « C'est terriblement aimable à vous » ?

Fait révélateur, nous avions découvert plusieurs vestiges du nom *Sterling*, et tout autant du prénom *Cary*.

— Je suis presque certaine qu'elle a brûlé des lettres personnelles, tranchai-je. La qualité du papier et les mots utilisés le suggèrent fortement.

Will m'approuva. Je demandai à Marino :

— Avez-vous retrouvé du papier à lettres chez Beryl Madison ?

— Du papier d'imprimante, du papier machine, rien de plus. Rien du genre papier chiffon qui coûte la peau des fesses, comme ce truc-là.

— Elle possédait une imprimante à rubans encreurs, nous rappela Will en immobilisant une cendre du bout de ses pinces. On en a un autre, ajouta-t-il.

Cette fois-ci, il ne restait qu'*ou C*.

— Beryl avait un ordinateur et une imprimante Lanier, précisai-je à Marino. Ce serait peut-être une bonne idée de voir si elle les avait récemment remplacés.

— J'ai épluché toutes ses factures.

— En remontant combien d'années ?

— Tout ce qu'on a trouvé chez elle. Cinq, six ans.

— Elle a toujours eu le même ordinateur ?

— Non, mais bien la même foutue imprimante, Doc ! Un truc qui s'appelle une 1 600, à marguerite. Elle a toujours utilisé le même type de rubans. J'sais pas sur quoi elle tapait avant ça.

— Je vois.

— Ben, vous êtes une veinarde, rétorqua-t-il en se massant les reins. Parce que moi, j'y vois que dalle.

10

L'Académie nationale du FBI à Quantico, Virginie, est une oasis de brique et de verre plantée en plein cœur d'un champ de bataille virtuel. Le souvenir du premier séjour que j'ai effectué là-bas, il y a des années de cela, restera à jamais gravé en moi. Ma nuit avait été bercée par l'écho continuel des rafales d'armes automatiques. Un après-midi où je me trompais d'itinéraire le long du circuit d'entraînement qui s'enfonçait dans les bois, je me retrouvai nez à nez avec un tank qui déboulait en sens inverse et faillis me faire écraser.

Nous étions vendredi matin et Benton Wesley avait organisé une réunion sur place. Lorsque nous aperçûmes les drapeaux et le bassin de l'Académie, Marino se ragaillardit à vue d'œil. J'eus du mal à suivre ses enjambées enthousiastes jusqu'à la spacieuse entrée baignée de soleil d'un nouveau bâtiment qui ressemblait assez à un hôtel de luxe pour avoir mérité le sobriquet de Quantico Hilton. Après avoir déposé son pistolet à la réception, Marino nous enregistra. Nous épinglâmes nos badges visiteurs, tandis que le réceptionniste prévenait Wesley pour obtenir confirmation de notre autorisation d'accès privilégié.

Un labyrinthe de boyaux vitrés sert de trait d'union

entre les différents bâtiments hébergeant les bureaux, les salles de cours et les laboratoires. On peut se déplacer dans cet immense complexe sans jamais avoir à mettre un pied dehors. Quelle que fût la fréquence de mes visites, je m'y perdais avec obstination. Marino semblait savoir où il allait, aussi demeurai-je collée avec docilité à ses talons, observant le défilé des étudiants dont les tenues de couleur faisaient office de mini-*curriculum vitæ.* Chemise rouge et pantalon kaki distinguaient les officiers de police. Chemise grise et treillis noir glissé dans des boots rutilants indiquaient les nouvelles recrues de la Drug Enforcement Administration, tandis que les vétérans, eux, arboraient un noir menaçant de la tête aux pieds. Les nouveaux agents du FBI étaient en bleu et kaki, le blanc signalait les membres des unités d'élite, notamment les commandos d'intervention lors des prises d'otages – les *hostage teams.* Hommes et femmes étaient tirés à quatre épingles et en remarquable forme physique. Leur retenue toute militaire était presque aussi tangible que l'odeur du solvant de nettoyage des armes qui flottait dans leur sillage.

Nous prîmes place dans un ascenseur de service et Marino appuya sur le bouton marqué SS. La vieille blague qui court prétend que ces deux initiales signifient « sous-sous ». L'abri anti-atomique secret d'Edgar G. Hoover est installé à vingt mètres sous terre, deux étages au-dessous du stand de tir intérieur. Il m'avait toujours paru très approprié que le FBI ait décidé d'installer l'unité de sciences du comportement plus proche de l'enfer que du paradis. Car si les dénominations changent, ce qu'elles recouvrent reste identique. Aux dernières nouvelles, le Bureau avait décidé de baptiser les profileurs *criminal investigative agents,* ou CIA (un acronyme destiné à engendrer la confusion). Mais les

— Elle était atteinte de leucémie myéloïde chronique, répondis-je.

— C'est ce qui a causé le décès ? insista-t-il en levant les yeux.

— Non. D'ailleurs, je ne suis même pas sûre qu'elle ait été au courant de son affection.

— Intéressant, commenta Hanowell. On peut avoir une leucémie sans le savoir ?

— Le développement d'une leucémie chronique est insidieux, expliquai-je. Elle aurait pu souffrir de symptômes aussi discrets et peu spécifiques que des suées nocturnes, des accès de fatigue, une perte de poids. Ou bien peut-être la maladie avait-elle été diagnostiquée il y a un certain temps et passait-elle par une phase de rémission. Quoi qu'il en soit, Sterling Harper n'était pas en crise aiguë. Les prélèvements ne révèlent pas d'infiltrations massives et elle ne souffrait d'aucune infection significative.

— Alors qu'est-ce qui l'a tuée ? demanda Hanowell avec perplexité.

— Je ne sais pas, avouai-je.

— Des médicaments ?

— Le labo de toxicologie a commencé sa deuxième série de dosages. Le rapport préliminaire révèle un degré d'alcoolémie de 0,03, c'est-à-dire faible. Nous avons détecté la présence de dextrométhorphane, un antitussif entrant dans la composition de nombreux sirops délivrés sans ordonnance. Nous avons trouvé un flacon plus qu'à moitié plein de Robitussin chez les Harper, sur le rebord du lavabo de sa salle de bains.

— Donc ce n'est pas ça, murmura Wesley.

— Même la bouteille entière n'aurait pas pu provoquer le décès. Je reconnais que c'est intrigant, ajoutai-je.

— Tenez-moi au courant de ce que vous découvrez, je vous prie, Kay.

Wesley feuilleta de nouveau ses papiers avant de passer au point suivant :

— Roy a examiné les fibres retrouvées dans le cadre de l'enquête concernant Beryl Madison. C'est de cela que nous voulons vous entretenir. Ensuite, Kay et Pete, ajouta-t-il en nous jetant un regard, je souhaiterais aborder un autre sujet avec vous deux.

Il avait l'air tout sauf radieux, et j'eus soudain le sentiment que la raison pour laquelle il nous avait convoqués n'allait pas me ravir non plus. La coutumière placidité d'Hanowell contrastait avec la tension de Wesley. Ses cheveux, ses sourcils, ses yeux et même son costume étaient gris. Chaque fois que je l'avais rencontré, son allure à moitié endormie, son calme et tout ce gris qui le décolorait m'avaient fait douter que du sang coulât bien dans ses veines.

D'un ton plat, presque laconique, il intervint :

— Docteur Scarpetta, à l'exception d'une seule, les fibres que l'on m'a demandé d'expertiser offrent peu de surprises – pas de teintures ni de tranches de sections inhabituelles à quoi se raccrocher. J'en ai conclu que les six fibres de nylon proviennent très probablement de six origines différentes. C'est, au demeurant, une conclusion que partage votre chercheur à Richmond. Quatre d'entre elles semblent correspondre aux textiles utilisés pour la fabrication des tapis de sol automobile.

— Et comment qu'on peut en être certain ? s'enquit Marino.

— Les garnitures et les tapis en nylon se dégradent très rapidement sous l'effet de la chaleur et de la luminosité, ainsi que vous pouvez vous en douter. Si les fibres ne sont pas traitées à l'aide d'une teinture prémétallisée, renfermant des stabilisants antichaleur et antiUV, un tapis de voiture va pâlir ou pourrir à toute vitesse. Grâce à une technique de fluorescence à rayons X, je suis parvenu à mettre en évidence des traces de métaux dans quatre des fibres en nylon. Bien que je ne puisse pas vous certifier que nous soyons en présence de tapis automobiles, ces résultats vont dans ce sens.

— Et vous pourriez aussi remonter leur trace jusqu'à une marque ou un modèle de voiture ? insista Marino.

— Malheureusement non... à moins qu'il ne s'agisse d'une fibre tout à fait particulière dont les altérations sont conséquentes à un *process* industriel faisant l'objet d'un brevet. Sans cela, tenter de mettre en concordance ce fichu truc et un fabricant particulier est illusoire, surtout si les véhicules en question ont été produits au Japon. Tiens, je vais vous donner un exemple... Prenons le cas d'une Toyota : la matière première utilisée pour la fabrication de leurs revêtements de sol, ce sont des billes de plastique, lesquelles sont expédiées par bateau des États-Unis au Japon. Là-bas, elles sont transformées en fibres et le fil est réexpédié ici pour y devenir un tapis. Puis le tapis est renvoyé au Japon, installé dans les voitures sortant de la chaîne d'assemblage.

Il continua son explication du même ton monocorde, laminant au fur et à mesure nos derniers espoirs :

— Mais nous nous arrachons également les cheveux avec les voitures fabriquées aux États-Unis. Chez Chrysler, par exemple, un revêtement de sol d'une couleur bien précise peut provenir de trois fournisseurs différents. Ajoutez à cela qu'en cours d'exploitation d'un modèle de voiture Chrysler peut décider de changer de fournisseur. Admettons que vous et moi conduisions des LeBaron 87 noires, intérieur bordeaux... Eh bien, les fournisseurs des tapis de sol de la mienne ne sont pas nécessairement les mêmes que ceux de la vôtre. Non, voyez-vous, le seul élément vraiment significatif des fibres en nylon que je viens d'analyser pour vous est leur grande variété. Deux d'entre elles pourraient provenir d'une moquette de maison, quatre autres de tapis automobiles. Les couleurs et les sections de coupe sont diverses. Si vous additionnez tout cela avec l'oléfine, le dynel et les fibres acryliques, vous vous retrouvez face à un fatras pour le moins déconcertant.

Wesley intervint :

— De toute évidence, le tueur exerce une profession ou une activité quelconque qui le place en contact avec de nombreuses variétés de revêtements. Et lorsqu'il a assassiné Beryl Madison, il portait quelque chose, des vêtements sur lesquels une pléthore de fibres s'était déposée.

L'hypothèse m'aurait séduite si nous avions retrouvé de la laine, du velours ou de la flanelle, voire des fibres de coton teint, pensai-je. Mais tel n'était pas le cas. Nous n'avions identifié aucune fibre appartenant à ces catégories dont nous puissions penser qu'elles avaient été abandonnées par l'assassin.

— Qu'en est-il du dynel ? demandai-je.

— En général associé aux robes de femmes, aux perruques, à la fourrure synthétique.

— Mais pas exclusivement, n'est-ce pas ? Une chemise ou un pantalon de dynel engendrerait une électricité statique - au même titre que le polyester - qui retiendrait un tas d'autres fibres. Cela expliquerait peut-être pourquoi il en transportait tant sur lui.

— Ce n'est pas exclu, admit Hanowell.

— Donc peut-être bien que cette ordure portait une perruque, suggéra Marino. Nous savons que Beryl l'a fait entrer, ce qui signifie qu'elle ne se sentait pas menacée.

En général, une femme ne se sent pas physiquement menacée par une autre femme se présentant sur le pas de la porte.

— Un travesti ? interpréta Wesley.

— Pourquoi pas ? répondit Marino. Y en a dans le genre super-gaulés, parmi les nanas les mieux foutues que vous rencontrez ! Ça me fout les boules, des trucs comme ça. Même moi, y en a que je repère pas, à moins de les mater de près.

— Mais si l'agresseur était travesti, soulignai-je, comment expliquer les fibres qui adhéraient à lui ? Si c'est bien sur son lieu de travail qu'il a été contaminé par ces indices, nous avons un problème car je doute qu'il s'y rende en vêtements féminins.

— Ben, sauf si c'est un tapin travelo, contesta Marino. Il passe la nuit à monter et à descendre des bagnoles des clients, ou alors de chambres de motel qu'ont de la moquette.

— Mais, en ce cas, le choix de la victime devient assez incohérent, contrai-je.

— Ouais, mais, du coup, l'absence de sperme s'explique, argua Marino. Parce que les travelos et les pédés se bousculent pas trop pour violer les femmes.

— D'autant qu'ils les assassinent rarement, approuvai-je.

Hanowell jeta un regard à sa montre, puis reprit :

— J'ai mentionné une exception. Il s'agit de la fibre acrylique orange qui piquait tant votre curiosité, précisa-t-il en fixant sur moi son impassible regard gris.

— En forme de trèfle à trois feuilles, rappelai-je.

Il acquiesça de la tête.

— En effet. La forme est très inhabituelle. L'objet de toutes ces formes trilobées est de dissimuler la poussière et de disperser la lumière. À ma connaissance, on ne trouve ce type de configuration fibreuse que dans les Plymouth fabriquées à la fin des années soixante-dix, et plus spécifiquement dans leurs tapis de sol en nylon. Elles ont la même section en feuilles de trèfle que la fibre orange collectée dans le cadre de l'affaire Beryl Madison.

— Mais la fibre orange en question n'est pas du nylon, c'est de l'acrylique, lui rappelai-je.

— Tout à fait, docteur Scarpetta. Je ne vous donnais ces précisions que pour insister sur les propriétés très particulières de la fibre qui nous occupe. Le fait qu'il s'agit d'acrylique et non de nylon, le fait que les teintes très vives, comme l'orange, ne sont quasiment jamais utilisées en décoration intérieure d'automobile, tout cela nous conduit à exclure un certain nombre d'origines – y compris les Plymouth fabriquées à la fin des années soixante-dix. Ou toute autre automobile, d'ailleurs.

— Donc vous avez jamais vu un truc qui ressemble à cette fibre orange ? synthétisa Marino.

— C'est en effet la conclusion vers laquelle je m'acheminais, hésita Hanowell.

Wesley embraya :

— L'année dernière, nous avons eu affaire à une fibre en tout point semblable à celle-ci, lorsque Roy a été requis pour examiner des indices recueillis sur un Bœing 747 détourné à Athènes. Je suis certain que vous vous souvenez de cet incident.

Le silence tomba.

Même Marino en resta coi.

Le regard assombri par l'inquiétude, Wesley continua :

— Les pirates de l'air avaient abattu deux soldats américains qui se trouvaient à bord et balancé leurs cadavres sur le tarmac. Le premier à être jeté de l'avion, Chet

Ramsey, était un Marine de vingt-quatre ans. La fibre orange adhérait au sang qui avait coulé de son oreille gauche.

— Aurait-elle pu provenir de l'intérieur de l'avion ? demandai-je.

— Apparemment pas, répondit Hanowell. Je l'ai comparée à des échantillons de moquette, de revêtement de fauteuils, de couvertures remisées dans les casiers à bagages au-dessus des sièges, je n'ai trouvé aucune corrélation, pas même approximative. Ramsey avait-il ramassé la fibre ailleurs ? Cette explication est peu satisfaisante puisqu'elle adhérait à du sang frais. Sa présence sur le jeune Marine résultait-elle d'un transfert passif de l'un des terroristes ? La seule autre hypothèse que je puisse envisager, c'est qu'elle provienne de l'un des passagers, auquel cas il aurait fallu que l'individu en question touche le soldat après que celui-ci avait été blessé. Or, d'après les témoignages oculaires, personne ne s'est approché de Ramsey. Il a été emmené à l'avant de l'avion, séparé des autres passagers, il a été frappé et abattu, son corps enveloppé dans une des couvertures de l'avion et jeté sur le tarmac. De surcroît, la couverture était de couleur marron clair.

Marino réagit avant moi et demanda d'un ton désagréable :

— Bordel, et vous pouvez m'expliquer le lien entre un détournement d'avion en Grèce et deux écrivains qui se font buter en Virginie ?

— Ces fibres relient au moins deux des faits, répondit Hanowell : le détournement et la mort de Beryl Madison. Ce qui ne signifie pas que les crimes soient véritablement liés, lieutenant. Mais cette fibre orange est si particulière qu'il nous faut considérer la possibilité d'un dénominateur commun entre ce qui s'est produit à Athènes et ce qui se passe aujourd'hui en Virginie.

Il s'agissait bien plus que d'une possibilité : c'était une certitude. Il existait un dénominateur commun, pensai-je, personne, lieu ou chose. C'était obligatoirement l'un de ces trois éléments, et les détails s'agençaient peu à peu dans mon esprit :

— Si je me souviens bien, on n'a jamais pu interroger les terroristes. Deux d'entre eux ont été tués et les deux autres ont réussi à prendre la fuite sans jamais être retrouvés...

Wesley acquiesça d'un signe de tête.

— ... Sommes-nous même certains qu'il s'agissait bien de terroristes, Benton ?

Il me répondit après un silence :

— Nous ne sommes jamais parvenus à les associer avec certitude à un quelconque groupe terroriste. Cela étant, l'hypothèse la plus vraisemblable est qu'il s'agissait d'un attentat anti-américain. L'avion était américain, ainsi qu'un tiers des passagers.

— Que portaient les pirates de l'air ?

— Des vêtements civils. Pantalons, chemises à col ouvert, rien de particulier.

— Et on n'a retrouvé aucune fibre orange sur les deux pirates abattus ?

— Voilà une question à laquelle il est impossible de répondre, lâcha Hanowell. Ils ont été abattus sur le tarmac, et nous n'avons pas pu réagir assez vite pour réclamer le transfert des corps chez nous – en même temps que le rapatriement des dépouilles des deux Américains –, ce qui aurait permis un examen exhaustif. Le seul document auquel j'ai eu accès est le rapport de l'expertise réalisée sur les fibres par les autorités grecques. Je n'ai pas examiné moi-même les vêtements ou les indices laissés par les pirates. Bien entendu, il est possible que l'on soit passé à côté de pas mal de choses. Mais même si on avait récupéré une ou deux fibres orange sur le corps de l'un des pirates de l'air, cela ne nous aurait pas nécessairement éclairés sur leur origine.

— Bordel, mais qu'est-ce que vous êtes en train de me raconter ? récrimina Marino. Hein ? Qu'en fait, faut qu'on se mette en chasse d'un pirate de l'air en cavale qui s'est mis à dégommer des gens en Virginie ?

— Pete, si bizarre que cela puisse paraître, c'est une éventualité que nous ne pouvons pas totalement éliminer, dit Wesley.

— Les quatre hommes n'ont jamais été associés à aucun groupe terroriste, répétai-je. Nous ne savons presque rien d'eux ou de leur objectif, si ce n'est que les deux qui ont été abattus étaient libanais, si ma mémoire est exacte, et les deux autres – ceux qui sont parvenus à s'échapper – probablement grecs. Si je ne m'abuse, à l'époque, on a évoqué la possibilité que leur véritable cible était un ambassadeur américain en vacances. Il devait embarquer sur ce vol en compagnie de sa famille.

— C'est juste, reconnut Wesley d'une voix tendue. Quelques jours auparavant, l'ambassade américaine à Paris avait été visée par un attentat. En conséquence, les déplacements de l'ambassadeur en question avaient été aussitôt modifiés – dans la plus grande discrétion –, mais pas les réservations...

Il fixa un point derrière mon épaule, tapotant de son pouce gauche son stylo à encre.

— ... Nous n'avons jamais éliminé l'hypothèse selon laquelle les pirates étaient un commando de tueurs professionnels sous contrat.

Marino s'impatienta :

— D'accord, d'accord. Et personne exclut non plus la possibilité que Beryl Madison et Cary Harper aient été descendus par un tueur à gages, avec savant maquillage des meurtres pour faire croire au crime d'un cinglé.

Je commençai par biaiser :

— Je suppose que nous pourrions creuser plus avant afin de faire parler cette fibre orange, de déterminer son origine...

Puis l'idée qui me trottait dans la tête depuis un moment sortit :

— Et peut-être quelqu'un pourrait-il s'intéresser plus activement à Sparacino et s'assurer qu'il n'est pas de près ou de loin lié à cet ambassadeur, la cible potentielle du piratage du Boeing.

Wesley demeura silencieux. Quant à Marino, il s'absorba soudain dans une manucure de l'ongle de son pouce qu'il nettoya de la pointe de son canif.

Hanowell jeta un regard circulaire aux différents intervenants installés autour de la table. Lorsqu'il parut évident que nous n'avions plus de questions pour lui, il prit congé et nous quitta.

Marino alluma une nouvelle cigarette.

— Ben, si vous voulez mon opinion, déclara-t-il dans un souffle de fumée, ce machin vire à l'eau de boudin. Je veux dire, ça rime à rien. Pourquoi qu'on irait engager un tueur professionnel international pour buter une petite dame qu'écrit des romans sentimentaux et un romancier dans les choux qu'a rien pondu depuis des années ?

— Je n'en ai pas la moindre idée, reconnut Wesley. Tout dépend des connexions des uns et des autres. Bon sang, Pete, ça dépend de tellement de choses. Tout dépend de tant de choses. Notre seule stratégie consiste à suivre les indices du mieux possible. Ce qui m'amène au prochain sujet que je souhaitais aborder : Jeb Price.

— Il est ressorti, répondit Marino sans même y réfléchir.

Je me tournai vers lui, incrédule.

— Depuis quand ? s'enquit Wesley.

— Hier. Il a payé sa caution. Cinquante mille dollars, pour être exact.

— Et cela vous ennuierait de me dire comment il a pu se débrouiller ? m'exclamai-je, furieuse que Marino ne m'en ait pas tenue informée.

— Non, ça m'ennuie pas du tout, Doc.

Je n'ignorais pas les différents moyens de s'acquitter d'une caution. Le premier consistait à signer une reconnaissance de dettes, le deuxième à régler en liquide ou objets de valeur, le troisième à recourir à l'intermédiaire d'un bailleur de fonds, sorte de prêteur professionnel rémunéré par une commission de dix pour cent et qui exigeait un cosignataire ou un garant quelconque, dans l'éventualité où l'accusé déciderait de ne pas honorer ses engagements et de prendre le large. Selon Marino, Jeb Price avait choisi cette dernière option.

— Comment s'est-il débrouillé ? répétai-je en sortant mes cigarettes et en rapprochant la canette de Coca qui faisait office de cendrier.

— Je connais qu'une façon. Il a appelé son avocat, qui a ouvert un compte sous scellés et expédié un relevé bancaire à Lucky's.

— Lucky's ?

— Ouais. Lucky Bonding Company, sur la 17e Rue. Vachement pratique d'ailleurs, puisque c'est situé à un petit pâté de maisons de la prison. Charlie Luck et son mont-de-piété pour détenus. Charlie et moi, on se connaît depuis une paye, on discute le bout de gras, on échange quelques vannes. Des fois il cause un peu, d'autres fois il est muet comme une carpe. Et là, malheureusement, une petite bavette le tentait pas trop. Aucune des ficelles que j'ai essayées a rien donné. Pas moyen de se faire refiler le nom de l'avocat de Jeb Price, mais ce serait pas un mec du coin que ça m'étonnerait pas outre mesure.

— Price semble jouir de relations haut placées.

— C'est clair, renchérit Wesley dont le mécontentement était évident.

— Et Price n'a rien dit ? demandai-je.

— Il avait le droit de garder le silence, et y s'en est pas privé, répondit Marino.

— Qu'avez-vous découvert sur l'arsenal qu'il trimbalait ? demanda Wesley tout en prenant de nouveau des notes. Vous avez vérifié avec les agents du bureau de l'Alcohol, Tobacco and Firearms ?

— Ouais. Elles sont enregistrées à son nom. Même qu'il dispose d'un permis de port d'arme, délivré y a six ans dans le coin, en Virginie du Nord, par un juge sénile qu'est depuis parti à la retraite et a déménagé quelque part dans le Sud. D'après l'enquête préliminaire qui figure sur le rapport que j'ai obtenu du tribunal, Price était célibataire quand il a eu son fichu permis et il travaillait à Washington dans un bureau de change de métaux précieux du nom de Finkelstein. Et devinez quoi ? Finkelstein n'existe plus.

— Et les Mines, qu'est-ce que ça a donné ? insista Wesley sans cesser de noter.

— D'abord il traîne aucune contravention. Il est propriétaire d'une BMW de 1989 immatriculée à son nom et enregistrée à une adresse à Washington, un appartement près de Dupont Circle dont il a visiblement déménagé l'hiver dernier. Le bureau de location m'a ressorti son contrat de bail, il y est enregistré comme travailleur indépendant. Mais je creuse toujours. Les impôts vont me retrouver ses déclarations pour les cinq dernières années.

— Un détective privé peut-être ? suggérai-je.

— Ben, pas dans le district de Columbia, en tout cas.

Wesley leva les yeux et s'adressa à moi :

— Quelqu'un l'a embauché. Pour quoi faire ? Mystère. Mais il a clairement échoué dans sa mission. Cela dit, il n'est pas exclu que son commanditaire revienne à la charge. Je détesterais que vous vous retrouviez nez à nez avec son prochain sbire, Kay.

— Je ne vous surprendrais sans doute pas en vous affirmant que je n'y tiens pas non plus.

Wesley prit son ton paternel et sérieux pour me prodiguer ses recommandations :

— Ce que je veux faire passer, Kay, c'est que vous devez éviter de vous placer dans une situation de vulnérabilité. Par exemple, c'est, selon moi, une très mauvaise idée que vous restiez seule dans vos bureaux lorsque votre personnel a quitté l'immeuble. Et je ne parle pas que des week-ends. Si vous travaillez jusqu'à 18 ou 19 heures et que tout le monde soit reparti chez soi, débrouillez-vous pour ne pas regagner votre voiture sur un parking désert dans l'obscurité. Il serait souhaitable que vous abandonniez vos locaux vers 17 heures, lorsqu'il reste encore des gens alentour.

— J'essaierai d'y penser.

— Si vous êtes absolument obligée de partir plus tard, appelez le vigile et demandez-lui de vous accompagner jusqu'à votre véhicule, continua-t-il.

— Merde, c'est même pas la peine, appelez-moi, s'empressa Marino. Vous avez mon numéro de *pager*. Si je ne suis pas disponible, demandez au répartiteur d'envoyer une bagnole.

Oh, génial ! Avec un peu de chance, je serai rentrée chez moi à minuit, songeai-je en mon for intérieur.

Wesley me regardait avec insistance.

— En deux mots, soyez très prudente. Théories ou supputations mises à part, deux personnes ont été assassinées et le tueur se promène toujours en liberté. Le choix des victimes, les motivations apparentes sont assez incohérents à première vue pour me convaincre que tout est possible.

Ses paroles trottèrent dans mon esprit durant presque tout mon trajet de retour à la maison. Annoncer que tout est possible, c'est sous-entendre que rien n'est exclu. Un plus un n'est pas égal à trois, non ? À moins que... Le décès de Sterling Harper ne semblait pas procéder de la même équation que la mort de son frère et de Beryl, mais si c'était le cas ?

— Vous m'avez bien dit que Miss Harper n'était pas en ville le soir où Beryl a été assassinée ? demandai-je à Marino. Avez-vous appris d'autres détails à ce sujet ?

— Nan.

— Quel que soit l'endroit où elle s'est rendue, croyez-vous qu'elle conduisait elle-même ?

— Nan. Les Harper avaient qu'une seule voiture, la Rolls blanche, et c'est son frère qui l'a utilisée le soir de la mort de Beryl.

— Il s'agit d'un fait établi ?

— Un peu... J'ai vérifié à la Culpeper's Tavern. Ce soir-là, Harper est arrivé à son heure habituelle, dans sa voiture, et il est reparti vers 6 heures et demie.

À la lumière des récents événements, je doute que quiconque ait éprouvé l'ombre d'une surprise lorsque j'annonçai en réunion du personnel, le lundi matin suivant, que je prenais mes congés annuels.

Tous en déduisirent que ma confrontation avec Jeb Price m'avait à ce point bouleversée que j'avais besoin de prendre du champ, faire le point et me vider un peu la tête. Je ne fis part à personne de ma destination, pour l'excellente raison que je l'ignorais moi-même. Je me contentai de quitter les lieux, laissant derrière moi une secrétaire secrètement soulagée et un bureau qui croulait sous le travail en souffrance.

De retour chez moi, je passai la matinée pendue au téléphone, appelant toutes les compagnies aériennes qui desservaient le Byrd Airport de Richmond, l'aéroport le plus pratique pour Sterling Harper.

— Oui, je sais qu'il y a une pénalité de vingt pour cent, assurai-je à l'agent de l'US Air, mais vous ne me comprenez pas. Je ne cherche pas à annuler cette réservation de billet. Je voudrais juste savoir si cette personne a bien voyagé sur ce vol. C'était il y a plusieurs semaines.

— Le billet ne vous était pas destiné ?

— Non, répétai-je pour la troisième fois. Il était établi à son nom.

— Alors c'est elle qui doit nous contacter.

— Sterling Harper est morte. Elle est hors d'état de vous contacter.

Il y eut un silence interloqué.

— Elle est décédée à peu près au moment où ce voyage était programmé, expliquai-je. Si vous pouviez simplement vérifier sur votre ordinateur...

Le même scénario se reproduisit plusieurs fois, à tel point que j'étais capable de débiter le même laïus sans y penser. Rien, ni chez US Air, ni chez Delta Airlines, ni chez United, American ou Eastern Airlines. À en croire les dossiers des divers agents, Miss Harper n'avait pas quitté Richmond en avion la dernière semaine d'octobre, au moment où Beryl Madison avait été assassinée.

Miss Harper n'avait pas non plus voyagé en voiture, et je doutais sérieusement qu'elle ait pris l'autocar. Il me restait le train.

Un employé d'Amtrak, qui répondait au prénom de John, m'annonça que son ordinateur était en panne et proposa de me rappeler. Je raccrochai au moment où quelqu'un sonnait à ma porte.

Il n'était pas tout à fait midi. L'air était vif et acidulé. Le soleil projetait des rectangles de lumière blancs dans mon salon et étincelait sur le pare-brise d'une berline Mazda argentée que je ne connaissais pas, garée dans l'allée de ma maison. À travers l'œilleton, je découvris un jeune homme blond au teint terreux. Il se tenait en retrait de ma porte, tête baissée, le col de son blouson de cuir relevé jusqu'aux oreilles. Je fourrai mon lourd Ruger dans la poche de mon sweat-shirt tout en déverrouillant. Je ne le reconnus que lorsque nous fûmes face à face.

— Docteur Scarpetta ? demanda-t-il avec nervosité.

Je ne l'invitai pas à entrer, la main droite dans ma poche, serrée sur la crosse du revolver.

— Pardonnez-moi de débarquer comme ça chez vous, mais j'ai appelé votre bureau et l'on m'a dit que vous étiez en vacances. J'ai trouvé votre nom dans l'annuaire, mais la ligne était occupée, d'où j'ai conclu que vous étiez bien là. J'ai... eh bien, j'ai vraiment besoin de vous parler. Puis-je entrer ?

Il semblait encore plus inoffensif dans la réalité que sur la cassette vidéo que m'avait montrée Marino.

— De quoi s'agit-il ? demandai-je d'un ton ferme.

— C'est à propos de Beryl Madison. Je m'appelle Al Hunt. Je vous promets que ce ne sera pas long.

Je m'écartai et il pénétra dans la maison. Il s'assit dans le canapé du salon. Lorsqu'il aperçut brièvement la crosse de mon revolver dépassant de ma poche alors que je m'installais sur un fauteuil à oreillettes à une prudente distance de lui, il devint pâle comme un linge.

— Euh... vous avez une arme ?

— Oui, tout à fait, répondis-je.

— Je n'aime pas ça, je n'aime pas les armes.

— Elles sont assez rébarbatives, en effet.

— Oh, madame, ce n'est pas cela. Mon père m'a emmené chasser une fois, quand j'étais petit. Il a touché une biche. Elle gémissait. La biche gémissait, étendue sur le flanc, elle n'arrêtait pas de gémir. Je n'ai jamais pu tuer quoi que ce soit.

— Vous connaissiez Beryl Madison ?

— La police... la police m'a parlé d'elle, balbutia-t-il. Un lieutenant, Marino, le lieutenant Marino. Il est venu à la station de lavage où je travaille, il m'a parlé, et après il m'a demandé de venir au poste de police. Nous avons discuté très longtemps. Elle avait l'habitude d'amener sa voiture. C'est comme ça que je l'ai rencontrée.

Tandis qu'il discourait, je ne pus m'empêcher de me demander quelles étaient les « couleurs » qui irradiaient de moi. Bleu acier ? Avec une touche de rouge vif parce que j'étais inquiète et que je faisais de mon mieux pour le dissimuler ? Je tergiversai, hésitant à exiger qu'il quitte mon domicile. J'envisageai même d'appeler la police. Je n'arrivais pas à croire qu'il soit assis là, dans mon salon, en face de moi. Peut-être fut-ce ce mélange de culot de sa part et de perplexité de la mienne qui expliqua que je ne réagis pas.

— Monsieur Hunt, l'interrompis-je.

— Je vous en prie, appelez-moi Al.

— D'accord, Al. Pourquoi vouliez-vous me voir ? Si vous détenez des informations, pourquoi ne parlez-vous pas au lieutenant Marino ?

Le rouge lui monta aux joues et son regard gêné plongea vers ses mains.

— Ce que j'ai à dire ne concerne pas vraiment la police. Je pensais que vous pourriez comprendre.

— Et pourquoi cela ? Vous ne me connaissez pas.

— Vous vous êtes occupée de Beryl. D'une façon générale, les femmes sont plus intuitives, plus compatissantes que les hommes.

Peut-être était-ce aussi simple que cela. Peut-être Hunt se trouvait-il dans mon salon parce qu'il s'était convaincu que je ne l'humilierais pas. Il me fixait avec un regard blessé, un regard de désolation qui confinait à la panique. Il demanda :

— Docteur Scarpetta... avez-vous jamais éprouvé... un sentiment, une certitude, alors même qu'il n'existait aucun élément tangible pour étayer votre conviction ?

— Je ne suis pas extralucide, si c'est là votre question.

— Ah... vous jouez les scientifiques.

— Non... Je *suis* une scientifique.

— Mais vous avez déjà eu ce sentiment, n'est-ce pas ? insista-t-il, le regard maintenant désespéré. Vous voyez très bien de quoi je parle ?

— Oui, Al. Je crois que je vois.

Il parut soulagé et prit une profonde inspiration avant de se lancer :

— Docteur Scarpetta, je *sais* des choses. Je sais qui a tué Beryl.

Je demeurai impassible.

— Je *sais* qui il est, ce qu'il pense, ce qu'il ressent, pourquoi il l'a fait, poursuivit-il, bouleversé. Si je vous en parle, pouvez-vous me promettre de considérer ce que je vais vous dire sérieusement, avec attention, et de ne pas... Eh bien, je ne veux pas que vous vous précipitiez à la police. Ils ne comprendraient pas. Vous le savez, n'est-ce pas ?

— J'examinerai avec la plus grande attention ce que vous avez à dire, promis-je.

Il se pencha en avant, l'éclat soudain de son regard illuminant un visage blême à la Greco. D'instinct, ma main remonta à hauteur de ma poche et je sentis le contact de la poignée de caoutchouc du revolver contre ma paume.

— Voyez, docteur Scarpetta, les policiers ne comprennent déjà pas grand-chose. Alors comment pourraient-ils me comprendre, moi ? Ma démarche, pourquoi j'ai abandonné la psychologie, c'est une énigme pour eux. J'ai un diplôme. Et qu'est-ce que j'en ai fait ? Je suis devenu infirmier, et maintenant je travaille dans une station de lavage. Ça leur échappe. Ils ne peuvent pas comprendre ça, n'est-ce pas ?

Je ne répondis rien.

— Quand j'étais enfant, je rêvais de devenir psychologue, assistant social, peut-être même psychiatre, continua-t-il. Cela me paraissait si évident, si naturel, c'était ce que je devais être, la direction dans laquelle mes talents me poussaient.

— Pourtant tel n'a pas été le cas. Pourquoi ?

— Parce que cela m'aurait détruit, répondit-il en détournant le regard. Je n'ai aucun contrôle sur ce qui m'arrive, je ne maîtrise rien. J'éprouve une telle empathie pour les problèmes et les particularités des autres que je m'y noie. Au bout du compte, ce que je suis, moi, personnellement, étouffe. Je n'ai compris à quel point c'était intense et grave que lorsque j'ai travaillé dans une unité de psychiatrie légale pour les fous criminels. Euh... C'était... c'était dans le cadre de ma recherche, des recherches que j'avais entreprises pour ma thèse, continua-t-il, l'air de plus en plus égaré. Je ne l'oublierai jamais. Frankie, Frankie était un paranoïaque à tendances schizoïdes. Il avait battu sa mère à mort à coups de bûche. J'ai appris à connaître Frankie, je l'ai doucement aidé à dérouler le fil de sa vie, jusqu'à cet après-midi d'hiver.

« Je lui ai dit : “ Frankie, Frankie, quel détail a tout fait basculer ? Quel a été le déclic ? Te souviens-tu de ce qui te passait par l'esprit ? Te souviens-tu de ce que tu ressentais ? ”

« Il m'a expliqué qu'il était assis dans le fauteuil où il s'installait toujours devant le feu, le regard fixé vers les flammes, lorsqu'*elles* avaient commencé à murmurer à son oreille, à lui chuchoter des choses moqueuses, effroyables. Lorsque sa mère était entrée, elle l'avait regardé comme elle le faisait d'habitude, mais cette fois-ci il avait vu cette chose dans ses yeux. Les voix dans sa tête étaient devenues si assourdissantes qu'il ne pouvait plus penser, et l'instant d'après il s'était retrouvé trempé, gluant de sang, et sa mère n'avait plus de visage. Il était revenu à lui quand les voix s'étaient tues. Après cette confession, je n'ai pas pu dormir durant plusieurs nuits. Chaque fois que je fermais les yeux, je voyais Frankie pleurer, couvert du sang de sa mère. Je le comprenais. Je comprenais ce qu'il avait fait. Quelle que soit la personne à laquelle je m'adressais, quelle que soit l'histoire que l'on me racontait, cela m'affectait de la même façon.

Je demeurais assise calmement, mon imagination volontairement en berne, protégée par l'attitude clinique de la scientifique que j'avais endossée comme une armure.

— Al, avez-vous déjà éprouvé l'envie de tuer quelqu'un ? lui demandai-je.

Nos regards se croisèrent et il répondit :
— Tout le monde a déjà subi ce genre de pulsion à un moment ou un autre.
— Tout le monde ? Vous le pensez vraiment ?
— Oui, bien sûr, nous en sommes tous capables.
— Qui avez-vous déjà eu envie de tuer ?
— Je ne possède pas d'arme à feu, ni quoi que ce soit de... euh... de dangereux. Je veux éviter de réunir les conditions susceptibles de me pousser à céder à une impulsion. Une fois que vous êtes capable de vous imaginer accomplissant quelque chose, une fois que vous comprenez le mécanisme qui génère une action, la porte est entrouverte. Tout peut arriver. Pratiquement chaque action abominable commise, où que ce soit, a d'abord été conçue en pensée. Nous ne sommes ni bons ni mauvais, je veux dire que les êtres ne sont pas aussi tranchés que ça, expliqua-t-il d'une voix tremblante. Même ceux que l'on classe comme déments ont leurs propres raisons d'agir.
— Quelle était la raison de ce qui est arrivé à Beryl ?
Une lucidité parfaite avait envahi mon esprit, pourtant, malgré cette clarté, cette précision, je luttais afin de repousser une succession d'images qui me donnaient la nausée : les taches sombres qui maculaient les murs, les plaies abandonnées par une lame, groupées au niveau de ses seins, ses livres sagement rangés sur l'étagère de la bibliothèque, attendant d'être lus.
— La personne qui a commis cela l'aimait, déclara-t-il.
— Une façon plutôt cruelle de le lui montrer, vous ne croyez pas ?
— L'amour peut être cruel.
— L'aimiez-vous aussi, Al ?
— Nous nous ressemblions beaucoup.
— De quelle façon ?

Il replongea dans la contemplation de ses mains.

— Nous sommes... à côté, décalés. Seuls, sensibles, incompris. Ce qui la rendait distante, très réservée, inabordable. Je ne sais rien d'elle... Je veux dire : personne ne m'a jamais rien raconté à son sujet. Pourtant, j'ai approché son âme. J'avais l'intuition qu'elle était très consciente d'elle-même, de sa valeur. Mais le prix à payer pour cette différence qui l'écartait des autres l'ulcérait très fort. Elle était blessée, je ne sais pas par quoi. Quelque chose l'avait blessée, et cela me la rendait si proche. Un élan me portait vers elle parce que je savais que je l'aurais comprise.

— Pourquoi n'avez-vous pas obéi à cet élan ?

— Les circonstances ne s'y prêtaient pas. Peut-être, si je l'avais rencontrée ailleurs...

— Al, parlez-moi de celui qui lui a fait cela. Admettons que les circonstances aient été favorables, est-il possible que lui aussi ait ressenti cet élan ?

— Non.

— Non ?

— Les circonstances ne se seraient jamais présentées à lui parce que c'est un inadapté, et qu'il le sait.

La soudaine transformation d'Hunt me déconcerta.

Il était devenu le psychologue. Sa voix avait adopté un rythme calme, posé, et je percevais son extrême concentration jusque dans ses mains fermement jointes sur ses genoux.

— Il a une exécrable opinion de lui-même, continua-t-il. Il est incapable d'exprimer ses sentiments de façon positive, constructive. Pour lui, l'attirance se métamorphose en obsession, l'amour devient pathologique. Lorsqu'il aime, il lui faut posséder, car il se sent tellement indigne, menacé et vulnérable. Lorsque son amour secret n'est pas payé de retour, l'obsession prend de l'ampleur. Sa fixation est telle que ses capacités à réagir et à fonctionner normalement sont entravées. C'est comme Frankie et ses voix. Quelque chose d'autre le mène et il ne maîtrise plus rien.

— Il est intelligent ?

— Une intelligence moyenne.

— Et son éducation ?

— Ses problèmes sont si intoxicants qu'il est incapable de fonctionner au niveau intellectuel auquel il pourrait prétendre.

— Mais pourquoi elle ? insistai-je. Pourquoi a-t-il choisi Beryl Madison ?

Le regard vague d'Hunt me frôla.

— Elle est libre, elle est célèbre, tout ce qui lui fait défaut. Il pense être attiré par Beryl, mais il s'agit de bien plus que ça. Il veut posséder ses qualités parce qu'il en est dépourvu. Il veut la posséder. En un sens, il veut *être* Beryl.

— Vous voulez dire qu'il savait que Beryl était écrivain ?

— Il est presque impossible de lui dissimuler quoi que ce soit. D'une façon ou d'une autre, il a dû découvrir qu'elle écrivait. Il en a tant appris sur Beryl que lorsqu'elle a commencé à flairer sa présence autour d'elle, elle a dû sentir son intimité saccagée, violée. Une peur terrible lui est alors venue.

— Parlez-moi de ce soir-là, Al. Que s'est-il passé la nuit où elle est morte ?

— Je ne sais que ce que j'ai lu dans les journaux.

— Et qu'êtes-vous parvenu à reconstituer d'après ces comptes rendus ?

Son regard s'évada dans le vide.

— Elle était chez elle. Tard dans la soirée, il est apparu à sa porte. Il semble qu'elle l'ait laissé entrer. Quelque temps avant minuit, il a quitté sa maison et l'alarme s'est déclenchée. Elle a été poignardée. Les journaux suggéraient une agression sexuelle. Voilà à peu près tout ce que j'ai lu.

— Et avez-vous une théorie sur ce qui a pu se passer ? articulai-je d'une voix aussi neutre que possible. Des hypothèses qui aillent au-delà de ce que vous avez appris par la presse ?

Il pencha le buste dans ma direction, et son attitude bascula à nouveau, radicalement. Une intense émotion liquéfia son regard et ses lèvres tremblèrent.

— Des scènes défilent dans ma tête.

— Quelles scènes, Al ?

— Des choses que je ne voudrais pas raconter à la police.

— Je ne suis pas la police.

— Ils ne comprendraient pas toutes ces choses que je vois, que je ressens, sans avoir aucune raison de les connaître. C'est comme Frankie, comme les autres, dit-il en luttant contre les larmes. Je pouvais voir ce qui s'était passé, je pouvais le comprendre, pourtant personne ne m'avait fourni de détails. Mais l'on n'en a pas toujours besoin, d'autant que, dans la plupart des cas, ils sont inaccessibles. Vous savez pourquoi, n'est-ce pas ?

— Je n'en suis pas sûre...

— Mais parce que les Frankie de ce monde ne les connaissent pas non plus ! C'est comme un terrible accident dont on ne se souviendrait pas. La conscience revient, on a l'impression d'émerger d'un cauchemar et on se retrouve face au désastre. Le visage de votre mère réduit à néant ou une Beryl ensanglantée et morte. Les Frankie *se réveillent* alors qu'ils s'enfuient ou qu'un flic qu'ils ne se souviennent pas d'avoir appelé s'arrête devant la maison.

— Vous voulez dire que le meurtrier de Beryl ne se souvient pas au juste de ce qu'il a fait ? demandai-je avec précaution.

Il hocha la tête.

— Vous en êtes certain ?

— Les meilleurs de vos psychiatres pourraient l'interroger pendant cent ans, ils n'obtiendraient pas une reconstitution précise. La vérité ne surgira jamais. Il faut la recréer, voire même la déduire, jusqu'à un certain point.

— Ce que vous avez fait. Vous avez reconstitué et déduit.

Il humecta sa lèvre inférieure, le souffle difficile et incertain.

— Voulez-vous savoir ce que je vois ?

— Oui.

— Il s'était écoulé beaucoup de temps depuis son premier contact avec elle, commença-t-il. Mais elle n'avait aucune conscience de son existence, je veux dire en tant qu'individu. Pourtant, peut-être l'avait-elle aperçu quelque part un jour – peut-être son regard l'avait-il croisé sans toutefois qu'elle ait la moindre idée de son identité. Sa frustration, son comportement obsessionnel ont fini par le pousser jusque devant la porte de Beryl. Soudain, quelque chose a déclenché le reste, a provoqué chez lui un besoin irrépressible de l'affronter.

— Quoi ? Quel a été le déclic ?

— Je l'ignore.

— Que ressentait-il lorsqu'il a décidé de s'en prendre à elle ?

Hunt ferma les yeux.

— De la colère. Tant de colère générée par son incapacité à faire marcher les choses comme il le souhaitait.

— La rage parce qu'il ne pouvait pas établir de vraie relation avec Beryl ?

Les paupières toujours serrées, Hunt secoua la tête avec lenteur.

— Non. Ou alors, peut-être était-ce ce qui affleurait à la surface, mais les racines de sa colère étaient bien plus profondes. Depuis le début, rien n'avait jamais fonctionné comme il le voulait.

— Depuis son enfance ?

— Oui.

— A-t-il été abusé ?

— Émotionnellement, oui.

— Par qui ?

— Sa mère, répondit-il sans ouvrir les yeux. Quand il a assassiné Beryl, c'est sa mère qu'il a tuée.

— Avez-vous étudié des ouvrages de psychiatrie légale, Al ? Lisez-vous ce genre de choses ?

Il ouvrit les yeux, me regarda comme s'il n'avait rien entendu, puis continua, la voix tendue par l'émotion :

— Il faut que vous compreniez... Il a tant imaginé ce moment. Il ne s'agissait pas d'un geste impulsif, je veux dire... qu'il ne s'est pas précipité chez elle, comme cela, sans préméditation. Le moment précis est peut-être le résultat d'une pulsion soudaine, mais sa méthode avait été mise au point avec grand soin, dans le plus petit détail. Il ne pouvait pas se permettre d'éveiller son inquiétude, qu'elle lui refuse l'entrée de sa maison. Parce qu'elle aurait alors appelé la police, aurait fourni une description physique de lui. Et même s'il n'était pas appréhendé, son masque tombait. Son plan avortait, jamais plus il ne parviendrait à l'approcher. Il avait mis au point un stratagème qui ne pouvait pas échouer, quelque chose qui n'éveillerait pas les soupçons de

Beryl. Lorsqu'il s'est présenté chez elle ce soir-là, il inspirait confiance et elle l'a laissé entrer.

J'imaginais l'homme dans le hall de Beryl, sans parvenir à distinguer son visage ou la couleur de ses cheveux, juste une silhouette floue teintée de l'éclat de la longue lame d'acier. Il se présentait, tenant l'arme qu'il utiliserait pour la tuer.

Hunt continua :

— Et, à ce moment-là, tout s'est détérioré. Il ne se souviendra pas de ce qui est arrivé ensuite. L'effroi, la terreur qui se sont emparés de Beryl lui sont désagréables. Il n'avait pas complètement réfléchi à cette partie du rituel. Lorsqu'elle s'est enfuie, lorsqu'elle a essayé de lui échapper, qu'il a vu la panique dans ses yeux, c'est là qu'il a pleinement pris conscience de son rejet. C'est là qu'il a compris l'horreur de ce qu'il faisait, et son mépris pour lui-même s'est transformé en mépris pour elle. En rage. Il a rapidement perdu tout pouvoir sur Beryl. Finalement, il a été ravalé au rang de sous-existence, à la forme de vie la plus vile : un tueur, un destructeur, un sauvage déchaîné qui tranchait, déchirait, infligeait la souffrance. Les cris de Beryl, son sang étaient pour lui atroces, et plus il mutilait et saccageait ce fantasme qu'il avait si longtemps adoré, moins il en supportait la vue.

Il leva les yeux sur moi, mais son regard semblait déserté, un gouffre mort. Il demanda, le visage dépourvu de toute émotion :

— Pouvez-vous comprendre cela, docteur Scarpetta ?

— J'écoute, me contentai-je de répondre.

— Il est en chacun de nous.

— Éprouve-t-il du remords, Al ?

— Il est au-delà du remords. Je ne crois pas qu'il soit satisfait de ce qu'il a fait, ou même qu'il le comprenne vraiment. Cette scène a suscité tant d'émotions confuses en lui. Au fond, il refuse la mort de Beryl. Il pense à elle, il revit les contacts qu'il a eus avec elle, il fantasme en se persuadant que leur relation a été la plus profonde de toutes celles qu'il a vécues, parce que c'est à lui qu'elle pensait lorsqu'elle est morte. Il s'agit là de la quintessence de l'intimité, l'ultime, la plus intense qui soit partageable avec l'autre. Il imagine qu'elle continue de penser à lui par-delà la mort. Pourtant, la part de rationalité qu'il est parvenu à préserver est insatisfaite, frustrée. Personne ne peut appartenir complètement à un autre être, et c'est ce qu'il commence à découvrir.

— Que voulez-vous dire ?

— Son acte ne pouvait produire l'effet escompté. Leur intimité ne lui paraît plus si certaine, de même qu'il a toujours douté de la proximité de sa mère. De nouveau, la méfiance l'habite, et maintenant d'autres personnes ont une raison plus légitime que lui d'entretenir une relation avec Beryl.

— Qui cela ?

— La police. Et vous, ajouta-t-il en me fixant.

Un frisson m'électrisa.

— Parce que nous enquêtons sur son meurtre ?

— Oui.

— Parce qu'elle est devenue l'une de nos préoccupations et que notre relation est devenue plus publique que la sienne ?

— Oui.

Je demandai alors :

— Et où tout cela nous mène-t-il ?

— Cary Harper est mort.

— Il a tué Harper ?

— Oui.

— Pourquoi ? insistai-je en allumant une cigarette d'un geste nerveux.

— Ce qu'il a fait à Beryl était un acte d'amour, répondit Hunt. Ce qu'il a infligé à Harper était un concentré de haine. Il est maintenant habité par la haine, et quiconque est lié à Beryl se trouve en danger. Voilà ce que je voulais dire au lieutenant Marino, à la police. Mais je savais que cela ne servirait à rien. Il... ils penseraient juste tous que je suis fêlé.

— Qui est-ce ? Qui a tué Beryl ?

Al Hunt s'avança jusqu'au bord du canapé et passa ses mains sur son visage. Lorsqu'il releva la tête, ses joues étaient marbrées de rouge.

— Jim Jim, chuchota-t-il.

— Jim Jim ? répétai-je, perplexe.

— Je ne sais pas...

Sa voix se brisa lorsqu'il poursuivit :

— ... Je ne cesse d'entendre ce nom dans ma tête, il résonne, résonne...

Je me contraignis à l'immobilité.

— ... J'ai séjourné au Valhalla Hospital... il y a si longtemps.

— Vous travailliez dans le service de psychiatrie criminelle ? intervins-je. Ce Jim Jim était un des patients ?

— Je n'en suis pas sûr, répondit-il tandis qu'un maelström d'émotions assombrissait son regard. J'entends son nom et je vois cet endroit. Ces effroyables souvenirs me reviennent sans relâche, comme si j'étais aspiré par un courant. C'était il y a si longtemps. Tant de choses se sont diluées. Jim Jim. Jim Jim, comme les pistons d'une locomotive, incessants. Le bruit ne s'arrête jamais, j'en ai des migraines.

— Cela remonte à quand ?

— Dix ans, lâcha-t-il, la voix heurtée de sanglots.

À l'époque, Hunt n'avait pas encore vingt ans, il n'était pas possible qu'il ait travaillé sur sa thèse au Valhalla.

— Al, il ne s'agissait pas d'un stage de recherches, n'est-ce pas ? Vous étiez interné là-bas ?

Il couvrit son visage de ses mains et fondit en larmes. Lorsqu'il parvint à se ressaisir un peu, il se mura dans le silence. Choqué, bouleversé au plus profond de lui, il prétexta soudain un rendez-vous en marmonnant et sortit de chez moi comme on fuit. Le chaos des battements de mon cœur me suffoquait. Je me préparai une tasse de café, arpentant la cuisine, tentant d'aligner deux pensées structurées, de déterminer ce que je devais faire maintenant. La sonnerie du téléphone me fit bondir.

— Puis-je parler à Kay Scarpetta, je vous prie ?

— C'est elle-même.

— Je suis John, d'Amtrak. J'ai réussi à retrouver ce que vous cherchiez, madame. Attendez... Sterling Harper avait un billet aller sur le Virginian pour le 27 octobre, avec retour le 31. D'après mes dossiers, elle est bien montée à bord du train, ou du moins quelqu'un qui avait ses billets. Vous voulez les horaires ?

— S'il vous plaît, dis-je, me préparant à les noter. Avez-vous des précisions sur son itinéraire ?

— Départ Fredericksburg, arrivée Baltimore, répondit-il.

Je tentai de joindre Marino, mais il était en patrouille à l'extérieur. Il ne me rappela qu'en début de soirée, pour m'apprendre une effroyable nouvelle.

— Vous voulez que je vienne ? demandai-je, abasourdie.

— J'vois pas à quoi ça pourrait servir, lâcha-t-il à l'autre bout du fil. Y a pas de doute sur ce qu'il a fait. Il a écrit un mot qu'il a épinglé à son caleçon. Il dit qu'il est désolé, mais qu'il en peut plus. C'est à peu près tout ce que je peux vous en dire, y a rien de suspect sur les lieux. On va pas tarder à rentrer, et le Doc Coleman est là, ajouta-t-il en faisant allusion à l'un de mes légistes locaux.

Peu après avoir quitté mon domicile, Al Hunt avait réintégré le sien, une maison en brique de style colonial dans Ginter Park, où il vivait avec ses parents. Il avait emprunté un crayon et un bloc dans le bureau de son père, puis descendu les marches menant au sous-sol. Là, il avait ôté son étroite ceinture de cuir noir, abandonné ses chaussures et son pantalon par terre. Lorsque sa mère était descendue un peu plus tard afin de lancer une machine à laver, elle avait trouvé son fils unique pendu à une canalisation dans la buanderie.

11

Une pluie de verglas tomba après minuit, et le lendemain matin le monde semblait recouvert de gel. Je passai le samedi chez moi. La conversation que j'avais eue avec Al Hunt troublait ma solitude, ne cessant de tourner et retourner dans mon esprit. Parfois de petites stalactites de glace se détachaient du toit et s'écrasaient au sol, juste sous mes fenêtres. Je me sentais coupable. Comme quiconque ayant un jour côtoyé un suicide, je ne parvenais pas à me défaire du sentiment trompeur que j'aurais pu tenter quelque chose pour l'empêcher.

J'ajoutai Al Hunt à la liste, comme anesthésiée. Quatre personnes étaient mortes. Seuls deux des décès étaient des homicides violents et flagrants, pourtant, d'une façon ou d'une autre, tous étaient reliés. Quel était ce lien ? Ce mystérieux fil orange vif ?

Je travaillai chez moi samedi et dimanche, consciente que mon bureau en ville me rappellerait à quel point je me sentais dépouillée de toute responsabilité. Au demeurant, je n'éprouvais plus non plus le sentiment d'avoir une quelconque utilité là-bas. Le travail s'accomplissait sans moi. Les gens requéraient mon aide, puis ils mouraient. Des collègues respectés, comme l'attorney général, me posaient des questions, et j'étais dans l'incapacité de leur fournir des réponses. Je n'avais rien à leur offrir.

Je contre-attaquai, usant de la seule piètre défense à ma portée : rester vissée devant mon ordinateur. Je saisis mes notes concernant les différentes affaires et consultai maints ouvrages de référence. Et je passai aussi une multitude de coups de téléphone.

Je ne revis Marino que le lundi matin, à la gare de Staples Mill Road où nous nous étions donné rendez-vous. Nous remontâmes le quai entre deux trains à l'arrêt. Leurs motrices réchauffaient l'air cinglant de la nuit, l'empuantissant de relents d'huile. Après avoir trouvé des places assises à l'arrière de notre train, nous reprîmes la conversation que nous avions entamée dans la gare.

Je déposai avec soin par terre le sac de courses que je transportais et, faisant allusion au psychiatre d'Al Hunt, je remarquai :

— Le Dr Masterson ne s'est pas montré très prolixe. Mais je le soupçonne d'avoir conservé un souvenir beaucoup plus précis de son patient qu'il ne le prétend.

Pourquoi fallait-il que je tombe systématiquement sur un siège dont le repose-pieds était bloqué ?

Marino tira le sien, qui fonctionnait à merveille, tout en bâillant à s'en décrocher la mâchoire. Il ne me proposa pas d'échanger nos places, ce que j'aurais volontiers accepté, y eût-il songé.

— Donc Hunt devait avoir dix-huit ou dix-neuf ans quand on l'a bouclé chez les dingues.

— À peu près. Il était traité pour une sévère dépression.

— Ouais, ben ça, je m'en serais douté.

— Que voulez-vous dire par là ?

— Ce genre de mec est toujours déprimé.

— Et quel est son *genre,* Marino ?

— Disons que quand je lui ai causé, le mot « pédé » m'a traversé l'esprit, et pas qu'une fois.

C'était, au demeurant, le cas à chaque fois que Marino parlait à quelqu'un de différent : le qualificatif de « pédé » s'imposait aussitôt à lui.

Le train s'ébranla en souplesse, glissant en silence, comme un bateau quittant son appontement.

— C'est dommage que vous ayez pas enregistré la conversation, continua-t-il en bâillant de nouveau.

— Avec le Dr Masterson ?

— Non, celle avec Hunt, quand il a débarqué dans votre baraque.

— Dommage ? Je n'en suis pas certaine, de toute façon c'est sans importance, répondis-je avec gêne.

— J'sais pas. J'ai l'impression que le fêlé en savait beaucoup. Bordel, j'aurais bien aimé qu'y se pende un peu moins vite.

Les déclarations auxquelles s'était laissé aller Hunt dans mon salon auraient pris une importance bien plus considérable s'il avait été encore en vie et s'il n'avait pas été bardé d'alibis. La police avait fouillé de fond en comble la maison de ses parents sans rien dénicher qui puisse lier Hunt aux meurtres de Beryl Madison ou Cary Harper. Mieux encore, le jeune homme dînait en compagnie de ses parents à leur *country club* le soir de la mort de Beryl, et il assistait avec eux à une représentation à l'Opéra lorsque Harper avait été assassiné. Les alibis avaient été vérifiés, les parents d'Hunt ne mentaient pas.

Nous étions ballottés par les cahots du train qui fonçait vers le nord, sa locomotive laissant parfois échapper des sifflements sinistres. Marino continuait :

— Ce truc avec Beryl, ça l'a fait basculer. Si vous voulez mon avis, il s'identifiait tellement à son assassin qu'il a craqué, il s'est retiré de la circulation, foutu en l'air avant de péter les plombs vraiment grave.

— Selon moi, il est plus plausible que Beryl ait rouvert la vieille blessure, rétorquai-je, elle lui a rappelé sa propre incapacité à établir des relations.

— On dirait bien que le tueur et lui sont de la même étoffe. Des mecs incapables d'avoir des relations avec les femmes, et tous les deux des perdants.

— Hunt n'était pas un violent.

— Ouais, mais peut-être bien qu'il sentait que ça venait et qu'il a pas pu le supporter.

Je lui rappelai :

— Nous ne savons pas qui a tué Beryl et Harper. Nous ignorons si l'assassin est de la même veine qu'Hunt. Nous n'en savons rien, et nous n'avons toujours pas la moindre idée du motif. Le tueur pourrait tout aussi bien ressembler à Jeb Price ou à quelqu'un surnommé Jim Jim.

— Jim Jim, mon cul, lâcha-t-il, narquois.

— En l'état actuel des choses, je ne crois pas que nous puissions nous permettre d'écarter quelque piste que ce soit, Marino.

— C'est vous qui voyez, moi, ce que j'en dis... Si jamais vous tombez sur un Jim Jim diplômé du Valhalla Hospital, qui se la joue terroriste à temps partiel et qui se trimbale avec des fibres d'acrylique orange sur lui, faites-moi signe !

Il se rencogna confortablement sur son siège et ferma les yeux en marmonnant :

— J'ai besoin de vacances.

— Moi aussi. De vacances loin de vous, rétorquai-je.

La veille au soir, Benton Wesley m'avait appelée pour discuter d'Hunt, et j'avais mentionné mon projet de déplacement et ce que j'espérais en tirer. Des visions de terroristes, d'Uzis et de Glaser s'étaient aussitôt imposées à lui et il était devenu intraitable : il n'était pas prudent que je parte seule. Il avait exigé que Marino m'accompagne, ce qui ne m'aurait pas dérangée si cette expédition ne s'était transformée en véritable calvaire. Le train de 6 h 35 étant bondé, Marino avait réservé sur celui qui partait à 4 h 48. J'étais passée à mon bureau en ville à 3 heures du matin pour prendre la boîte de polystyrène qui se trouvait à présent dans le sac posé à mes pieds. Mon déficit de sommeil explosait, se vengeant sur mon corps. Que tous les Jeb Price de ce monde se rassurent. S'ils ne parvenaient pas à m'occire, mon ange gardien Marino s'en chargerait pour eux.

Les autres passagers somnolaient, leurs plafonniers éteints. Le train traversa bientôt en grinçant le centre d'Ashland, et je songeais aux gens qui vivaient là, derrière les pimpantes façades blanches des maisons de bois bordant la voie. Les fenêtres étaient plongées dans l'obscurité, des mâts dénués de drapeaux nous adressaient des saluts rigides depuis les vérandas. Des devantures endormies défilèrent – une boutique de coiffeur, une papeterie, une banque –, puis le train reprit de la vitesse en abordant le virage qui nous fit longer les bâtiments géorgiens du campus du Randolph-Macon College et son terrain de sport gelé et désert, seulement peuplé à cette heure d'une rangée de chariots d'entraînement multicolores qu'éclairait la lune. Une fois sortis de la ville, nous roulâmes au milieu des bois, entre des talus d'argile rouge. Je m'étais confortablement installée sur mon siège, bercée par le rythme du train. Au fur et à mesure que nous nous éloignions de Richmond, je me détendais et finis par sombrer dans le sommeil sans m'en apercevoir.

Mon coma sans rêves se prolongea durant une bonne heure, et lorsque j'ouvris les yeux, une aube bleue filtrait derrière la vitre et nous enjambions Quantico Creek. Des vaguelettes ébouriffaient la surface de l'eau, si semblable à de l'étain poli qu'elle reflétait la lumière naissante. De petites embarcations étaient déjà sorties. Je pensai à Mark. Je songeai à notre soirée à New York et à des temps révolus. Je n'avais eu aucune nouvelle de lui depuis son dernier message sibyllin sur mon répondeur. Je me demandai ce qu'il devenait, tout en redoutant de l'apprendre.

Marino se redressa, clignant des yeux, toujours endormi. C'était l'heure du petit déjeuner et des cigarettes, pas nécessairement dans cet ordre.

Le wagon-restaurant était à moitié plein de clients plongés dans un semi-coma, semblables à ceux que l'on rencontrait dans n'importe quelle gare routière en Amérique, si familiers des lieux qu'on les aurait crus chez eux. Un jeune homme somnolait, son baladeur vissé sur ses oreilles, une femme fatiguée cramponnait un enfant qui se tortillait dans ses bras et un couple plus âgé jouait aux cartes. Nous nous installâmes dans un coin, à une table déserte, et j'allumai une cigarette tandis que Marino allait nous chercher à manger. Le seul commentaire positif qui me vint à l'esprit à propos du sandwich au jambon et aux œufs sous plastique qu'il rapporta fut qu'au moins il était chaud. Le café était buvable.

Marino déchira d'un coup de dents l'enveloppe de cellophane qui protégeait son sandwich et jeta un œil au sac que j'avais placé à côté de moi. À l'intérieur se trouvait la boîte de polystyrène contenant des échantillons du foie et du contenu gastrique de Sterling Harper, ainsi que des tubes de son sang, conservés sur de la glace carbonique.

— Ça prend combien de temps avant de décongeler, ce truc ? demanda-t-il.

— Ça tiendra assez longtemps, à moins que nous fassions des détours.

— Tant qu'on y est, on en a pas mal devant nous... du temps. Ça vous ennuie pas de me répéter le truc que vous m'avez raconté, sur cette merde de sirop contre la toux ? J'étais à moitié endormi hier soir quand vous bavassiez là-dessus.

— Oui, tout aussi endormi que ce matin, d'ailleurs.

— Pourquoi ? Parce que vous, vous êtes jamais fatiguée, des fois ?

— Marino, je suis tellement exténuée que je ne sais pas si je vais y survivre.

Attrapant son gobelet de café, il assena :

— Ben, vous avez plutôt intérêt, parce que je peux vous assurer que c'est pas moi qui vais aller livrer ces foutus bouts de barbaque.

Je réitérai mes explications, adoptant le débit posé d'une conférence enregistrée :

— L'élément actif présent dans l'antitussif que nous avons trouvé dans la salle de bains de Miss Harper est le dextrométhorphane, un analogue de la codéine. Il s'agit d'une molécule relativement bénigne, à moins d'en ingérer une dose colossale. Dans le cas qui nous occupe, nous avions affaire à l'isomère *d* – la forme dextrogyre – d'un composé dont le nom ne vous dira rien...

— Ah ouais ? Et comment que vous savez que ça me dira rien ?

— Le 3-méthoxy-N-méthylmorphinane.

— Vous aviez raison, ça me dit foutre rien.

Je continuai :

— Une autre molécule est l'isomère *l*, la forme lévogyre du même composé. Il s'agit du lévométhorphane, un narcotique cinq fois plus puissant que la morphine. Il n'existe qu'une seule différence structurelle entre les deux permettant de les discriminer à l'analyse. Lorsqu'on les examine à l'aide d'une technique de rotation de la lumière, grâce à un appareil baptisé polarimètre, le dextrométhorphane dévie la lumière sur la droite, tandis que le lévométhorphane la fait pivoter vers la gauche.

— En d'autres termes, sans ce bidule vous ne pouvez pas faire la différence entre les deux, conclut Marino.

— Pas lors des examens toxicologiques de routine. Le lévométhorphane semble similaire au dextrométhorphane car leur composition chimique est identique. La seule différence discernable, c'est que les deux isomères renvoient la lumière dans des directions opposées. C'est un peu comme notre sucre de table, le saccharose. Il dévie la lumière à droite, parce qu'il est composé d'un dextroglucose et d'un dextrofructose. Mais quand une enzyme le coupe, le fructose se transforme en lévofructose, lequel fait alors basculer la lumière vers la gauche.

— J'suis pas sûr de comprendre, dit Marino en se frottant les yeux. Comment que des composés peuvent être les mêmes, mais différents ?

— Vous n'avez qu'à considérer le dextrométhorphane et le lévométhorphane comme des jumeaux. Ce ne sont pas les mêmes individus, mais ils ont la même apparence – sauf que l'un d'eux est droitier et l'autre gaucher. Il y en a un qui est inoffensif, et l'autre assez agressif pour tuer. Vous voyez mieux ?

— Ouais, je crois. Et combien est-ce qu'il faudrait de ce truc, le lévométhorphane, pour que Miss Harper se zigouille ?

— Trente milligrammes devraient suffire. En d'autres termes, quinze comprimés de deux milligrammes.

— Et alors qu'est-ce qui se passerait si c'était le cas ?

— Elle aurait très vite sombré dans une profonde narcose, puis elle serait morte.

— Vous croyez qu'elle connaissait ce truc d'isomères ?

— C'est possible. Nous savons qu'elle était atteinte d'un cancer, et nous la soupçonnons d'avoir voulu dissimuler son suicide, ce qui explique peut-être le plastique fondu dans la cheminée et les cendres de ce qu'elle a brûlé avant de mourir, quoi que cela ait pu être. Il est possible qu'elle ait délibérément abandonné en évidence la bouteille de sirop antitussif pour nous égarer. Sachant qu'elle avait ingéré ce médicament, je ne me serais pas étonnée de découvrir du dextrométhorphane dans ses analyses toxicologiques.

Miss Harper n'avait plus de parents en vie, très peu d'amis – peut-être même aucun –, et je n'avais pas eu l'impression qu'elle était une grande voyageuse. Après avoir découvert son récent déplacement à Baltimore, la première chose qui m'était venue à l'esprit était le Johns Hopkins Hospital, lequel héberge un des plus prestigieux départements d'oncologie de la planète. Quelques coups de téléphone avaient suffi à confirmer que Miss Harper effectuait des visites régulières au Johns Hopkins pour y subir d'exhaustifs bilans de sang et de moelle épinière, un suivi médical préconisé pour une maladie qu'elle avait de toute évidence dissimulée du mieux possible. Lorsque j'avais eu connaissance de ces informations, les pièces du puzzle s'étaient subitement mises en place. Les labos de mon bâtiment ne disposaient pas de polarimètre ou de quelque autre moyen de rechercher le lévométhorphane. Le Dr Ismail, du Johns Hopkins, m'avait offert son aide si je lui fournissais les échantillons nécessaires.

Il n'était pas tout à fait 7 heures et nous approchions

de Washington. Des bois et des marécages défilèrent, pour céder soudain place à la ville. L'éclair blanc du Jefferson Memorial profita d'une trouée d'arbres pour s'imposer l'espace d'un instant. Les hautes tours de bureaux étaient si proches des rails que je distinguai des plantes vertes et des abat-jour à travers des baies vitrées étincelantes. Enfin, le train plongea sous terre telle une gigantesque taupe, se frayant un chemin aveugle sous le Mall.

Nous trouvâmes le Dr Ismail dans le laboratoire de pharmacologie du département de cancérologie. J'ouvris mon sac et déposai sur son bureau la petite boîte en polystyrène.

— Ce sont les échantillons dont nous avons parlé ? demanda-t-il avec un sourire.

— Oui. Ils doivent être encore congelés. Nous sommes venus directement de la gare.

— Si les concentrations sont bonnes, je peux avoir une réponse dans un jour ou deux.

Marino jeta un coup d'œil circulaire dans le laboratoire, une assez bonne décalcomanie de tous les laboratoires que j'avais connus, puis demanda :

— Qu'est-ce que vous allez faire exactement avec ces trucs ?

— C'est très simple, répondit le Dr Ismail d'un ton patient. Je vais d'abord préparer un extrait de l'échantillon gastrique. Il s'agit de la partie la plus longue et la plus laborieuse de l'analyse. Ensuite je placerai cet extrait dans le polarimètre. L'appareil ressemble assez à un télescope, mais il est doté de lentilles rotatoires. L'analyse est rendue possible grâce au pivotement des lentilles en question vers la gauche ou vers la droite. Il suffit alors de coller l'œil contre l'objectif. Si nous sommes en présence de dextrométhorphane, la molécule déviera la lumière sur la droite, ce qui signifie que l'intensité lumineuse que je percevrai augmentera lorsque j'obliquerai les lentilles dans cette direction. Si c'est le contraire, c'est que l'extrait contient du lévométhorphane.

Il nous expliqua ensuite que le lévométhorphane est un antalgique extrêmement efficace prescrit presque exclusivement à des malades en phase terminale. Le médicament ayant été mis au point au Johns Hopkins, il conservait une liste de tous les patients auxquels il avait été distribué. Le but de ce suivi était de parvenir à une évaluation thérapeutique. Coup de chance pour nous, il avait gardé le dossier résumant tous les traitements suivis par Miss Harper.

— Elle venait tous les deux mois pour effectuer ses bilans sanguins et de moelle épinière. À chaque visite, nous lui fournissions une réserve d'environ deux cent cinquante comprimés dosés à deux milligrammes, expliqua le Dr Ismail.

Il ouvrit un épais registre dont il lissa les pages.

— Voyons... Son dernier passage à l'hôpital remonte au 28 octobre. Il aurait dû lui rester au moins soixante-quinze, si ce n'est une centaine de comprimés.

— Nous ne les avons pas trouvés, dis-je.

Il leva vers nous des yeux sombres emplis de tristesse.

— Quel dommage ! Elle s'en tirait tellement bien. C'était une si jolie femme, délicieuse, et j'étais toujours ravi de les voir, elle et sa fille.

Il y eut un silence interloqué, puis je m'enquis :

— Sa fille ?

— Enfin, je le suppose. Une jeune femme blonde...

Marino l'interrompit :

— Elle était avec Miss Harper, la dernière fois, le dernier week-end d'octobre ?

Le Dr Ismail fronça les sourcils avant de répondre :

— Non... je n'ai pas l'impression. Miss Harper était seule, si je me souviens bien.

— Depuis combien d'années votre patiente suivait-elle son traitement ? demandai-je.

— Oh, il faudrait que je consulte son dossier, mais je sais que cela fait au moins deux ans.

— La jeune femme blonde, sa fille, l'accompagnait-elle à chaque fois ?

— Pas systématiquement au début, mais l'année dernière elle était présente à chaque visite de Miss Harper, excepté la dernière en octobre, et peut-être l'avant-dernière. Son dévouement m'avait impressionné. Lorsqu'on est aussi malade, ma foi... c'est précieux d'être soutenu par sa famille.

— Où c'est qu'elle logeait quand elle venait à Washington ? demanda Marino en serrant les mâchoires.

— La plupart de nos patients descendent dans des hôtels assez proches de l'hôpital, mais Miss Harper aimait bien le port.

La tension et le manque de sommeil ralentissaient mes réactions.

— Vous savez pas quel hôtel ? insista Marino.

— Non, je n'en ai aucune idée...

Soudain, des fragments de mots tapés à la machine sur des cendres translucides s'inscrivirent dans mon esprit et j'interrompis les deux hommes :

— J'aimerais consulter votre annuaire téléphonique, s'il vous plaît.

Un quart d'heure plus tard, Marino et moi guettions

un taxi sur le trottoir. Le soleil brillait, mais le froid était piquant.

— Bordel, répéta-t-il à nouveau, j'espère que vous vous plantez pas.

— Nous n'allons pas tarder à le savoir, répliquai-je d'une voix tendue.

J'avais trouvé dans les pages jaunes de l'annuaire un hôtel du nom d'Harbor Court. *Bor Co, bor C.* Les minuscules lettres noires ratatinées sur les cendres de papier carbonisé dansaient devant mes yeux. L'hôtel était un des plus luxueux de la ville, situé juste en face d'Harbor Place.

— J'vais vous dire ce que je pige pas, continua Marino tandis qu'un autre taxi nous passait sous le nez. Pourquoi se donner tant de mal ? D'accord, Miss Harper se suicide, mais pourquoi tant de mystère ? Ça vous paraît logique, vous ?

— C'était une femme fière. Sans doute le suicide était-il un acte honteux à ses yeux. Peut-être espérait-elle que nul ne le découvrirait jamais, et elle a très bien pu décider d'en finir alors que je me trouvais chez elle.

— Pourquoi ça ?

— Sans doute redoutait-elle que l'on ne découvre son corps qu'une semaine plus tard.

La circulation était effroyable, et je commençais à me demander si nous n'allions pas être obligés de marcher jusqu'au port.

— Et vous croyez vraiment qu'elle était au courant pour ce machin avec les isomères ?

— J'en suis convaincue.

— Pourquoi ?

— Parce qu'elle voulait mourir dans la dignité, Marino. Il est possible qu'elle ait de tout temps prémédité son suicide, dans l'éventualité où sa leucémie s'aggraverait. Sans doute ne voulait-elle ni souffrir ni blesser les autres plus longtemps. Le choix du lévométhorphane était idéal. Pourvu que l'on découvre chez elle un antitussif contenant du dextrométhorphane, il y avait fort à parier qu'on ne l'aurait jamais détecté.

— Bordel, vous croyez ? s'émerveilla-t-il à l'instant où, Dieu merci, un taxi émergea des embouteillages et se dirigea vers nous. Ça m'en bouche un coin. Vraiment, vous savez.

— C'est tragique.

— J'sais pas trop, dit-il en pelant l'enveloppe d'un chewing-gum qu'il enfourna pour le mastiquer avec vigueur. Moi, j'aimerais pas me retrouver attaché à un lit d'hôpital avec plein de tubes dans le nez. Peut-être que j'aurais pensé comme elle.

— Ce n'est pas à cause de son cancer qu'elle s'est tuée.

— Je sais bien, répliqua-t-il tandis que nous nous risquions à descendre du trottoir. Mais c'est quand même en rapport, c'est forcé. Elle en a plus pour longtemps à vivre. Ensuite, Beryl se fait buter. Et puis c'est au tour de son frère. Pourquoi qu'elle aurait voulu s'éterniser ici ? conclut-il en haussant les épaules.

Nous grimpâmes dans le taxi et je donnai l'adresse au chauffeur. Dix minutes s'écoulèrent en silence, puis la voiture s'arrêta presque, avant de se faufiler sous un porche étroit qui menait à une cour pavée de briques et ornée d'éclatantes plates-bandes de choux ornementaux et d'arbustes. Un portier en redingote et haut-de-forme jaillit à ma portière, puis nous escorta à l'intérieur d'un hall rose et crème inondé de lumière. Tout était neuf, propre et rutilant, égayé de bouquets de fleurs fraîches trônant sur de très jolis meubles. Un personnel zélé et tiré à quatre épingles s'empressait de devancer les moindres désirs des clients sans toutefois devenir importun.

On nous conduisit jusqu'à un bureau installé avec goût. Le directeur, un homme soigné, discutait au téléphone. T. M. Bland, si l'on en croyait ce qu'indiquait la plaque de cuivre posée sur sa table de travail, leva les yeux et mit un terme rapide à sa conversation. Marino lui expliqua sans détour l'objet de notre visite.

— La liste de nos clients est confidentielle, répondit Mr Bland avec un sourire affable.

Marino s'affaissa dans un siège de cuir sans y être invité, alluma une cigarette malgré le panonceau « Merci de ne pas fumer » accroché bien en évidence au mur, puis sortit son portefeuille et montra son badge.

— Mon nom, c'est Pete Marino, annonça-t-il d'un ton laconique. De la brigade criminelle de la police de Richmond. Et là, c'est le Dr Kay Scarpetta, médecin expert général de Virginie. Monsieur Bland, on comprend tout à fait votre souci de confidentialité, et c'est tout à l'honneur de votre établissement. Mais, voyez-vous, Sterling Harper est morte. Son frère Cary Harper est mort et Beryl Madison est morte, également. Ces deux derniers ont été assassinés. On sait pas encore trop ce qui est arrivé à Miss Harper, et c'est la raison de notre venue.

— Je lis les journaux, lieutenant Marino, dit Mr Bland, dont l'assurance commençait à vaciller. Bien évidemment, l'hôtel est prêt à coopérer avec la police de toutes les façons possibles.

— Ils étaient clients de l'hôtel ?

— Cary Harper n'est jamais descendu ici.

— Mais sa sœur et Beryl Madison, oui ?

— C'est exact.

— Combien de fois, et à quand remonte leur dernière visite ?

— Je dois sortir le compte de Miss Harper pour pouvoir vous répondre. Excusez-moi un instant, je vous prie.

Mr Bland nous abandonna moins d'un quart d'heure. Lorsqu'il revint, il nous tendit un imprimé informatique avant de se rasseoir.

— Ainsi que vous pouvez le constater, Miss Harper et Beryl Madison sont descendues chez nous à six reprises au cours des dix-huit derniers mois.

Je réfléchis à haute voix en parcourant les dates portées sur la liste :

— À peu près tous les deux mois, à l'exception de la dernière semaine d'août et des derniers jours d'octobre, où il semble que seule Miss Harper ait réservé.

Il acquiesça d'un hochement de tête.

— Pourquoi qu'elles venaient ? demanda Marino.

— Pour leurs affaires, je suppose... Ou alors le shopping, ou bien simplement un petit voyage de détente. En réalité, je ne saurais être catégorique. Il n'est pas dans les habitudes de l'hôtel de surveiller ses hôtes.

— Ouais. Ben, il est pas non plus dans mes habitudes de me préoccuper de ce que fabriquent vos clients, à moins de me les récupérer morts, rétorqua Marino. Alors racontez-moi ce que vous avez remarqué à leur sujet.

Le sourire de Mr Bland s'évanouit. Il ramassa avec nervosité un stylo-bille en or posé sur un bloc, puis parut s'interroger sur l'utilité d'un tel geste. Il fourra le stylo dans la poche de poitrine de sa chemise rose amidonnée et s'éclaircit la gorge.

— Je ne peux vous faire part que de ce que j'ai observé.

— Ça me va, l'encouragea Marino.

— Les deux femmes prenaient des dispositions différentes pour leur séjour. D'habitude, Miss Harper arrivait un jour plus tôt que Beryl Madison, et souvent elles ne quittaient pas l'hôtel au même moment, ni même... enfin... ensemble.

— Que voulez-vous dire par « elles ne *quittaient* pas l'hôtel au même moment » ?

— Je veux dire qu'elles pouvaient partir le même jour, mais pas nécessairement à la même heure, et qu'elles ne choisissaient pas toujours le même moyen de transport... pas le même taxi, par exemple.

— Se faisaient-elles conduire toutes les deux à la gare ? demandai-je.

— Il me semble que Miss Madison louait fréquemment une limousine jusqu'à l'aéroport, répondit-il. En revanche... Miss Harper, oui, je crois qu'elle prenait le train.

— Et concernant les chambres ? demandai-je en étudiant le listing.

— Ouais, sur ce truc ça dit rien de leur chambre, intervint Marino en tapotant le papier de son index. Elles prenaient une double ou une simple ? Vous voyez, un lit ou deux ?

Le sous-entendu fit monter le rouge aux joues de Mr Bland. Il répondit :

— Elles réservaient toujours une chambre double, avec vue sur la baie. Lieutenant Marino... elles étaient les invitées de l'hôtel, si vous avez vraiment besoin de connaître ce détail. Je vous prierai de ne pas l'ébruiter.

— Hé, vous trouvez que j'ai l'air d'un foutu journaliste ?

— Vous voulez dire qu'elles résidaient dans cet hôtel gracieusement ? insistai-je, en pleine incompréhension.

— Oui, madame.

— Ça vous ennuierait de nous expliquer ? dit Marino.

— C'était le vœu de Joseph McTigue, répondit Mr Bland.

Je me penchai vers lui, le fixant.

— Je vous demande pardon ? L'entrepreneur de Richmond ? Vous parlez bien de ce Joseph McTigue-là ?

— Feu Mr McTigue était un des promoteurs de la plus grande partie du front de mer, et ses avoirs incluent des intérêts substantiels dans cet hôtel. Il souhaitait que nous recevions Miss Harper le mieux possible, et nous avons continué à respecter son désir après son décès.

Quelques minutes plus tard, je glissai un billet d'un dollar au portier et montai à la suite de Marino dans un taxi.

— Ça vous embêterait pas de me dire qui est ce foutu Joseph McTigue ? demanda Marino tandis que la voiture démarrait. J'ai comme l'impression que vous le savez.

— J'ai rendu visite à sa veuve, aux Chamberlayne Gardens, à Richmond. Je vous l'ai raconté.

— Bordel de merde !

— Oui, j'avoue que cela m'en a aussi bouché un coin, acquiesçai-je.

— Et vous en déduisez quoi, bon sang ?

Je l'ignorais, mais des soupçons commençaient à se former dans mon esprit. Il continua :

— Moi, ça me paraît vachement bizarre. Pour commencer, l'histoire de Miss Harper qui prenait le train pendant que Beryl voyageait en avion, alors qu'elles allaient toutes les deux au même endroit.

— Ce n'est pas si inconcevable que ça. Réfléchissez : elles ne pouvaient pas voyager ensemble, Marino. Ni l'une ni l'autre n'auraient pris ce risque. Souvenez-vous qu'elles étaient censées ne plus se fréquenter. Si Cary Harper avait l'habitude de venir chercher sa sœur à la gare et qu'elles aient voyagé ensemble, Beryl n'aurait pas pu se volatiliser sans qu'il l'aperçoive.

Je m'interrompis tandis qu'une autre idée me venait :

— Et puis, peut-être Miss Harper aidait-elle Beryl pour la rédaction de son livre, en lui fournissant des informations sur la famille Harper.

Marino regardait par la vitre du taxi.

— Si vous voulez mon avis, je crois que c'étaient des lesbiennes planquées, déclara-t-il.

Le rétroviseur me renvoya le regard intéressé du chauffeur.

— Je pense qu'elles s'aimaient, rectifiai-je avec simplicité.

— Peut-être bien que ces deux-là avaient une petite liaison, qu'elles se voyaient tous les deux mois ici, à Baltimore, où personne les connaissait ou faisait attention à elles. Vous savez, insista-t-il, c'est peut-être pour ça que Beryl a décidé de se tirer à Key West. Si c'était une goudou, y avait pas de meilleur endroit !

— Vous avez l'homophobie chevillée au corps, Marino, et vous en devenez pénible. Vous devriez faire attention, les gens pourraient finir par se poser des questions à *votre* sujet.

— Ouais, c'est ça, répondit-il sans goûter l'insinuation.

Je demeurai silencieuse et il continua :

— Le truc, c'est que Beryl s'est peut-être trouvé une petite amie là-bas.

— Vous devriez sans doute aller enquêter.

— Ben, voyons ! Il est pas question que je me fasse seulement piquer par un moustique dans la capitale américaine du sida. Et puis papoter avec une bande de tantouzes, c'est pas mon idée d'une partie de plaisir.

— Vous avez demandé à la police de Floride de vérifier ses contacts là-bas ? demandai-je avec sérieux.

— Y en a un ou deux qui m'ont dit qu'ils avaient un peu fouiné. Vous parlez d'une mission de chiottes : ils osaient rien bouffer, ni boire un verre d'eau. Une des pédales du restaurant dont Beryl parlait dans ses lettres est en train de mourir du sida au moment où je vous parle. Les flics étaient obligés de porter des gants tout le temps.

— Pendant les entretiens ?

— Ouais. Et puis des masques aussi – enfin, quand ils ont parlé au type qui est en train de mourir. Ils n'ont rien dégoté d'utile, les infos valaient pas un clou.

— Je m'en doute, commentai-je. Quand on traite les gens comme des pestiférés, ils ne sont pas vraiment disposés à se confier à vous.

— Si vous voulez mon avis, ils feraient mieux de couper carrément cette partie de la Floride et de la laisser dériver dans l'océan.

— Eh bien, fort heureusement personne ne vous a demandé votre avis, Marino.

Lorsque je rentrai chez moi en milieu de soirée, de nombreux messages m'attendaient sur mon répondeur.

J'espérais que Mark m'en aurait laissé un. Assise sur le rebord de mon lit, un verre de vin à la main, j'écoutai sans enthousiasme la litanie des voix qui s'échappaient du haut-parleur.

Bertha, ma femme de ménage, avait la grippe et me prévenait qu'elle ne viendrait pas le lendemain. L'attorney général voulait me rencontrer au petit déjeuner le lendemain matin et m'informait que la succession de Beryl Madison portait plainte à propos du manuscrit disparu. Trois journalistes avaient appelé pour recueillir mon sentiment à ce sujet, et ma mère voulait savoir si je préférais de la dinde ou du jambon pour Noël. Une façon assez peu subtile de me demander si elle pouvait compter sur ma présence au moins une fois cette année.

Je ne reconnus pas la voix qui s'exprima ensuite dans un souffle :

— ... Tu as de si beaux cheveux blonds. Ils sont naturels ou bien tu les décolores, Kay ?

Je rembobinai la bande, puis ouvris comme une folle le tiroir de ma table de chevet.

— ... Ils sont naturels ou bien tu les décolores, Kay ? J'ai laissé un petit cadeau pour toi sur ta véranda, derrière la maison.

Le Ruger à la main, assommée, je rembobinai encore une fois la bande. La voix se réduisait presque à un murmure, très calme et posée. Un homme, un Blanc. Impossible de déceler un accent, de distinguer la moindre émotion dans ses inflexions. L'écho de mes propres pas dans l'escalier m'angoissa et j'allumai la lumière dans chacune des pièces que je traversai. La porte de la cuisine ouvrait sur la véranda à l'arrière. Le cœur battant à se rompre, je me plaçai sur le côté de la baie vitrée qui donnait sur la mangeoire à oiseaux et écartai à peine les rideaux, le canon de mon revolver pointé sur le plafond.

La lumière filtrant de la véranda repoussait les ombres qui envahissaient la pelouse. Elle découpait les silhouettes des arbres peuplant la dense obscurité qui avalait l'extrémité de mon jardin. La terrasse en brique était vide. Je ne distinguai rien, ni sur le sol ni sur les marches. Je refermai les doigts sur le bouton de la porte et demeurai figée, incapable de contrôler les pulsations de mon sang, tandis que je repoussais le verrou pour entrebâiller la porte.

Quelque chose racla le bois du battant de l'autre côté,

produisant un son léger. Lorsque je vis ce qui était enroulé autour de la poignée extérieure, je claquai la porte avec une telle violence que les vitres en tremblèrent.

À son débit incertain, je compris que je tirais Marino du sommeil. Ma voix grimpa d'une octave et je hurlai :

— Venez tout de suite !

— Bougez pas, Doc ! N'ouvrez la porte à personne tant que j'suis pas là. Compris ? J'arrive.

Quatre voitures de police étaient alignées dans la rue devant chez moi. Des agents fouillaient l'obscurité des buissons et des taillis du long pinceau de leurs lampes-torches.

— La brigade cynophile arrive, déclara Marino en posant sa radio portable sur la table de ma cuisine. Je doute que cette enflure soit restée dans les parages, mais on va s'en assurer avant de se casser.

C'était la première fois que je voyais Marino en jeans. N'eussent été les chaussettes de sport blanches, les mocassins à deux sous et le sweat-shirt gris étriqué, il aurait presque fait preuve d'une élégance décontractée. Je préparai un volume de café assez imposant pour satisfaire la moitié du quartier et l'odeur embauma la cuisine. J'éprouvais l'impérieux besoin de faire quelque chose, d'occuper mon esprit.

Marino alluma une cigarette et me demanda :

— Répétez-moi tout ça encore une fois, en plus *cool*.

— J'écoutais les messages de mon répondeur. Le dernier était une voix d'homme jeune, un Blanc. Il faudra vous le repasser. Il disait quelque chose à propos de mes cheveux, il voulait savoir si je me décolorais...

Le regard de Marino remonta de façon agaçante vers mes racines.

— ... Ensuite, il m'a annoncé qu'il avait laissé un cadeau sur ma véranda. Je suis descendue, j'ai regardé par la fenêtre, sans rien voir. Je ne sais pas à quoi je m'attendais, je ne sais vraiment pas. À quelque chose d'affreux dans une boîte enveloppée dans du papier cadeau, je suppose. Lorsque j'ai ouvert la porte, il y a eu un grattement contre le battant. C'était enroulé autour du bouton de la porte.

Au milieu de la table, placée dans une enveloppe à indices transparente, se trouvait une épaisse chaîne en or, à laquelle était suspendu un médaillon de forme inhabituelle, lui aussi en or.

— Vous êtes certain qu'il s'agit du même bijou que celui que portait Harper lorsque vous l'avez rencontré au bar ? demandai-je de nouveau.

— Oh, ouais, affirma Marino, les traits durs, y a aucun doute là-dessus. Pas plus qu'il y a de doute sur l'endroit où l'objet se trouvait depuis ce temps-là. Le cinglé l'a pris sur le corps d'Harper et vous venez de recevoir votre premier petit cadeau de Noël. On dirait que notre ami a le béguin pour vous.

L'impatience me gagna :

— Oh, je vous en prie !

— Hé, je prends tout ça vachement au sérieux, d'accord ?

Il fit glisser l'enveloppe et examina d'un air revêche la chaîne à travers le plastique avant de poursuivre :

— Regardez, le fermoir est tordu, tout comme le petit anneau à l'autre extrémité. Pour moi, il a été cassé quand il l'a arraché du cou d'Harper. Ensuite, il l'a peut-être redressé avec une pince. Merde, il a probablement dû le porter après. Vous avez trouvé des marques dues à la chaîne sur le cou d'Harper ? demanda-t-il en tapotant la cendre de sa cigarette.

— Il ne restait plus grand-chose de son cou, remarquai-je avec lassitude.

— Vous avez déjà vu un médaillon comme ça ?

— Non.

Cela ressemblait à un blason en or dix-huit carats, sans aucune gravure dessus, à l'exception d'une date inscrite au revers, 1906.

— Si j'en crois les quatre poinçons, il doit être d'origine anglaise. Les poinçons sont un code universel qui indique la date, le lieu et l'auteur de la pièce. Un bijoutier pourrait les interpréter. Je sais que ce n'est pas italien...

— Doc...

— Sinon il y aurait un 750 gravé pour de l'or dix-huit carats, un 500 pour l'équivalent en quatorze carats...

— *Doc...*

— J'ai un consultant en bijouterie chez Schwarzschild...

— Hé, brailla Marino, on s'en tape, d'accord ?

L'hystérie me gagnait et je jacassais comme une vieille femme qui aurait perdu la tête.

— C'est pas l'arbre généalogique de merde de celui à qui ce médaillon a appartenu qui nous apprendra le plus important : le nom de l'enfoiré qui l'a suspendu à votre porte. (Son regard se radoucit et il baissa la voix.) Qu'est-ce que vous buvez dans cette taule ? Du cognac. Vous avez bien du cognac ?

— Vous êtes en service.

— C'est pas pour moi, pouffa-t-il, c'est pour vous ! Allez vous servir ça de cognac, dit-il en écartant le pouce et l'index de cinq bons centimètres. Ensuite, on pourra causer.

Je me servis au bar et revins avec un petit verre. La brûlure de l'alcool me ravagea la gorge, mais une chaleur bienvenue irradia aussitôt dans mes veines. Les frissons qui me gelaient à l'intérieur cessèrent, les tremblements incontrôlables s'amenuisèrent. Le regard insistant et bizarre de Marino, son attention me firent prendre conscience de mon allure. Je portais le même tailleur froissé qu'au retour de Baltimore. Mon collant me sciait la taille et bâillait à hauteur de mes genoux. D'un seul coup, je fus prise d'une envie frénétique de me débarbouiller le visage et de me brosser les dents. Mon crâne me démangeait. Je devais avoir une tête effroyable.

— Ce type fait pas dans la dentelle question menaces, déclara Marino d'un ton presque doux, tandis que je dégustais mon cognac à petites gorgées.

— Il essaie sans doute de me déstabiliser parce que je suis mêlée à l'affaire. Il se moque de moi. Les psychopathes narguent souvent les enquêteurs. Ils leur envoient même des petits souvenirs.

Je n'y croyais pas moi-même et j'étais convaincue que Marino ne goberait pas ce genre d'explications.

— J'vais maintenir une ou deux unités sur le terrain. On va surveiller votre maison. Et puis faut que je vous explique une ou deux règles et vous allez les appliquer à la lettre. Pas question de rigoler avec ça, ponctua-t-il en me regardant droit dans les yeux. D'abord, je veux que vous chambardiez le plus possible toutes vos petites habitudes. Par exemple, si vous allez faire vos courses le vendredi après-midi, eh ben, la prochaine fois, vous choisissez le mercredi, et vous faites vos achats dans un autre magasin. Ne mettez jamais un pied en dehors de votre maison ou de votre voiture sans avoir jeté un bon coup d'œil autour de vous. Si quoi que ce soit attire votre attention, genre une caisse bizarre garée dans votre rue ou les traces du passage de quelqu'un chez vous, genre des empreintes de pas dans le jardin, vous vous tirez de là, ou vous vous enfermez à clé, et vous appelez la police. Quand vous rentrez dans votre baraque, si vous sentez quoi que ce soit – genre un frisson dans le dos, une appréhension, quoi –, vous vous cassez séance tenante, vous trouvez un téléphone. Vous appelez les collègues, vous demandez qu'un agent vous accompagne à l'intérieur et vérifie les lieux.

— J'ai un système d'alarme.

— Ouais, comme Beryl.

— Mais elle a laissé entrer ce salopard.

— Ben, vous, vous laissez entrer personne, sauf si vous êtes sûre et certaine de qui c'est.

— Vous ne croyez quand même pas qu'il va déconnecter mon alarme, n'est-ce pas ? insistai-je.

— Tout est possible.

Wesley avait dit la même chose.

— Vous quittez pas votre bureau après la tombée de la nuit ou quand y a plus personne dans les locaux. Même chose le matin. Si vous avez l'habitude d'arriver tôt, quand il fait pas encore jour, et que le parking est vide, eh ben, vous changez, allez-y un plus tard. Gardez votre répondeur toujours branché. Enregistrez tout. Si y a un nouvel appel, vous me prévenez tout de suite. Encore un ou deux comme ça, et on mettra votre ligne sur écoute...

Une vague de colère me gagna et je persiflai :

— Comme vous l'avez fait pour Beryl ?

Il ne releva pas.

— Marino, je vous parle ! Moi aussi, on va respecter mes droits lorsque l'infraction sera caractérisée ? Quand il sera beaucoup trop tard pour que cela me serve à quoi que ce soit ?

— Vous voulez que je dorme sur votre canapé ce soir ? demanda-t-il avec calme.

J'appréhendais déjà assez la perspective du lendemain

matin. Imaginer Marino en caleçon, un tee-shirt tendu sur sa bedaine, trottinant pieds nus, à pas feutrés, vers la salle de bains dépassait le supportable. En plus, à tous les coups, il était de la race de ceux qui ne rabattent jamais la lunette des toilettes.

— Merci, je vais m'en sortir.

— Vous avez un permis de port d'arme, non ?

— De détention, mais pas de port.

Il repoussa sa chaise d'un air décidé.

— Dès demain matin, j'aurai une petite conversation avec le juge Reinhard. On vous en procurera un.

Ce fut tout. Il était presque minuit.

Je me retrouvai seule un peu plus tard, incapable de dormir. J'engloutis un nouveau verre de cognac, puis un autre, et demeurai allongée à fixer le plafond dans l'obscurité. Lorsque les événements calamiteux s'accumulent dans votre existence, les gens finissent par supposer que vous les invitez, comme une sorte d'aimant qui attirerait les dysfonctionnements, le malheur ou le danger. Le pire, c'est que je commençais à me poser des questions. Ethridge avait peut-être raison : je m'impliquais abusivement dans les affaires dont j'étais chargée et je courais trop de risques. Ce n'était pas la première fois, loin s'en fallait, que je me retrouvais dans des situations pouvant vite dégénérer en éternel repos.

Je finis par sombrer dans le sommeil et des rêves absurdes se succédèrent. La braise du cigare d'Ethridge creusait un trou dans sa veste. Fielding autopsiait un corps qu'il hérissait d'aiguilles comme une pelote d'épingles, à la recherche d'une artère qui contienne encore une goutte de sang. Marino escaladait une colline abrupte, perché sur une échasse sauteuse, et je savais qu'il allait finir par se casser la figure.

12

Tôt le lendemain matin, immobile dans mon salon plongé dans la pénombre, je scrutai par la baie vitrée les ombres et les formes indistinctes de ma propriété.

Ma Plymouth n'était pas encore rentrée de l'atelier de réparation de l'État. Je contemplai le gigantesque break, me demandant si un homme parviendrait à se glisser dessous sans trop de difficultés pour agripper ma cheville au moment où j'ouvrirais la portière. Il n'aurait pas besoin de m'abattre, une crise cardiaque s'en chargerait. Un peu plus loin, la rue était déserte, seulement éclairée par les lampadaires qui répandaient une lueur économe. Je jetai un œil inquisiteur par l'interstice des doubles rideaux à peine écartés, sans rien découvrir ni entendre qui sorte de l'ordinaire. Mais lorsque Cary Harper était rentré de la Culpeper's Tavern chez lui en voiture, sans doute rien ne lui avait-il semblé sortir de l'ordinaire.

Mon rendez-vous avec l'attorney général pour le petit déjeuner avait lieu dans moins d'une heure. Si je ne trouvais pas le courage nécessaire pour sortir de ma maison et franchir les dix mètres de trottoir me séparant de ma voiture de service, j'allais être en retard. J'inventoriai du regard les massifs d'arbustes et les petits cornouillers qui bordaient ma pelouse, scrutant leurs silhouettes paisibles tandis que le ciel s'éclairait peu à peu. La lune irisée ressemblait à la corolle blanche d'une belle-de-jour et la pelouse s'argentait d'une pellicule de givre.

Comment s'était-il rendu jusqu'à leurs maisons, jusqu'à *ma* maison ? Il devait disposer d'un moyen de transport. Nous n'avions guère réfléchi sur la capacité du tueur à se déplacer. Car le type de véhicule utilisé fait partie intégrante du profilage criminel, tout autant que l'âge et l'appartenance ethnique, et pourtant personne ne s'y était arrêté, pas même Wesley. Je m'interrogeai sur les raisons de cette carence tout en contemplant la rue déserte. Quant à l'attitude sinistre de Wesley à Quantico, elle n'avait cessé de me perturber.

Je fis part de mes préoccupations à Ethridge au cours du petit déjeuner.

— Peut-être Wesley préfère-t-il rester très discret sur certains aspects, suggéra-t-il.

— Il s'est toujours montré très ouvert avec moi par le passé.

— Le Bureau a tendance à être avare d'informations, Kay.

— Mais Wesley est profileur, il a toujours été disposé à partager ses théories et ses opinions. Pourtant, dans ces affaires, il a opté pour un mutisme partiel. Il a à peine ébauché les profils. C'est comme s'il n'était plus le même. Le moins que l'on puisse dire, c'est que son sens de l'humour est en berne, et j'ai l'impression qu'il met un point d'honneur à fuir mon regard. C'est étrange et très déstabilisant, conclus-je sur une profonde inspiration.

— Cette sensation de solitude ne vous lâche pas, n'est-ce pas, Kay ?

— C'est exact, Tom.

— Doit-on ajouter à cela une petite touche de paranoïa ?

— Également, oui.

— Kay, me faites-vous confiance ? Doutez-vous que je sois de votre côté et que je défende vos intérêts ? demanda-t-il.

Je niai de la tête, forçant à nouveau une longue inspiration.

Nous bavardions à voix feutrée dans la salle à manger du Capitol Hotel, lieu de rencontre favori des politiciens et des ploutocrates. À trois tables de nous était installé le très connu sénateur Partin, et je me fis la réflexion qu'il était beaucoup plus ridé que dans mon souvenir. Le visage grave, il discutait avec un jeune homme dont l'allure ne m'était pas inconnue.

Ethridge me couvait d'un regard bienveillant, mais je sentais son inquiétude.

— La plupart d'entre nous éprouvons cette sensation d'isolement, que n'arrange pas la paranoïa, dans les moments stressants. L'impression d'être parachutés seuls au beau milieu de la jungle.

— Je suis seule dans la jungle, rétorquai-je. Il ne s'agit pas d'une vue de l'esprit mais de la réalité.

— Je comprends pourquoi Wesley est soucieux.

— Bien sûr.

— Ce qui m'inquiète, Kay, c'est que vous fondez vos théories sur l'intuition, vous fonctionnez à l'instinct. Ce type d'appréciation peut quelquefois se révéler très dangereux.

— Quelquefois, je n'en doute pas. A *contrario,* lorsque l'on se complaît à compliquer les choses, cela peut aussi virer à la catastrophe. Le meurtre est en général d'une consternante simplicité.

— Pas toujours.

— Presque toujours, Tom.

— Vous ne pensez pas que les machinations de Sparacino aient un rapport avec ces morts ? demanda l'attorney général.

— Je pense qu'il serait bien trop facile de se laisser distraire par ses machinations. Lui et le tueur pourraient n'être que des trains roulant sur des voies parallèles. Ils sont tous les deux dangereux, et même létaux, mais différents, sans aucun lien, et menés par des forces dissemblables.

— Selon vous, le manuscrit disparu ne constitue pas un lien entre les deux ?

— Je ne sais pas.

— Mais avez-vous progressé ?

Sa question me donna l'impression d'être une mauvaise élève, bâclant ses devoirs. J'aurais préféré qu'il s'abstienne de me la poser.

— Non, Tom, admis-je. Je n'ai aucune idée de ce qu'il est devenu.

— Se pourrait-il qu'il s'agisse de ce que Sterling Harper a brûlé dans sa cheminée, juste avant de mourir ?

— Je ne le pense pas. Le spécialiste a examiné les cendres. Il s'agissait de papier chiffon de qualité, épais, correspondant à du très beau papier à lettres ou à celui que les juristes utilisent pour établir les actes officiels. En d'autres termes, il est peu probable que quelqu'un l'ait utilisé comme brouillon d'un ouvrage. Miss Harper a plutôt brûlé des documents personnels, des lettres.

— Des lettres de Beryl Madison ?

— Nous ne pouvons pas écarter cette hypothèse, répondis-je bien qu'elle me parût de moins en moins séduisante.

— Ou de Cary Harper ?

— Nous avons retrouvé pas mal de ses papiers personnels au manoir, sans indication qu'ils aient été triés ou fouillés récemment.

— Pourquoi Miss Harper aurait-elle brûlé des lettres de Beryl Madison ?

— Je l'ignore, répliquai-je, tout en sachant qu'Ethridge pensait à son vieil ennemi Sparacino.

L'individu n'avait pas perdu de temps. J'avais parcouru les trente-trois pages de la plainte déposée contre moi, contre la police, sans oublier le gouverneur. La dernière fois que j'avais contacté Rose, elle m'avait informée que le magazine *People* cherchait à me joindre et que l'un de ses photographes, dépité qu'on lui ait refusé l'entrée au-delà du hall, avait photographié la façade de l'immeuble. Je devenais célèbre. Mais je devenais également experte dans l'art de refuser tout commentaire et de me rendre invisible.

— Vous croyez que nous avons affaire à un psychopathe, n'est-ce pas ? me demanda Ethridge de but en blanc.

En dépit des possibles liens évoqués entre la fameuse fibre acrylique orange et des terroristes, c'était indiscutablement ma conviction et je lui en fis part.

Il s'absorba dans la contemplation de son assiette à peine entamée, et lorsqu'il releva les yeux, je pris son regard comme une gifle, un regard de tristesse et de déception mêlées.

Il hésita, puis se lança, semblait-il à contrecœur :

— Kay, euh... Je ne vois pas très bien comment adoucir l'amère pilule qui va suivre...

J'attrapai un biscuit.

— Mais vous devez l'apprendre. Peu importe ce qui se passera, peu importent les raisons, ou même vos convictions ou vos opinions personnelles. C'est clair, il faut que vous soyez au courant.

Finalement, ce biscuit ne me disait plus rien. En revanche, j'avais besoin d'une cigarette.

— Je bénéficie d'un contact. Il vous suffit de savoir qu'il a accès aux informations du département de la Justice...

— C'est à propos de Sparacino, l'interrompis-je.

— À propos de Mark James.

Je n'aurais pas été plus ahurie si l'attorney général avait proféré une grossièreté bien salée.

— Et quoi donc, à propos de Mark James ?

— Ne devrais-je pas plutôt *vous* poser la question, Kay ?

— Que voulez-vous dire ?

— Vous avez été aperçue à New York en sa compagnie il y a quelques semaines de cela. Chez Gallagher's.

Un silence gêné s'installa. Ethridge toussa, puis ajouta d'une façon qui me parut bien inepte :

— Je n'y ai pas mis les pieds depuis des années...

Je fixai les volutes de fumée qui s'élevaient de ma cigarette.

— ... Si je me souviens bien, les steaks sont excellents...

— Ça suffit, Tom, dis-je doucement.

— L'endroit est souvent bondé d'Irlandais bons vivants, qui lèvent bien le coude et ne dédaignent pas la plaisanterie...

— Bon sang, ça suffit ! m'exclamai-je un peu trop fort.

Le sénateur Partin tourna la tête en direction de notre table. Son regard se mâtina de curiosité lorsqu'il se posa brièvement sur Ethridge, puis sur moi. Notre serveur s'affaira autour de nous comme si sa vie en dépendait, nous versant une nouvelle tasse de café et nous demandant si nous avions besoin de quoi que ce fût. Une sorte de fièvre inconfortable m'avait envahie.

— Et si nous arrêtions tout ce baratin, Tom ? Qui m'a vue ?

Il écarta ma question d'un geste de la main.

— Ce qui m'importe, c'est comment vous l'avez rencontré.

— Je le connais depuis très longtemps.

— Ce n'est pas une réponse.

— Depuis la faculté de droit.

— Vous étiez très proches ?

— Oui.

— Amants ?

— Bon sang, Tom !

— Kay, je suis désolé, mais c'est important.

Il tamponna ses lèvres de sa serviette, prit sa tasse de café, parcourant la salle à manger du regard. À l'évidence très mal à l'aise, il poursuivit :

— Vous avez passé presque toute la nuit ensemble à New York, à l'Omni.

Mes joues étaient en feu.

— Entendons-nous bien, je me contrefiche de votre vie privée, Kay, et je pense que je ne suis pas le seul dans ce cas, d'ailleurs. Manque de chance, cette circonstance précise relève de l'exception. Écoutez, je suis désolé... (Il s'éclaircit la gorge, rencontrant mon regard.) Et merde ! Le département de la Justice enquête sur Sparacino... l'excellent copain de Mark James...

— Son *excellent copain* ?

— C'est très sérieux, Kay. J'ignore qui était au juste Mark James quand vous l'avez rencontré à l'université, mais je sais ce qu'il est devenu depuis. Je connais son dossier, j'ai procédé à quelques recherches après que l'on vous a vue avec lui. Il y a sept ans, il a eu de gros ennuis à Tallahassee. Escroquerie, racket, des délits pour lesquels il a été condamné et a même purgé une peine de prison. C'est à la suite de cela qu'il a rejoint Sparacino, lequel est soupçonné d'entretenir des liens avec le crime organisé.

J'eus la nette impression que le sol se dérobait sous ma chaise. Il me sembla que mon sang s'enfuyait. Sans doute devins-je livide puisque Ethridge me tendit mon verre d'eau et patienta jusqu'à ce que je me ressaisisse. Mais lorsque je rencontrai de nouveau son regard, il reprit, sans l'ombre d'une hésitation, son impitoyable exposé :

— Mark n'a jamais travaillé pour Orndorff & Berger. Le cabinet ne connaît même pas son nom, ce qui ne me surprend pas. Mark James est interdit d'exercice, il a été rayé du barreau. Il se contente du rôle de secrétaire particulier de Sparacino.

Je réussis à articuler :

— Sparacino fait-il partie du cabinet en question ?

— C'est, en effet, leur spécialiste des droits d'auteur et du spectacle.

Au bord des larmes, je gardai le silence.

Ethridge poursuivit avec une sorte de tendresse maladroite et bourrue :

— Tenez-vous à l'écart de lui, Kay. Par pitié, cassez les ponts, quelle que soit la nature de ce que vous partagez.

— Il n'y a rien entre nous, protestai-je d'une voix mal assurée.

— Quand avez-vous été en contact avec Mark pour la dernière fois ?

— Il y a quelques semaines. C'est lui qui a appelé et la conversation n'a pas duré plus de trente secondes.

Il eut un hochement de tête qui pouvait passer pour une approbation.

— Une vie sous le signe de la paranoïa. L'un des cadeaux empoisonnés de l'activité criminelle. Je doute que Mark James s'étende longuement au téléphone avec qui que ce soit, tout comme je doute qu'il vous contacte de nouveau, à moins d'avoir une idée ou une requête bien précise derrière la tête. Comment se fait-il que vous vous soyez retrouvée à New York avec lui ?

— Il voulait me voir, me mettre en garde contre Sparacino. En tout cas, c'est ce qu'il m'a expliqué, ajoutai-je faiblement.

— Et vous a-t-il mise en garde ?

— Oui.

— De quelle manière ?

— En me racontant le même genre de détails que vous au sujet du bonhomme.

— Quel était son but ?

— Il prétendait vouloir me protéger.

— Vous le croyez ?

— Je n'ai aucune idée de ce que je crois !

— Êtes-vous amoureuse de Mark ?

La question me figea. Je fixai l'attorney général, incapable de prononcer une syllabe. Il expliqua avec douceur :

— Je dois connaître votre vulnérabilité, Kay. Ne croyez pas que je prenne plaisir à cela.

— Confidence pour confidence, moi non plus, rétorquai-je d'un ton tranchant.

Il ramassa la serviette posée sur ses genoux, la plia avec soin, sans hâte, avant de la glisser sous le rebord de son assiette.

— J'ai tout lieu de penser, commença-t-il d'un ton si bas que je fus obligée de me pencher pour l'entendre, que Mark James pourrait vous porter un préjudice colossal, Kay. Nous avons des raisons de soupçonner qu'il est responsable de l'effraction de votre bureau...

— Quelles raisons ? l'interrompis-je en élevant la voix. De quoi parlez-vous ? Quelle preuve...

Les mots s'étranglèrent dans ma gorge au moment où le sénateur Partin et son jeune compagnon se matérialisèrent devant notre table. Je n'avais pas remarqué qu'ils s'étaient levés pour se diriger vers nous. À leur expression, il paraissait clair qu'ils venaient de comprendre qu'ils interrompaient une discussion tendue.

Ethridge repoussa sa chaise.

— John, enchanté de vous voir. Vous connaissez Kay Scarpetta, le médecin expert général ?

— Bien sûr, bien sûr. Comment allez-vous, docteur Scarpetta ? dit-il en me serrant la main avec un sourire, le regard distant. Je vous présente mon fils, Scott.

Scott n'avait pas hérité des traits plutôt rudes et grossiers de son père, non plus que de sa petite silhouette trapue. La beauté du grand jeune homme mince était stupéfiante. Son visage fin était entouré d'une magnifique crinière de cheveux bruns. Il ne devait pas avoir trente ans et l'insolence voilée qui allumait son regard me mit mal à l'aise. La conversation cordiale ne fit rien pour arranger mon embarras, et je ne me sentis pas plus soulagée lorsque le père et le fils prirent congé.

Le serveur emplit à nouveau nos tasses et je remarquai :

— Je l'ai déjà vu quelque part.

— Qui cela ? John ?

— Non, non, je connais le sénateur, bien sûr. Je parle de son fils, Scott. Il a quelque chose de familier.

— Vous l'aurez aperçu à la télévision, répondit-il en jetant un regard discret à sa montre. Il est acteur, enfin, du moins tente-t-il de le devenir. Je crois qu'il a décroché quelques petits rôles dans des feuilletons.

— Mon Dieu ! soufflai-je.

— Et peut-être dans quelques films. Il a quitté la Californie et vit maintenant à New York.

— Ce n'est pas possible, fis-je, abasourdie.

Ethridge posa sa tasse et me dévisagea avec calme.

— Comment savait-il que nous avions rendez-vous ici ce matin pour le petit déjeuner, Tom ? demandai-je d'une voix dont la maîtrise m'abandonnait.

Tout me revenait : Gallagher's. Le jeune homme seul, dégustant une bière à quelques tables de Mark et moi.

La lueur de satisfaction qui s'allumait dans le regard d'Ethridge ne m'échappa pas. Il répliqua :

— Je n'en ai aucune idée, mais, pour tout vous avouer, je n'en suis guère surpris... Le jeune Partin me suit comme une ombre depuis des jours.

— Serait-ce lui, votre contact au département de la Justice ?...

— Dieux du ciel, non ! s'exclama-t-il d'un ton catégorique.

— Sparacino, alors ?

— Ce serait le plus logique, n'est-ce pas ?

— Dans quel but ?

Ethridge étudia l'addition.

— Pour ne rien perdre de ce qui se passe. Pour espionner ou pour intimider. Au choix, conclut-il en levant les yeux vers moi.

Scott Partin m'avait frappée comme l'un de ces jeunes gens réservés dont la beauté maussade et distante mériterait un artiste. Ce soir-là, dans ce restaurant, il lisait le *New York Times* en buvant une bière d'un air sombre. J'avais eu conscience de sa présence parce que les gens très beaux sont comme les magnifiques arrangements floraux, il est difficile de ne pas les remarquer.

Plus tard dans la matinée, je me retrouvai avec Marino dans l'ascenseur qui descendait au rez-de-chaussée de mon bâtiment, et quelque chose me poussa à lui raconter l'incident.

— Je suis certaine qu'il s'agissait de lui. Il était installé deux tables plus loin chez Gallagher's.

— Et il était pas avec quelqu'un ?

— Non. Il lisait en buvant une bière. Je ne crois pas qu'il ait mangé, mais je ne pourrais pas le jurer, précisai-je tandis que nous traversions une grande remise qui sentait le carton et la poussière.

Mon cerveau analysait les éléments de cette charade à toute vitesse, cherchant à démêler un autre des mensonges de Mark. Celui-ci avait affirmé que Sparacino ignorait mon escapade à New York, que sa subite apparition au restaurant était une pure coïncidence. Mais cette explication ne tenait pas la route. Si le jeune Partin avait été mandaté ce soir-là pour m'espionner, sa présence impliquait que Sparacino était informé de ma rencontre avec Mark.

— Ouais, mais on peut voir les choses sous un autre angle, objecta Marino tandis que nous progressions dans les entrailles poussiéreuses de l'immeuble. Disons qu'il fait un peu de mouchardage à temps partiel pour Sparacino pour gagner sa croûte dans la Grande Pomme, d'accord ? Si ça se trouve, c'est Mark qu'il pistait, le gars, et pas vous. Souvenez-vous, Sparacino a recommandé le gril à Mark – en tout cas, c'est ce qu'il vous a raconté. En conclusion, le bonhomme Sparacino avait une bonne raison de savoir où Mark dînait. Il envoie Partin surveiller ce que fabrique Mark, et le petit gars s'installe à une table et commande sa chope. Et puis vous débarquez tous les deux. Peut-être qu'à un moment donné le gars Partin s'est éclipsé pour appeler Sparacino et lui balancer le scoop, et bingo ! Dans les cinq minutes, Sparacino déboule au restau.

Cette version des choses m'aurait assez satisfaite.

— Bon, c'est juste une théorie, ajouta Marino.

Pourtant il m'était impossible d'y croire. La vérité, m'assenai-je sévèrement, c'était que Mark m'avait trahie et qu'il était bien le criminel décrit par Ethridge.

— Parce que faut envisager toutes les possibilités, conclut Marino.

— Certes, marmonnai-je.

Parvenus à l'extrémité d'un étroit couloir, nous fîmes halte devant une lourde porte de métal. Je dénichai la bonne clé et nous pénétrâmes dans le stand de tir où les experts en balistique procédaient à des essais avec pratiquement toutes les armes de la création. C'était une terne pièce construite en parpaings gris, contaminée par la poussière de plomb. Sur l'un des murs, recouvert d'un panneau alvéolé, étaient alignées des dizaines d'armes de poing et de pistolets automatiques confisqués par les tribunaux et remis ensuite aux labos d'analyse. Fusils et carabines étaient rangés debout dans des râteliers. Le mur du fond, blindé d'une épaisse feuille d'acier renforcé, était grêlé des milliers d'impacts de balles tirées au fil des ans. Marino se dirigea dans un coin où têtes, torses, hanches et jambes de mannequins nus étaient entremêlés en un tas morbide évoquant une fosse commune d'Auschwitz.

— Vous préférez la viande blanche, hein ? demanda-t-il en choisissant un torse masculin à peau pâle.

J'ignorai la réflexion et ouvris ma mallette de transport pour en extraire le Ruger en acier. Le son creux du plastique entrechoqué accompagna la fouille de Marino. Il finit par se décider en faveur d'une tête de type caucasien aux yeux et aux cheveux peints en brun, qu'il plaça sur un torse, disposant le tout au sommet d'une boîte en carton poussée contre le mur d'acier, à environ trente pas de l'endroit où je m'étais immobilisée.

— J'vous accorde un chargeur pour le transformer en passoire, précisa-t-il.

Je glissai les *wadcutters* une à une dans mon revolver. Il s'agit de balles en plomb nu, dépourvues d'ogive, que l'on réserve au tir d'essai car elles abandonnent un impact net sur les cibles en carton. Je levai alors les yeux vers le grand flic. Il venait de sortir le pistolet 9 mm glissé contre ses reins. Il arma la glissière, tira le chargeur avant de le remettre en place dans un claquement.

— Joyeux Noël ! brailla-t-il en me le tendant, crosse en avant, la sûreté mise.

— Non merci, déclinai-je aussi courtoisement que possible.

— Avec votre truc, vous tirez cinq fois et vous êtes cuite.

— Si je rate ma cible.

— Bordel, Doc, tout le monde rate toujours quelques coups. Le problème avec votre Ruger, c'est que, justement, vous avez pas une grosse réserve de projectiles.

— Je préfère quelques tirs bien placés avec le mien. Le vôtre ne fait qu'arroser du plomb.

— Sauf que le mien a une puissance de feu vachement supérieure.

— Je sais. À peu près soixante mètres par kilo de plus que moi à quinze mètres, surtout si j'utilise des cartouches Silvertip.

— Sans oublier trois fois plus de pruneaux, ajouta-t-il.

Pour avoir utilisé dans le passé des 9 mm, je ne les aimais pas. Ils n'étaient pas aussi précis que mon 38 spécial, ni aussi fiables, et pouvaient s'enrayer. Sacrifier la qualité à la quantité me semblait risqué, et les meilleurs alliés étaient encore la formation et la pratique.

Coiffant un casque de protection, je poursuivis :

— Avec cela, une seule balle suffit.

— Ouais, si vous faites mouche entre les deux yeux !

J'équilibrai le revolver de ma main gauche et appuyai successivement cinq fois sur la détente. Je touchai le mannequin une fois à la tête, trois fois dans la poitrine, et la cinquième balle égratigna l'épaule gauche, tout cela en l'espace de quelques secondes. La tête et le torse s'envolèrent du socle en carton pour rebondir contre le mur d'acier dans un bruit sourd.

Marino posa sans un mot le 9 mm sur une table et sortit son 357 de son holster d'épaule. Je l'avais blessé. Sans doute s'était-il donné un mal de chien pour me trouver un automatique, persuadé qu'il allait me faire plaisir.

— Merci, Marino.

Le barillet se referma avec un claquement sec et il leva lentement son revolver.

J'allais ajouter que sa sollicitude me touchait, mais je savais qu'il ne pouvait pas m'entendre ou bien qu'il n'écouterait pas.

Je reculai de quelques pas tandis qu'il déchargeait ses six coups sur la tête du mannequin, qui tressauta sur le sol violemment. Il introduisit d'un geste un clip de chargement rapide et cribla le torse. Lorsqu'il en eut fini, l'air était empuanti par l'odeur âcre de la poudre. La morale de tout cela s'imposa : pour rien au monde je ne tenais à affronter un jour un Marino secoué par une fureur meurtrière.

— Rien ne vaut de mitrailler un homme à terre, remarquai-je.

— Ouais, z'avez raison, renchérit-il en ôtant son casque, c'est le pied.

Nous installâmes sur une glissière scellée à hauteur

d'homme un cadre de bois sur lequel nous fixâmes une cible de papier. Lorsque j'eus fini de vider la boîte de cartouches, satisfaite de constater que je n'avais pas trop perdu la main et que je parvenais toujours à atteindre un éléphant dans un couloir, je tirai quelques Silvertip pour nettoyer l'âme de mon arme avant d'y passer un chiffon imprégné d'Hoppe's n° 9. L'odeur du solvant m'évoquait toujours Quantico.

— Vous voulez que je vous dise ? dit Marino en m'imitant. Chez vous, c'est un fusil qu'y vous faut.

Je rangeai mon Ruger dans sa mallette, sans mot dire.

— Vous voyez, un truc comme un Remington à répétition, avec des cartouches à grenaille de 7. Si on fait le calcul, c'est comme de balancer à ce cinglé quinze balles de 32. Multiplié par trois si vous lui filez les trois cartouches, ça fait quarante-cinq putains de morceaux de plomb ! Il est pas près de revenir.

— Marino, dis-je calmement, tout va bien, d'accord ? Je n'ai pas besoin d'un arsenal.

Il me lança un regard peu amène.

— Est-ce que vous avez une idée de ce que ça fait, de tirer sur un mec alors qu'il continue à avancer sur vous ?

— Non, aucune idée.

— Ben, moi, si. Quand j'étais à New York, j'ai vidé mon chargeur sur un taré qu'avait pété les plombs. Il était défoncé au PCP. J'ai touché ce salopard quatre fois à la poitrine, et ça l'a même pas fait ralentir. On se serait cru dans un Stephen King, avec ce type qui continuait à marcher sur moi comme un foutu mort vivant.

Je tirai des mouchoirs en papier de la poche de ma blouse de labo et essuyai mes mains maculées de poudre et de solvant.

— Doc, le cinglé qui a pourchassé Beryl dans toute la baraque, il était comme ça, comme ce tordu dont je vous cause. Je sais pas à quoi y carbure, mais une fois qu'il est en marche, il s'arrête plus.

Je me hasardai :

— L'homme de New York, il est mort ?

— Oh, ouais, aux urgences. On a été transportés à l'hôpital, tous les deux, à l'arrière de la même ambulance. Bordel, ça, c'était une super-balade.

— Vous étiez grièvement blessé ?

Il répondit, imperturbable :

— Nan. Soixante-dix-huit points de suture. Rien que du superficiel, de la barbaque. Vous m'avez jamais vu sans ma chemise. Le mec avait un couteau.

— C'est affreux, murmurai-je.

— J'aime pas les couteaux, Doc.

— Moi non plus.

Nous nous dirigeâmes vers la sortie. Je me sentais poisseuse de graisse à canon et de résidus de poudre. Pratiquer le tir est une activité beaucoup plus salissante qu'on ne l'imagine.

Tout en marchant, Marino sortit son portefeuille, puis me tendit une petite carte blanche.

— Je n'ai pas rempli de demande, dis-je, stupéfaite, en contemplant le permis de port d'arme établi à mon nom.

— Ouais, ben, le juge Reinhard me devait une petite faveur.

— Merci, Marino.

Un sourire éclaira son visage comme il me tenait la porte.

En dépit des recommandations de Wesley et Marino, en dépit de ce que me dictait mon propre bon sens, je demeurai dans l'immeuble bien après la tombée de la nuit. Le parking s'était vidé. J'avais baissé les bras devant la masse de travail qui s'amoncelait sur mon bureau et un coup d'œil à mon agenda avait failli m'achever.

Rose avait réorganisé mon emploi du temps de fond en comble. Mes rendez-vous avaient été repoussés de plusieurs semaines, quand ils n'étaient pas tout bonnement annulés. Quant aux conférences et aux cours pratiques d'autopsie, ils avaient été confiés à Fielding. Le commissaire à la Santé, mon supérieur hiérarchique direct, avait essayé de me joindre trois fois avant de demander si j'étais souffrante.

Fielding devenait un expert ès remplacements. Rose tapait ses protocoles d'autopsie et ses notes enregistrées. Elle faisait le travail de Fielding au lieu du mien. Le jour continuait de se lever et de se coucher, et le bureau fonctionnait sans anicroche grâce à un personnel que j'avais sélectionné et formé avec soin. Je finissais par me demander ce qu'avait pu ressentir Dieu après la création d'un monde persuadé qu'il pouvait se passer de Lui.

Je ne rentrai pas directement chez moi, mais fis un détour par Chamberlayne Gardens. Les mêmes affichettes périmées étaient toujours collées aux parois de la cabine d'ascenseur, et je montai en compagnie d'une petite femme émaciée au regard perdu, cramponnée à son déambulateur comme un oiseau à sa branche. Elle ne me quitta pas des yeux pendant toute notre ascension.

Je n'avais pas prévenu Mrs McTigue de ma visite. Je frappai avec insistance à la porte du 378, qui finit par s'entrebâiller. Du fond de son nid encombré de meubles, sonore des éclats de la télévision, elle jeta un coup d'œil inquisiteur.

— Madame McTigue ? dis-je en me présentant de nouveau, car je n'étais pas certaine qu'elle me remettait.

Son visage s'éclaira et la porte s'ouvrit en grand.

— Oh, oui, bien sûr ! C'est adorable de venir me rendre visite. Je vous en prie, entrez !

Elle était enveloppée dans un peignoir rose molletonné et chaussée de pantoufles assorties. Je la suivis dans son salon. Elle éteignit la télévision et ramassa la liseuse abandonnée sur le canapé où elle s'était de toute évidence installée pour regarder les informations du soir en mangeant du pain aux noix accompagné de jus de fruits.

— Pardonnez-moi, je vous dérange dans votre dîner, m'excusai-je.

— Oh, non, je grignotais, répondit-elle avec vivacité. Puis-je vous offrir un rafraîchissement ?

Je déclinai poliment l'invitation et m'assis tandis qu'elle s'affairait dans la pièce, remettant un peu d'ordre. Une vague d'émotion me bouleversa au souvenir de ma grand-mère, de l'inébranlable sens de l'humour qu'elle avait su conserver jusqu'au bout, alors même qu'elle constatait l'avancée des ravages du temps. Jamais je n'oublierais sa visite à Miami, l'été précédant sa mort, lorsque je l'avais emmenée faire des courses. Au beau milieu de Woolworth's, sa couche-culotte, improvisée avec un caleçon d'homme et des serviettes périodiques, avait perdu une épingle de sûreté et lui était tombée sur les genoux. Elle avait réussi à se contenir tandis que nous foncions vers les toilettes des dames, une folle hilarité nous secouant toutes les deux, à tel point que j'avais craint que l'incontinence me gagne à mon tour.

— Ils ont annoncé que nous aurions peut-être de la neige ce soir, commenta Mrs McTigue en s'asseyant.

— Il fait très humide dehors, renchéris-je d'un ton distrait. Et assez froid pour virer à la neige.

— Toutefois, ils ne semblaient pas croire que cela tiendrait très longtemps.

— Je l'espère, je n'aime pas conduire sur des routes enneigées, remarquai-je, l'esprit ailleurs, préoccupée par un monde de choses pesantes et désagréables.

— Peut-être aurons-nous un Noël blanc cette année. Ce serait inespéré, n'est-ce pas ?

— Tout à fait.

Je cherchais du regard une machine à écrire. En vain.

— Je ne me souviens même plus de la dernière fois que cela a été le cas.

Elle tentait de noyer son malaise dans une conversation un peu nerveuse, ayant senti que je venais lui rendre visite pour une raison bien précise. Se doutait-elle que je n'étais pas porteuse de bonnes nouvelles ?

— Vous êtes certaine que je ne peux rien vous offrir ? Un verre de porto peut-être ?

— Non, merci.

Le silence retomba.

— Madame McTigue..., hasardai-je.

Elle me jeta un regard vulnérable, aussi incertain que celui d'un enfant.

— Serait-il possible que je revoie la photo que vous m'avez montrée la dernière fois ?

Elle cligna des yeux à plusieurs reprises, un sourire pâle et mince étirant ses lèvres comme une cicatrice.

— Celle de Beryl Madison..., ajoutai-je.

— Mais oui, bien sûr.

Elle se dressa avec lenteur, d'un air résigné, et se dirigea vers le secrétaire. Lorsqu'elle me tendit la photo et que je lui demandai de me montrer également l'enveloppe et la feuille de papier crème pliée, la peur – ou peut-être n'était-ce que de l'incompréhension – se peignit sur son visage.

Il me suffit de toucher la feuille pour comprendre qu'il s'agissait d'un épais papier à lettres de qualité, et lorsque je l'inclinai à la lumière de la lampe, je distinguai le filigrane de la papeterie Crane. Je ne jetai qu'un bref coup d'œil à la photographie et la stupéfaction de Mrs McTigue haussa encore d'un cran.

— Je suis désolée, vous devez vous demander ce que je fabrique, m'excusai-je.

Elle était à court de repartie.

— Je me pose des questions, expliquai-je. La photo semble beaucoup plus ancienne que le papier à lettres.

— En effet, acquiesça-t-elle, son regard effrayé ne me quittant pas. J'ai trouvé la photo dans les papiers de Joe et je l'ai glissée dans l'enveloppe pour la protéger.

— C'est votre papier à lettres ? demandai-je d'un ton aussi anodin que possible.

— Oh, non, rectifia-t-elle en sirotant avec délicatesse une gorgée de son verre de jus de fruits. C'était celui de mon mari... mais c'est moi qui l'avais choisi. Un très joli papier à lettres à en-tête pour son entreprise, vous voyez. Après son décès, je n'ai gardé que les feuilles vierges et les enveloppes. Il m'en reste plus que je n'en aurai jamais besoin.

La seule solution qu'il me restait était de lui poser sans ambages la question qui m'obsédait :

— Madame McTigue, votre mari possédait-il une machine à écrire ?

— Certes... Je l'ai donnée à ma fille, qui habite Falls Church. Voyez-vous, je préfère écrire. Enfin, un peu moins maintenant, à cause de mon arthrose.

— Quelle sorte de machine à écrire ?

— Mon Dieu, je ne m'en souviens pas, si ce n'est qu'elle était électrique et assez récente, balbutia-t-elle. Joe en changeait régulièrement au bout de quelques années. Vous savez, même quand ces ordinateurs sont arrivés, il a insisté pour tenir sa correspondance comme il l'avait toujours fait. Pendant des années, Burt, son principal collaborateur, l'a pressé de se mettre à l'informatique, mais Joe ne se serait séparé de sa machine à écrire pour rien au monde.

— À la maison ou au bureau ?

— Ma foi, les deux. Il veillait souvent tard pour travailler dans le bureau qu'il avait installé chez nous.

— Correspondait-il avec les Harper, madame McTigue ? Elle avait tiré de la poche de son peignoir un mouchoir en papier qu'elle martyrisait entre ses doigts.

— Je suis désolée de vous embêter avec tant de questions, insistai-je doucement.

Elle contempla sans rien dire ses mains déformées à la peau fine.

— Je vous en prie. Je ne vous le demanderais pas si ce n'était pas important.

— C'est à propos de cette femme, n'est-ce pas ? murmura-t-elle sans lever les yeux de son mouchoir à demi déchiqueté.

— Sterling Harper.

— Oui.

— Racontez-moi, madame McTigue.

— Elle était très belle, et si charmante. Une vraie dame, tant de classe.

— Votre mari correspondait-il avec Miss Harper ?

— J'en suis convaincue.

— Comment cela ?

— Une ou deux fois, je l'ai dérangé pendant qu'il écrivait une lettre. Il m'a toujours affirmé qu'il s'agissait de courrier professionnel.

Je demeurai silencieuse.

— Mon Joe, oui, continua-t-elle dans un sourire que

démentait son regard mort. Un homme à femmes. Vous savez, il baisait toujours la main des dames et elles se sentaient devenir reines.

— Miss Harper lui répondait-elle ? insistai-je après une hésitation.

Je détestais raviver une vieille blessure.

— Pas à ma connaissance.

— Il lui écrivait, mais elle n'a jamais répondu à ses lettres, c'est bien cela ?

— Joe était un homme d'écriture. Il disait toujours qu'un jour il écrirait un livre. Vous savez, c'était aussi un lecteur vorace.

— Je comprends pourquoi il appréciait tellement Cary Harper.

— Lorsque Mr Harper n'allait pas bien, il téléphonait très souvent. Je suppose que c'est ce qu'on appelle le blocage de l'écrivain. Il appelait Joe et ils partageaient des discussions passionnantes, sur la littérature, plein d'autres choses aussi.

Les lambeaux du mouchoir en papier s'accumulaient en pulpe sur ses genoux.

— Faulkner était l'écrivain préféré de Joe, mais il appréciait aussi beaucoup Hemingway et Dostoïevski. À l'époque où il me faisait la cour, il vivait ici, et moi à Arlington. Il m'écrivait les plus jolies lettres que vous puissiez imaginer.

Des lettres comme celles qu'il avait commencé d'écrire à l'amour de son âge mûr, pensai-je. Des lettres comme celles qu'il envoyait à la magnifique célibataire, Sterling Harper. Des lettres qu'elle avait été assez élégante et bienveillante pour faire disparaître avant de se suicider, parce qu'elle ne voulait pas briser le cœur et les souvenirs de sa veuve.

— Vous les avez trouvées, n'est-ce pas ? articula-t-elle simplement.

— Les lettres à Sterling Harper ?

— Oui. Celles de Joe.

Je prononçai sans doute le demi-mensonge le plus charitable de ma vie :

— Non. Non, nous n'avons rien découvert de cet ordre, madame McTigue. La police n'a retrouvé aucune correspondance de votre mari parmi les effets personnels des Harper, aucun papier à lettres à l'en-tête de son entreprise, aucun élément de nature intime adressé à Sterling Harper.

Elle se détendit, soulagée par ma menteuse et péremptoire dénégation.

— Fréquentiez-vous les Harper ? En société, par exemple ?

— Oui, à deux reprises, si je me souviens bien. Mr Harper est venu une fois pour un dîner, et une autre fois les Harper et Beryl Madison ont passé la nuit chez nous.

Le détail piqua ma curiosité :

— Quand cela ?

— Quelque mois à peine avant le décès de Joe. Ce devait être le Premier de l'An, un mois ou deux après que Beryl fut intervenue pour l'association. D'ailleurs j'en suis sûre parce que l'arbre de Noël était encore là, je m'en souviens fort bien. C'était un tel plaisir de la recevoir !

— Beryl ?

— Oh, oui, j'étais absolument enchantée. Je crois qu'ils s'étaient tous les trois rendus à New York pour affaire, afin de rencontrer l'agent de Beryl, il me semble. Ils ont pris l'avion jusqu'à Richmond au retour et ont été assez gentils pour passer la nuit à la maison. Enfin, du moins les Harper, parce que Beryl vivait ici, en ville, vous savez. Joe l'a raccompagnée chez elle plus tard dans la soirée. Et le lendemain matin il a ramené les Harper à Williamsburg.

— Quel souvenir conservez-vous de cette soirée ? demandai-je.

— Voyons... Je me souviens d'avoir préparé un gigot, et qu'ils sont arrivés en retard. Ils avaient été retenus à l'aéroport parce que la compagnie avait perdu les bagages de Mr Harper.

Tout cela remontait à presque un an, et donc, d'après les informations dont nous disposions, avant que Beryl ne commence à recevoir des menaces.

— Le voyage les avait exténués, continua Mrs McTigue. Mais Joe était parfait. C'était l'hôte le plus charmant dont vous puissiez rêver.

Mrs McTigue savait-elle ? Avait-elle pu lire l'amour dans le regard que son mari jetait à Miss Harper ?

Le regard distant de Mark, des années plus tôt, lors des derniers jours de notre relation, me revint. L'instinct m'avait prévenue. J'avais compris que ce n'était pas à moi qu'il pensait, et pourtant j'avais refusé de croire qu'il était amoureux de quelqu'un d'autre jusqu'au moment où il me l'avait avoué.

— Je suis désolé, Kay, avait-il fini par lâcher tandis que nous buvions pour la dernière fois un *Irish coffee* dans notre bar favori de Georgetown.

De frêles flocons de neige tombaient en tourbillonnant du ciel gris, et des couples radieux passaient sur les trottoirs, emmitouflés dans des pardessus, des écharpes multicolores leur remontant sous le menton.

— Tu sais que je t'aime, Kay.

— Mais pas de la façon dont moi je t'aime.

Avais-je déjà éprouvé une douleur aussi suffocante ? Je ne le pensais pas.

— Je ne voulais pas te faire souffrir, avait-il regretté en baissant les yeux vers la table.

— Bien sûr.

— Je suis désolé, si désolé.

Je le savais. Il était désolé, en toute sincérité, en toute vérité, mais cela ne changeait rien.

Je n'avais jamais appris le nom de l'autre femme. Je m'y refusais. Il ne s'agissait pas de celle qu'il avait plus tard épousée, Janet, maintenant décédée. À moins, bien sûr, qu'il ne se soit agi d'un autre mensonge.

— ... il avait très mauvais caractère.

Je repris pied dans la réalité et fixai Mrs McTigue. La fatigue la gagnait.

— Qui cela, madame McTigue ?

— Mr Harper. Il était exaspéré à cause de ses bagages. Heureusement, ils sont arrivés par le vol suivant... Seigneur, dit-elle après un silence, tout cela a l'air si lointain, et pourtant ce n'est pas si vieux que ça.

— Et Beryl ? Quel souvenir vous a-t-elle laissé ce soir-là ?

— Et aujourd'hui ils sont tous partis.

Ses mains s'immobilisèrent sur ses genoux tandis qu'elle affrontait ce gouffre sombre et vide. Ils étaient tous morts, sauf elle, tous les convives de ce dîner à la fois chéri et terrible, tous ces fantômes.

— Nous les évoquons toujours, madame McTigue, ils sont là, avec nous.

Les larmes lui montèrent aux yeux.

— Sans doute est-ce vrai.

— Nous avons besoin de leur aide et ils ont besoin de la nôtre.

Elle acquiesça d'un petit hochement de tête.

— Racontez-moi cette soirée, répétai-je. Racontez-moi Beryl.

— Elle était très silencieuse. Je la revois, contemplant le feu.

— Et quoi d'autre ?

— Il s'est produit quelque chose.

— Quoi ? Que s'est-il passé, madame McTigue ?

— Mr Harper et elle n'avaient pas l'air enchantés l'un de l'autre.

— Comment cela ? Ils se sont disputés ?

— Après que le jeune employé de l'aéroport a livré les bagages. Mr Harper a ouvert un des sacs et sorti une enveloppe contenant des papiers. Je ne sais pas vraiment de quoi il s'agissait, mais il buvait beaucoup trop.

— Et que s'est-il passé ? répétai-je.

— Il a échangé quelques paroles très dures avec sa sœur et avec Beryl. Puis il a pris les papiers et les a jetés dans le feu. « Voilà tout ce que j'en pense ! a-t-il crié. C'est de la crotte, de la crotte ! » Enfin, il n'a pas utilisé ce mot-là, vous voyez ce que je veux dire.

— Avez-vous une idée de ce qu'il a pu brûler ? Un contrat peut-être ?

Le regard de Mrs McTigue se perdit à nouveau dans le vague.

— Je ne le pense pas. J'ai eu le sentiment qu'il s'agissait de quelque chose qu'avait écrit Beryl. On aurait dit des pages tapées à la machine, et la colère de Mr Harper semblait dirigée contre Beryl.

La fameuse autobiographie qu'elle avait entreprise, pensai-je, ou bien une ébauche, dont Miss Harper, Beryl et Sparacino avaient discuté à New York avec un Cary Harper fou de rage et déchaîné.

Mrs McTigue croisait et décroisait ses doigts que l'arthrose avait malmenés, tentant de dissimuler son chagrin.

— Joe est intervenu, dit-elle.

— Qu'a-t-il fait ?

— Il l'a raccompagnée chez elle. Il a reconduit Beryl chez elle.

Elle s'interrompit et me fixa, le visage figé par la terreur.

— C'est pour ça que c'est arrivé, j'en suis certaine.

— Pour cela que *quoi* est arrivé ?

— C'est pour ça qu'ils sont tous morts. Je le sais. J'ai eu ce sentiment à ce moment-là, c'était tellement effrayant.

— Décrivez-moi ce sentiment. Le pouvez-vous ?

— C'est pour cela qu'ils sont tous morts, répéta-t-elle. La haine avait envahi le salon ce soir-là.

13

Le Valhalla Hospital se dressait sur une éminence du paisible comté d'Albemarle, où m'amenaient à maintes reprises chaque année mes activités à l'université de Virginie. J'avais souvent remarqué l'énorme édifice de brique qui s'élevait sur une colline visible de l'autoroute, mais n'avais jamais eu l'occasion d'y pénétrer, que ce soit pour des raisons professionnelles ou personnelles.

Jadis prestigieux hôtel fréquenté par une clientèle riche et célèbre, l'établissement avait fait faillite durant la grande dépression de 1929, avant d'être racheté par trois frères, tous psychiatres. Ils avaient méthodiquement transformé Valhalla en un temple du freudisme, retraite psychiatrique de luxe, où les familles fortunées pouvaient expédier leurs aberrations ou déficiences génétiques, leurs parents séniles, voire leurs rejetons à problèmes.

Qu'Al Hunt ait été casé dans cet établissement au cours de son adolescence ne me surprenait pas outre mesure. Ce qui, en revanche, me sidéra, ce fut l'extrême réticence de son psychiatre à discuter de son ancien patient. Sous la cordialité toute professionnelle du Dr Warner Masterson se dissimulait un mur de discrétion assez massif pour résister aux tentatives des enquêteurs les plus pugnaces. J'avais parfaitement conscience qu'il ne souhaitait pas me parler, mais il n'avait guère le choix et il ne l'ignorait pas.

Je me garai sur le parking gravillonné réservé aux visiteurs, puis pénétrai dans un hall de réception décoré de meubles victoriens et de tapis orientaux. Les lourdes tentures aux motifs surchargés qui pendaient des corniches tarabiscotées étaient élimées jusqu'à la trame. Je m'avançais vers la réceptionniste afin de m'annoncer lorsqu'une voix s'éleva derrière moi :

— Docteur Scarpetta ?

Je me retournai pour découvrir un Noir, grand et mince, vêtu d'un blazer, aux cheveux parsemés d'une nuance dorée, aux pommettes et au front aristocratiques.

Il me tendit la main avec un large sourire et se présenta :

— Je suis le Dr Warner Masterson.

Nous étions-nous déjà rencontrés auparavant ? Je fouillai ma mémoire lorsqu'il m'expliqua qu'il m'avait reconnue pour avoir vu des photos de moi à la télévision et dans les journaux, références dont je me serais volontiers passée.

— Accompagnez-moi jusqu'à mon bureau, proposa-t-il d'un ton affable. Le trajet en voiture n'a pas été trop fatigant ? Puis-je vous offrir quelque chose ? Un café ? Un soda ?

Je le suivis comme je pus, étirant ma foulée afin d'emboîter ses grandes enjambées. Une frange non négligeable de l'humanité n'a aucune idée de ce qu'endurent les individus affligés de courtes jambes, et je passais ma vie à galoper avec obstination, me faisant l'effet d'un tricycle égaré sur un circuit de formule 1. Le Dr Masterson avait déjà atteint l'extrémité d'un long couloir moquetté lorsqu'il eut la présence d'esprit de se retourner. Il patienta sur le seuil de la porte. Lorsque je l'eus enfin rattrapé, il m'introduisit dans la pièce. Je m'installai sur un siège tandis qu'il prenait place derrière son bureau avant de bourrer une onéreuse pipe de bruyère.

Il ouvrit un épais classeur à dossiers et déclara de son débit lent et précis :

— Inutile d'insister, docteur Scarpetta, sur le fait que la mort d'Al Hunt m'affecte beaucoup.

— Vous a-t-elle surpris ?

— Pas totalement.

— J'aimerais voir son dossier pendant que nous discutons.

L'hésitation qui suivit fut assez longue pour que j'envisage de lui rappeler mon droit statutaire. Puis un nouveau sourire éclaira son visage et il me le tendit en disant :

— Certainement.

J'ouvris le dossier en carton fort et parcourus son contenu, tandis qu'une fumée de pipe bleutée flottait tout autour de moi, odorante comme un bois aromatique. Le rapport d'admission et l'examen physique étaient assez banals. Onze ans auparavant, le matin du 10 avril, Al Hunt avait été admis en excellente santé. Mais les détails de l'examen psychiatrique racontaient une autre histoire.

— Il était en état de catatonie lorsqu'il est arrivé ?

— Extrêmement dépressif et fermé sur lui-même, me répondit le Dr Masterson. Il était incapable d'expliquer pourquoi il se trouvait là, incapable de formuler quoi que ce soit. Un défaut d'énergie émotionnelle tel qu'il ne parvenait même plus à répondre à nos questions. Vous remarquerez dans le rapport que nous avons été dans l'incapacité de lui faire passer les tests de Stanford-Binet ou le MMPI, auxquels nous avons dû procéder plus tard.

Les résultats figuraient dans le dossier. Al Hunt avait obtenu un score de 130 au test de Stanford-Binet. Cet excellent résultat démontrait que son problème ne provenait pas d'un défaut d'intelligence, ce dont je me doutais. Pour ce qui concernait le *Minnesota Multiphasic Personality Inventory*, sa conclusion révélait que le patient ne répondait pas aux critères de schizophrénie ou de désordre mental fondamental. D'après l'évaluation du Dr Masterson, Al Hunt souffrait d'un « désordre de la personnalité de type schizoïde, renforcé par des tendances au repli sur soi-même et à l'ambivalence sentimentale, l'ensemble s'étant manifesté par une brève psychose réactive lors de laquelle il s'était tranché les poignets à l'aide d'un couteau à viande après s'être enfermé dans la salle de bains ». Le geste était suicidaire, mais la superficialité des blessures traduisait un appel au secours plutôt qu'une véritable volonté de mettre fin à ses jours. Sa mère l'avait emmené en trombe aux urgences les plus proches, où on l'avait recousu et laissé repartir. Le lendemain matin, il avait été admis au Valhalla Hospital. Un entretien avec Mrs Hunt avait permis de cerner que l'incident déclencheur était un « coup de colère » de son mari contre Al, survenu au cours du dîner.

Le Dr Masterson continua :

— Au début, Al a refusé de participer à quelque session de thérapie de groupe ou occupationnelle que ce soit. Même refus concernant les implications sociales auxquelles les patients sont tenus d'adhérer. Sa réaction au traitement psychotrope était assez médiocre, et j'ai à peine réussi à lui tirer un mot au cours de nos entretiens.

À l'issue de la première semaine, laquelle n'avait donné lieu à aucun signe d'amélioration, le Dr Masterson avait envisagé un traitement par électrochocs, la technique équivalant à réinitialiser un ordinateur, plutôt que déterminer la cause de ses erreurs. Même si le résultat final peut aboutir à une reconnexion salutaire des circuits cérébraux, une sorte de réajustement, les *bugs* du programme à l'origine du problème seront inévitablement mis à l'écart, voire irrémédiablement perdus. L'électrochoc n'est en général pas le traitement préconisé chez les sujets jeunes.

— La série d'électrochocs a-t-elle été administrée ? demandai-je sans en trouver trace dans le dossier.

— Non. Juste au moment où je parvenais à la conclusion qu'il n'existait plus d'autre solution viable, un petit miracle s'est produit lors d'une séance matinale de psychodrame.

Il s'interrompit pour rallumer sa pipe.

— Expliquez-m'en le déroulement dans ces circonstances particulières, demandai-je.

— Certaines de ces procédures sont devenues une sorte de routine, un peu à la manière d'échauffements, pourrait-on dire. Au cours de la session en question, nous avions placé les patients en rang et leur avions demandé d'imiter des fleurs. Chacun se contorsionnait pour figurer la fleur de son choix, quelle qu'elle soit : tulipe, jonquille, marguerite, etc. Il s'agit d'un outil d'investigation très précieux. C'était la première fois qu'Al participait à quoi que ce soit. Il a mis ses bras en arc de cercle et penché la tête, expliqua le Dr Masterson. (Il mima la scène, se métamorphosant davantage en éléphant qu'en fleur.) Lorsque le thérapeute lui a demandé quelle fleur il avait privilégiée, Al a répondu : « Une violette. »

Je ne fis aucun commentaire, submergée par une vague de compassion pour le garçon perdu que notre échange faisait revivre. Essuyant ses lunettes de son mouchoir, le Dr Masterson expliqua :

— Bien entendu, la première réaction consistait à penser qu'il s'agissait d'une allusion à ce que le père d'Al pensait de lui, des allusions moqueuses et cruelles à la fragilité et aux traits de caractère efféminés du jeune homme. Mais il y avait plus que cela, dit-il en chaussant ses lunettes et en me lançant un long regard. Êtes-vous au courant des associations de couleurs d'Al ?

— Vaguement.

— Les violettes sont d'une couleur bien particulière.

— Oui, un violet très profond, comme l'indique leur nom.

— Le résultat d'un mélange : le bleu de la dépression et le rouge de la fureur. C'est la couleur des ecchymoses, la couleur de la souffrance. La couleur d'Al, la couleur qui irradiait de son âme, affirmait-il.

— Il s'agit d'une couleur passionnée, très intense.

— Al Hunt était un jeune homme très intense, docteur Scarpetta. Savez-vous qu'il était convaincu d'être voyant ?

— Pas vraiment, répondis-je avec gêne.

— La voyance, la télépathie, la superstition faisaient partie de son mode de pensée magique. Inutile de préciser que ces caractéristiques prenaient de l'ampleur lors des périodes de stress extrême. Il était alors certain d'être capable de lire dans l'esprit des autres.

— Était-ce le cas ?

— Il était très intuitif, expliqua le psychiatre en sortant de nouveau son briquet. Et je dois avouer que ses intuitions n'étaient pas totalement dénuées de pertinence, malheureusement pour lui. Il parvenait à percevoir ce que pensaient ou ressentaient les autres, sans oublier une inexplicable faculté de prescience lui permettant de connaître leurs actes futurs ou passés. Ainsi que je vous l'ai brièvement mentionné au téléphone, la difficulté tenait au fait qu'Al se projetait beaucoup trop, allait bien trop loin dans ses pressentiments. Il se perdait lui-même dans les autres, devenant agité, paranoïaque, en partie à cause de la faiblesse de son ego. Un peu comme de l'eau... il avait tendance à adopter la forme du récipient dans lequel il se coulait. Si vous me permettez ce cliché, il personnalisait à l'excès tout l'univers.

— Une démarche très dangereuse, remarquai-je.

— C'est le moins que l'on puisse dire. Il en est mort.

— Vous pensez qu'il se considérait comme empathe ?

— Cela ne fait aucun doute.

— C'est pourtant contradictoire avec le diagnostic qui fut posé, me semble-t-il. Les sujets affectés de désordre de la personnalité, même limite, ne ressentent généralement rien à l'égard des autres.

— Ah, mais cela participait de son processus de pensée magique, docteur Scarpetta. Al accusait l'écrasante empathie dont il se croyait affligé, ou détenteur, de son dysfonctionnement professionnel et social. Ainsi que je vous l'ai déjà dit, il était sincèrement convaincu de ressentir et même de vivre la souffrance des autres, de connaître le tréfonds de leur pensée, mais dans la réalité il était socialement très isolé.

— Le personnel du Metropolitan Hospital où il travaillait comme infirmier l'a pourtant décrit comme très attentif vis-à-vis des malades, soulignai-je.

— Mais il était infirmier aux urgences, ce qui n'est guère surprenant, rétorqua le Dr Masterson. Il n'aurait jamais fait long feu dans une unité de soins de longue durée. Il pouvait se montrer extrêmement prévenant, pourvu que cette personne lui demeure étrangère, lointaine en quelque sorte, pourvu qu'il ne soit pas contraint à une véritable relation avec elle.

— Ce qui expliquerait pourquoi il a pu obtenir son doctorat, mais s'est révélé incapable de se lancer dans la pratique de la psychothérapie, hasardai-je.

— Tout à fait.

— Et sa relation avec son père ?

— Une relation de maltraitance, dysfonctionnelle. Mr Hunt est un homme dur et autoritaire. Selon lui, élever un garçon consistait à lui faire entrer sa virilité de force dans le crâne. Al ne disposait pas de la structure émotionnelle nécessaire pour supporter la brutalité, les brimades, bref le tyrannique camp d'entraînement psychologique censé le préparer à la vie. Cela l'a jeté de l'autre côté, dans le camp de sa mère, où son image de lui-même s'est encore plus brouillée. Je ne vous surprendrai pas, docteur Scarpetta, en vous disant que de nombreux homosexuels sont les fils de grosses brutes qui conduisent des pick-up équipés de râteliers à fusils et aux pare-chocs décorés du drapeau des confédérés.

Marino... Je savais qu'il avait un fils adulte. Le fait qu'il ne mentionne jamais ce fils unique, qui vivait quelque part dans l'Ouest, ne m'avait pas frappée jusqu'ici.

— Suggérez-vous qu'Al était homosexuel ?

— Ce que je veux dire, c'est qu'il était bien trop peu sûr de lui. Son inadaptation était trop prononcée pour qu'il soit capable d'être réactif avec les autres, pour pouvoir nouer une quelconque relation d'ordre intime. À ma connaissance, il n'a jamais eu d'expérience homosexuelle.

Tirant sur sa pipe, il fixait un point au-dessus de ma tête, le visage impassible.

— Que s'est-il passé ce jour-là, au cours de la séance de psychodrame ? Quel est ce petit miracle que vous avez mentionné ? Son imitation de fleur ? C'est cela ?

— Ce fut le catalyseur. Mais le miracle, pour reprendre ce terme, a été le dialogue imaginaire, intense et explosif, dans lequel il s'est engagé avec son père. Ce dernier était censé se trouver assis sur une chaise vide au milieu de la pièce. Le thérapeute, conscient de ce qui se passait, s'est glissé sur le siège lorsque l'échange s'est intensifié. Il a endossé le rôle du père. Al était tellement impliqué qu'il était presque en transe, incapable de faire la distinction entre l'imaginaire et le réel, et sa rage s'est libérée.

— Comment s'est-elle manifestée ? Est-il devenu violent ?

— Il a été secoué de sanglots incontrôlables, rectifia le Dr Masterson.

— Et que lui disait son « père » ?

— Il l'agonisait d'injures, comme d'habitude. Il l'humiliait, lui assenant à quel point il ne valait rien en tant qu'homme, en tant qu'être humain. Al était extrêmement sensible à la critique, sans doute une des causes profondes de son désordre mental. Il pensait être empathe, alors qu'en réalité il était le seul objet de sa sensibilité.

— Un assistant social a-t-il été désigné pour le prendre en charge ? demandai-je, tout en continuant de feuilleter le dossier et sans déceler d'interventions émanant d'un psychothérapeute.

— Bien sûr.

— Qui cela ? insistai-je.

Des pages semblaient manquer au dossier.

— Le thérapeute dont je viens de parler, répondit-il avec affabilité.

— Celui du psychodrame ?

Il acquiesça de la tête.

— Il fait toujours partie du personnel de l'hôpital ?

— Non, Jim n'est plus avec nous...

— Jim ?

Il tapota le fourneau de sa pipe pour la vider de ses cendres.

— Quel est son nom de famille et où est-il maintenant ?

— Malheureusement, Jim Barnes est mort dans un accident de voiture il y a de nombreuses années.

— Combien d'années ?

— Huit ou neuf ans, je pense.

Il nettoya de nouveau ses lunettes.

— Comment cela s'est-il produit et où ?

— Je ne me souviens pas des détails.

— C'est tragique, remarquai-je simplement, comme si le sujet ne présentait pas grand intérêt pour moi.

— Dois-je supposer que vous considérez Al Hunt comme suspect dans votre affaire ?

— Il y a deux affaires. Deux homicides.

— Ah... Dans ces deux affaires.

— Docteur Masterson, pour répondre à votre question, il ne m'appartient pas de désigner les suspects, quelle que soit l'enquête. C'est la responsabilité de la police. Mon travail consiste à réunir les informations qui pourraient m'aider à confirmer si Al Hunt avait des antécédents suicidaires.

— Mais il n'y a pas de doute à ce sujet, non, docteur Scarpetta ? Il s'est pendu, n'est-ce pas ? Pourrait-il s'agir d'autre chose que d'un suicide ?

— Il était vêtu de façon étrange, répondis-je d'un ton

neutre. D'une chemise et d'un caleçon. C'est le genre de détails qui engendre des interrogations.

Il haussa les sourcils de surprise.

— Seriez-vous en train d'évoquer une asphyxie autoérotique ? Une mort accidentelle survenue pendant qu'il se masturbait ?

— Je fais de mon mieux pour parer à cette question, si toutefois elle venait à être posée.

— Je vois. Pour des questions d'assurance, au cas où sa famille contesterait ce que vous porterez sur le certificat de décès.

— Quelle qu'en soit la raison.

— Formez-vous des doutes sur ce qui s'est vraiment passé ? demanda-t-il avec un froncement de sourcils.

— Non. Je suis convaincue qu'il s'est suicidé, docteur Masterson. Telle était indiscutablement son intention lorsqu'il est descendu au sous-sol. Il a dû retirer son pantalon lorsqu'il a ôté sa ceinture. Celle-là même qui lui a servi à se pendre.

— Très bien. Je peux sans doute éclaircir pour vous un autre point, docteur Scarpetta. Al n'a jamais manifesté de tendance à la violence. À ma connaissance, le seul individu qu'il ait jamais fait souffrir, c'est lui-même.

Je le croyais volontiers. Mais j'étais également persuadée que le praticien me dissimulait beaucoup de choses, et que ses « oublis » et ses approximations ne devaient rien à une mémoire déficiente. Jim Barnes, pensai-je. *Jim Jim.* Je changeai de sujet :

— Combien de temps Al est-il resté ici ?

— Quatre mois, il me semble.

— A-t-il fait un séjour dans votre unité de psychiatrie légale ?

— Nous n'en avons pas à proprement parler. Nous avons un pavillon du nom de Backhall pour les patients psychotiques ou atteints de *delirium tremens*, ceux qui représentent un danger pour eux-mêmes, mais nous n'abritons pas de patients criminels.

Je réitérai ma question :

— Al a-t-il séjourné dans ce pavillon ?

— La nécessité ne s'en est jamais fait sentir.

— Merci de m'avoir accordé un peu de votre temps, conclus-je en me levant. Si vous pouviez m'envoyer une photocopie de ce rapport, j'apprécierais vivement.

— Avec plaisir, répondit-il en arborant de nouveau un grand sourire mais en éludant mon regard. N'hésitez pas à m'appeler si je peux faire quelque chose d'autre.

Une pensée me turlupinait tandis que je remontais le long couloir vide jusqu'à l'entrée, mais mon instinct m'avait soufflé de ne pas poser de questions à propos de Frankie, ni même de prononcer son nom. Backhall. Les patients psychotiques ou atteints de *delirium tremens.* Al Hunt avait parlé d'entretiens avec des malades confinés dans l'unité de psychiatrie légale. S'agissait-il d'une extrapolation née de son imagination, de son désordre mental ? Il n'existait pas d'unité de psychiatrie criminelle au Valhalla. Cependant, il n'était pas ahurissant de penser qu'un dénommé Frankie ait été interné à Backhall. Peut-être l'état de Frankie s'était-il amélioré et avait-il été transféré dans un autre pavillon, à l'époque où Al se trouvait, lui aussi, dans l'établissement ? Peut-être Frankie avait-il imaginé tuer sa mère ou peut-être avait-il éprouvé le désir de passer à l'acte ?

Frankie avait battu sa mère à mort à coups de bûche. Cary Harper avait été massacré à l'aide d'un morceau de tuyau métallique rempli de plomb.

Lorsque je regagnai mon immeuble, la nuit était tombée et les gardiens étaient repartis après leur ronde.

Je m'installai à mon bureau, faisant pivoter mon siège

pour me retrouver face à l'ordinateur. Quelques touches de fonctions plus tard, l'écran couleur ambre apparut. Peu après, le dossier de Jim Barnes s'afficha. Neuf ans plus tôt, le 21 avril, Jim Barnes avait eu un accident n'impliquant que son véhicule dans Albemarle County. De multiples contusions cérébrales étaient à l'origine du décès. Son alcoolémie était de 18, deux fois plus que la limite légale. La présence de nortriptyline et d'amitriptyline avait été détectée dans le sang. Jim Barnes paraissait avoir eu quelques problèmes.

La grosse machine archaïque à microfilms en forme de cube trônait, tel un bouddha, sur une table dans un coin du bureau de l'analyste informatique, situé un peu plus bas dans le couloir. En dépit de mon peu de talents en matière de techniques audiovisuelles, et après une fouille impatiente de notre filmothèque, je dénichai le rouleau qui m'intéressait et me débrouillai pour l'insérer correctement dans le lecteur. Toutes lumières éteintes, je regardai défiler un interminable ruban d'images floues en noir et blanc. Lorsque je finis par retrouver le dossier, les yeux me picotaient. Le film crissa doucement lorsque je tournai la molette afin de centrer sur l'écran le rapport de police manuscrit. À environ 22 h 45, un vendredi, la BMW 1973 de Barnes roulait à vive allure sur l'Interstate 64, en direction de l'est. Sa roue droite avait mordu sur le bas-côté. Il avait trop contrebraqué, percuté la glissière de sécurité centrale, et la voiture avait décollé. J'avançai le film, parvenant jusqu'aux premières conclusions du médecin légiste, un certain Dr Brown. À la rubrique des commentaires, celui-ci rapportait que le défunt avait été renvoyé l'après-midi même de son emploi de travailleur social au Valhalla Hospital. Si l'on en croyait les témoignages, lorsqu'il avait quitté l'établissement vers 5 heures du soir, il était très agité et furieux. Barnes avait trente et un ans et était célibataire.

Le rapport du Dr Brown mentionnait deux témoins, sans doute ceux qu'il avait interrogés. Le premier n'était autre que le Dr Masterson, le second une employée de l'hôpital, une certaine Miss Jeanie Sample.

Le travail d'investigation nécessaire concernant un homicide s'apparente parfois à un jeu de piste, un de ceux au cours desquels on a toutes les chances de se fourvoyer. Une voie a beau paraître peu prometteuse, on s'y engage quand même, et, avec l'aide d'un petit miracle, une sente malaisée vous ramènera finalement sur le chemin principal. Comment un thérapeute mort neuf ans auparavant pouvait-il présenter un quelconque rapport avec les récents assassinats de Beryl Madison et de Cary Harper ? Pourtant un instinct m'avertissait qu'il y avait quelque chose là-dessous, un lien.

La perspective de cuisiner le personnel du Dr Masterson ne m'enchantait pas, et j'aurais parié qu'il avait déjà prévenu les éléments les plus intéressants de se montrer admirablement courtois et surtout muets si je les interrogeais. Le lendemain matin, samedi, je reléguai ce nouveau développement dans un coin obscur de mon esprit et appelais le Johns Hopkins Hospital, espérant que le Dr Ismail s'y trouverait. C'était bien le cas, et il confirma ma théorie. Les échantillons provenant du sang et du contenu gastrique de Sterling Harper démontraient sans équivoque qu'elle avait ingéré du lévométhorphane peu avant sa mort. La concentration déterminée plafonnait à huit milligrammes par litre de sang, beaucoup trop élevée pour permettre d'y survivre ou pour la mettre au compte d'un accident. Elle s'était suicidée, et d'une façon qui serait demeurée indécelable dans des circonstances ordinaires.

— Savait-elle que les tests toxicologiques de routine ne parviennent pas à discriminer le dextrométhorphane du lévométhorphane ? demandai-je au Dr Ismail.

— Je ne me souviens pas d'avoir jamais discuté de cela avec elle. Mais les détails de ses traitements et des médicaments qu'on lui prescrivait l'intéressaient beaucoup. Il n'est pas exclu qu'elle ait potassé le sujet dans notre bibliothèque médicale. Ce dont je me souviens, c'est qu'elle m'a posé un tas de questions lorsque je lui ai prescrit le lévométhorphane pour la première fois, il y a plusieurs années de cela. Il s'agissait d'un traitement expérimental, elle était donc curieuse, peut-être un peu inquiète...

Le reste de ses explications, de son argumentation se perdit. Je ne l'écoutais plus vraiment. Jamais je ne pourrais prouver que Miss Harper avait délibérément sorti le flacon d'antitussif afin que je le découvre dans la salle de bains. Pourtant j'étais à peu près convaincue que tel était bien le cas. Elle avait fait son choix : disparaître dignement et sans remords, mais elle ne voulait pas mourir seule.

Une fois que j'eus raccroché, je me préparai une tasse de thé bien chaud. J'arpentai ma cuisine, m'arrêtant de temps en temps pour contempler ce radieux jour de décembre par la fenêtre. Sammy, un des rares écureuils albinos de Richmond, s'était de nouveau attelé au pillage de ma mangeoire à oiseaux. Durant un instant, nous nous fîmes face, regard contre regard. Ses joues duveteuses et gonflées frémissaient sous l'effort de sa mastication acharnée et des graines valdinguaient sous ses pattes nerveuses. Sa maigrelette queue blanche se détachait comme un point d'interrogation sur le ciel bleu. Nous avions fait connaissance l'hiver précédent. Debout derrière ma vitre, j'avais observé ses obstinées tentatives de voltige. Son but était de parvenir à sauter d'une branche sur la mangeoire. Il glissait lentement du toit en forme de cône de la mangeoire, sans pouvoir se rattraper, battant frénétiquement l'air de ses pattes dans sa chute. Après un nombre remarquable de culbutes sur la terre ferme, Sammy avait finalement trouvé le truc. De temps en temps, je sortais pour lui lancer une poignée de cacahuètes, et j'en étais arrivée au point où j'éprouvais un pincement d'inquiétude lorsque je ne le voyais pas pendant un moment, suivi d'un soulagement joyeux lorsqu'il refaisait son apparition pour me dévaliser à nouveau.

Je m'assis à la table de la cuisine, papier et crayon à portée de main, puis composai le numéro du Valhalla Hospital.

— Jeanie Sample, s'il vous plaît, demandai-je sans me présenter.

— C'est une de nos patientes, madame ? répondit la réceptionniste sans marquer d'hésitation.

— Non, c'est une employée... Enfin je pense, rectifiai-je en affectant un ton d'écervelée. Je n'ai pas vu Jeanie depuis des années.

— Pouvez-vous patienter, s'il vous plaît ?

Quelques instants plus tard, elle reprit la ligne.

— Nous n'avons personne répondant à ce nom dans notre personnel.

La tuile ! Comment était-ce possible ? Le numéro de téléphone correspondant à son nom dans le rapport du médecin légiste était celui du Valhalla. Le Dr Brown avait-il commis une erreur ? Neuf ans auparavant... Il avait pu se passer bien des choses en neuf ans. Miss Sample avait pu déménager, elle s'était peut-être mariée.

— Je suis désolée, dis-je. Sample est son nom de jeune fille.

— Vous connaissez son nom de femme mariée ?

— Euh... Mon Dieu, je devrais...

— Jean Wilson ?

L'hésitation me rendit muette.

— Nous avons une Jean Wilson, continua la voix. C'est l'une de nos ergothérapeutes. Ne quittez pas.

Elle reprit très vite la communication :

— C'est bien cela, madame, son deuxième nom est Sample, mais elle ne travaille pas le week-end. Elle sera là lundi à 8 heures. Voulez-vous laisser un message ?

— C'est que j'aimerais tant la joindre au plus vite. Pourriez-vous m'aider ?

La femme à l'autre bout de la ligne commençait à se montrer soupçonneuse :

— Nous ne sommes pas autorisés à divulguer les numéros de téléphone personnels, madame. Donnez-moi votre nom et votre numéro, je peux essayer de la contacter et lui demander de vous appeler.

— C'est que... je dois bientôt partir, mentis-je avant d'ajouter d'un ton effroyablement déçu : je réessayerai quand je repasserai dans le coin. Je suppose que je peux lui écrire à Valhalla, à votre adresse ?

— Oui, madame, tout à fait.

— Et cette adresse est ?

Elle me la dicta.

— Et le nom de son mari ?

Un silence, puis :

— Skip, je crois.

Skip, un des diminutifs de Leslie, pensai-je.

— Mrs Skip ou Leslie Wilson, marmonnai-je comme si je le notais. Je vous remercie infiniment.

Les renseignements téléphoniques m'indiquèrent

qu'il existait un Leslie Wilson à Charlottesville, ainsi qu'un L. P. Wilson et un L. T. Wilson. J'entamai mes recherches, et l'homme qui décrocha après que j'eus composé le numéro de L. T. Wilson m'informa que « Jeanie » était partie faire des courses et qu'elle serait de retour dans moins d'une heure.

Une voix inconnue débitant des questions au téléphone ne donnerait pas de résultats. Jeanie Wilson insisterait pour consulter d'abord le Dr Masterson, et je me retrouverais le bec dans l'eau. En revanche, il est un peu plus difficile de refuser de répondre à quelqu'un qui débarque à l'improviste sur le pas de votre porte, surtout si cette personne se présente comme le médecin expert général de Virginie et qu'elle brandit une plaque pour le prouver.

Dans son jean et son sweater rouge, Jeanie Sample Wilson paraissait à peine trente ans. C'était une brunette pleine d'entrain, au regard amical, au nez constellé de taches de rousseur, les cheveux longs noués en queue-de-cheval. Dans le salon que j'aperçus depuis la porte ouverte, deux petits garçons étaient assis sur le tapis, fascinés par les dessins animés qui passaient à la télévision.

— Depuis combien de temps travaillez-vous au Valhalla ? demandai-je.

Elle hésita.

— À peu près douze ans.

J'éprouvai un tel soulagement que je retins avec difficulté le gros soupir qui me venait. En d'autres termes, Jeanie Wilson faisait déjà partie du personnel du Valhalla Hospital lorsque Jim Barnes en avait été licencié neuf ans auparavant, mais également lorsque Al Hunt y avait séjourné deux ans avant le décès de Barnes.

Elle demeurait plantée sur le pas de la porte d'entrée.

Une seule voiture était garée dans l'allée, en plus de la mienne. Son mari devait être sorti. Bien.

— J'enquête sur les meurtres de Beryl Madison et Cary Harper, déclarai-je.

Elle écarquilla les yeux.

— Et que voulez-vous de moi ? Je ne les connaissais pas...

— Puis-je entrer ?

— Bien sûr... je suis désolée. Je vous en prie.

Nous nous installâmes dans sa petite cuisine toute de linoléum, meubles en formica blanc et placards en pin. L'endroit était d'une propreté maniaque. Des boîtes de céréales s'alignaient avec précision sur le haut du réfrigérateur, et de gros bocaux en verre remplis de biscuits, de riz et de pâtes étaient disposés avec soin sur les plans de travail. Le lave-vaisselle tournait et une délicieuse odeur se répandait, trahissant la cuisson d'un gâteau dans le four.

Ma stratégie consistait à couper court à ses dernières résistances en attaquant avec une franchise brutale.

— Madame Wilson, déclarai-je, il y a onze ans Al Hunt était un patient du Valhalla Hospital. Il a été un temps suspect dans les affaires en question. Il connaissait Beryl Madison.

— Al Hunt ? répéta-t-elle d'un air éberlué.

— Vous vous souvenez de lui ?

Elle secoua la tête en signe de dénégation.

— Vous m'avez pourtant expliqué que vous travailliez au Valhalla depuis douze ans ?

— Précisément onze ans et demi.

— Al Hunt a séjourné là-bas il y a onze ans.

— Son nom ne me dit rien...

— Il s'est suicidé la semaine dernière.

Elle était maintenant complètement abasourdie.

— Madame Wilson, je lui ai parlé très peu de temps avant son décès. Le thérapeute qui s'occupait de lui est mort dans un accident de voiture, il y a neuf ans. Jim Barnes. J'aimerais que vous me donniez des précisions à son sujet.

Une rougeur monta le long de son cou.

— Vous pensez que son suicide serait corrélé, enfin je veux dire... aurait un rapport avec Jim ?

Une question à laquelle il m'était impossible de répondre. Aussi continuai-je :

— Il semble que Jim Barnes ait été renvoyé du Valhalla quelques heures avant sa mort. Votre nom – enfin, votre nom de jeune fille – figure sur le rapport du médecin légiste.

— Il y a eu... C'est-à-dire, il a été envisagé..., balbutia-t-elle. Vous voyez, on s'est demandé s'il s'agissait d'un accident ou d'un suicide. J'ai été interrogée. Par un médecin ou un coroner, je ne me souviens plus très bien. Toujours est-il qu'un homme m'a téléphoné.

— Le Dr Brown ?

— J'ai oublié son nom.

— Pourquoi voulait-il s'entretenir avec vous, madame Wilson ?

— Parce que j'étais l'une des dernières personnes à avoir vu Jim en vie, je suppose. Ce médecin a sans doute atterri au standard et Betty l'a renvoyé sur moi.

— Betty ?

— La réceptionniste de l'époque.

Elle se leva pour vérifier la cuisson du gâteau et j'insistai :

— Racontez-moi ce dont vous vous souvenez concernant le renvoi de Jim Barnes.

Lorsqu'elle se réinstalla, elle était un peu plus calme.

Une sorte de colère semblait avoir remplacé sa perplexité.

— Docteur Scarpetta, c'est peut-être moche de dire du mal des morts, mais Jim n'était pas quelqu'un de bien, dans le genre problème à pattes pour le Valhalla, et il aurait dû être renvoyé depuis longtemps.

— Quelle sorte de problème ?

— Les patients nous racontent beaucoup de choses, et ils ne sont pas toujours très... ma foi, très crédibles. Il est difficile de démêler le vrai du faux. Le Dr Masterson et d'autres thérapeutes avaient déjà reçu des plaintes de temps en temps, mais rien qui puisse être prouvé. Un matin... le matin du jour où Jim a été renvoyé et où il a eu son accident... quelqu'un a été témoin d'un événement.

— Vous êtes ce témoin ?

— Oui, dit-elle, fixant un point droit devant, l'air résolu.

— Que s'est-il passé ?

— Je traversais le hall de réception, j'avais rendez-vous avec le Dr Masterson – je ne sais plus au juste pour quelle raison – quand Betty m'a appelée. Elle travaillait à la réception, je vous ai dit, au standard... Tommy, Clay, restez un peu tranquilles !

Les cris qui nous parvenaient du salon redoublèrent de plus belle et un zapping effréné de chaînes de télévision suivit.

Mrs Wilson se leva d'un air las pour aller calmer ses fils. Je perçus le claquement étouffé d'une main contre des postérieurs, puis la guerre des chaînes prit fin, se stabilisant sur un dessin animé dans lequel des rafales de mitraillette semblaient canarder tous azimuts.

Jeanie Wilson revint s'asseoir à la table de la cuisine.

— Où en étais-je ? demanda-t-elle.

— Vous parliez de Betty.

— Ah, oui. Elle m'a fait signe d'approcher pour m'apprendre qu'elle avait la mère de Jim au bout du fil. C'était un appel longue distance, urgent. Je n'ai d'ailleurs jamais su de quoi il retournait. En tout cas, Betty m'a demandé si je pouvais trouver Jim. Il était en session de psychodrame. Elles se déroulent dans la salle de bal. Vous savez, le Valhalla dispose d'une salle de bal, que l'on utilise pour des activités diverses, des réceptions, les soirées du samedi. Il y a une estrade pour les orchestres qui date de l'époque où c'était encore un hôtel. Je me suis glissée au fond, et quand j'ai vu ce qui s'y déroulait, je n'en croyais pas mes yeux.

Le regard de Jeanie Wilson brillait de colère et elle martyrisait nerveusement le bord d'un set de table.

— Je suis restée là à observer, continua-t-elle. Debout sur la scène, Jim me tournait le dos. Il était avec cinq ou six patients, installés sur des chaises disposées de telle façon qu'ils ne pouvaient pas voir ce que faisait le thérapeute avec la patiente qui se trouvait face à lui, une très jeune fille qui s'appelait Rita. Rita devait avoir treize ans. Elle avait été violée par son beau-père. Elle ne disait jamais un mot, elle était muette. Et Jim était en train de l'obliger à rejouer la scène.

— Le viol ? demandai-je avec calme.

— L'espèce d'enfoiré ! Excusez-moi, mais cela me bouleverse encore aujourd'hui.

— C'est compréhensible.

— Il a ensuite prétendu qu'il ne faisait rien de mal. Bon sang, c'était un menteur patenté. Il a tout nié, mais je l'avais vu. Je savais exactement de quoi il retournait. Il interprétait le rôle du beau-père, et Rita était tellement terrifiée qu'elle restait sur sa chaise, tétanisée. Il était tout contre, penché sur elle, lui parlant à voix basse. La salle a une très bonne acoustique, j'entendais chaque mot qu'il prononçait. Rita était très mûre, très développée pour ses treize ans. « C'est comme ça qu'il a fait, Rita ? » lui répétait-il sans arrêt en la touchant, en la tripotant comme son beau-père, je suppose. Je me suis éclipsée. Il ne s'est rendu compte de ma présence que lorsque le Dr Masterson et moi l'avons affronté, quelques minutes plus tard.

La discrétion dont avait fait preuve le Dr Masterson au sujet de Jim Barnes commençait à s'expliquer. Quant aux pages manquantes dans le dossier d'Al Hunt, leur disparition tombait sous le sens. Si jamais un incident de cet ordre était rendu public, même s'il remontait à une époque lointaine, la réputation de l'hôpital en prendrait un très vilain coup.

— Et vous soupçonniez Jim Barnes d'avoir déjà eu ce genre de comportement auparavant ?

— Quelques-unes des premières plaintes allaient dans ce sens, répondit-elle, le regard rageur.

— Concernant toujours des femmes ?

— Pas toujours.

— Des plaintes ont émané de patients masculins ?

— D'un des jeunes gens, oui. Mais, à l'époque, personne n'y avait ajouté foi. Ce jeune patient avait de toute façon des problèmes sexuels... probablement molesté ou quelque chose dans ce genre-là. Le type même de personne sur laquelle Jim adorerait jeter son dévolu, car qui allait croire ce que racontait ce pauvre gamin ?

— Vous souvenez-vous de son nom ?

Elle réfléchit quelques instants, fronçant de concentration l'arc élégant de ses sourcils.

— Mon Dieu, cela remonte à si loin... Frank... Frankie, c'est ça. Je me souviens que certains des malades l'appelaient Frankie, mais j'ai oublié son nom de famille.

Mon cœur s'accéléra.

— Quel âge avait-il ?

— Je ne sais pas. Dans les dix-sept, dix-huit ans.

— Que pouvez-vous me dire d'autre à son sujet ? C'est important, très important, insistai-je.

Un minuteur se déclencha et elle repoussa sa chaise pour sortir le gâteau du four. Elle en profita pour aller de nouveau jeter un œil à ses fils, puis revint, le front crispé.

— Je me souviens vaguement qu'il a séjourné un moment à Backhall, juste après son admission. Puis il a été transféré dans l'unité du deuxième étage, le service des hommes. Je l'ai suivi en ergothérapie, réfléchit-elle, son menton reposant sur son index. Il était très productif, très travailleur. Il fabriquait beaucoup de ceintures de cuir, de gravures sur cuivre et il adorait tricoter, c'est un peu inhabituel. La plupart des patients masculins refusent de tricoter, se contentant du travail du cuir ou de la fabrication de cendriers, ce genre de choses... Frankie était très créatif et vraiment habile. Un autre détail me revient : sa propreté. Il était d'une propreté obsessionnelle, passait son temps à nettoyer son plan de travail, à ramasser ce qui traînait par terre. Comme si tout ce qui n'était pas net l'offusquait.

Elle s'interrompit et leva son regard sur moi.

— Quand s'est-il plaint de Jim Barnes ? demandai-je.

— Peu de temps après que j'ai été embauchée au Valhalla. (Elle hésita, fouillant ses souvenirs.) Frankie n'était pas là depuis plus d'un mois quand il a mentionné Jim. Je pense qu'il s'était confié à un autre patient. D'ailleurs, reprit-elle après un silence, c'est ce dernier qui a rapporté les paroles de Frankie au Dr Masterson.

— Vous souvenez-vous de l'identité de cet autre patient ?

— Non.

— Aurait-il pu s'agir d'Al Hunt ? Vous dites que vous veniez de prendre vos fonctions. Hunt a été interné au Valhalla il y a onze ans, au cours du printemps et de l'été.

— Je ne me souviens pas d'Al Hunt...

— Ils devaient avoir à peu près le même âge, ajoutai-je.

Son regard changea pour se teinter d'un étonnement sincère.

— C'est curieux... Frankie avait un ami, un autre adolescent, ça, je m'en souviens. Blond. Ce garçon était blond, très timide, réservé. Mais son nom m'échappe.

— Al Hunt était blond.

Un silence.

— Mon Dieu...

Je l'aiguillonnai avec douceur :

— Il était réservé, timide...

— Mon Dieu, répéta-t-elle. Je parie que c'était lui, alors ! Et il s'est suicidé la semaine dernière ?

— Oui.

— Il vous a parlé de Jim ?

— Il a parlé de quelqu'un nommé Jim Jim.

— *Jim Jim.* Mince, je ne vois pas...

— Qu'est devenu Frankie ?

— Il n'est resté que deux ou trois mois dans l'établissement.

— Il est rentré chez lui ?

— Je suppose. Il y avait un problème avec sa mère et je crois qu'il vivait chez son père. La mère de Frankie l'avait abandonné quand il était petit, quelque chose dans ce genre-là. Tout ce dont je me souviens, c'est que sa situation familiale n'était pas joyeuse, loin s'en faut. Cela étant, on pourrait en dire autant d'à peu près tous les patients du Valhalla Hospital. Seigneur, soupira-t-elle, quelle histoire ! Il y a des années que je n'ai pas repensé à tout ça. Frankie..., ajouta-t-elle avec un mouvement de tête. Je me demande ce qu'il est advenu de lui.

— Vous n'en avez aucune idée ?

— Pas la moindre.

Elle me dévisagea durant de longues secondes, et peu à peu elle comprit. Je le déchiffrai à la peur qui s'installa dans son regard.

— Les deux personnes assassinées... Vous ne pensez pas que Frankie...

Je ne répondis rien.

— Il ne s'est jamais montré violent, en tout cas pas quand je travaillais avec lui. Au contraire, c'était un jeune homme très doux...

Elle attendit, mais je demeurai silencieuse.

— ... Je veux dire... il était très gentil et poli avec moi. Il m'observait avec attention, et je n'avais pas besoin de bagarrer pour qu'il fasse ce que je lui demandais.

— Il vous aimait bien, alors.

— Ça me revient... Il m'avait tricoté une écharpe. Rouge, blanc et bleu. Ah, j'avais complètement oublié ce truc. Je me demande où elle a bien pu passer... (Sa voix s'éteignit dans un murmure, puis elle se reprit.) J'ai dû la donner à l'Armée du Salut, je ne sais plus. Disons que... Frankie devait avoir un petit béguin pour moi, ajouta-t-elle avec un pouffement nerveux.

— Madame Wilson, à quoi ressemblait Frankie ?

— Grand, mince, les cheveux bruns.

Elle ferma un instant les yeux.

— Tout cela est si ancien, s'excusa-t-elle, j'ai du mal à reformer ses traits dans mon esprit. Il n'était pas particulièrement beau. Vous comprenez, je m'en souviendrais mieux s'il avait été très beau ou hideux. L'impression que j'en ai, c'est qu'il s'agissait d'un jeune homme assez banal physiquement.

— L'hôpital conserverait-il des photos de lui ?

— Non.

Le silence retomba, puis un souvenir inattendu dut resurgir car Jeanie Wilson me lança un regard d'étonnement.

— Il bégayait, annonça-t-elle avec lenteur.

— Pardon ?

Une indiscutable conviction remplaça son hésitation :

— Il bégayait de temps en temps, ça me revient à l'instant. Quand l'agitation ou la nervosité le gagnait, Frankie bégayait.

Jim Jim.

Al Hunt avait formulé avec précision ce qu'il voulait dire. Quand Frankie lui avait confié ce que Barnes avait fait, ou tenté, il devait être bouleversé, dans un état de grande agitation. Son bégaiement l'avait repris. Sans doute butait-il sur les mots à chaque fois lorsqu'il évoquait Jim Barnes. Jim Jim !

Aussitôt après avoir pris congé et quitté la maison de Jeanie Wilson, je me précipitai sur le premier téléphone public, mais cette grande andouille de Marino était partie jouer au bowling.

14

Le lundi se leva sous un lourd océan de nuages marbrés d'un gris de mauvais augure qui noyait les collines du Blue Ridge et dissimulait à la vue le Valhalla Hospital. Des bourrasques de vent ballottaient la voiture de Marino, et lorsqu'il se gara devant l'établissement, de minuscules flocons de neige s'écrasaient sur le pare-brise dans un bruit presque imperceptible.

— Ah, merde, se lamenta-t-il en sortant de la voiture. Y manquait plus que ça !

— Ce n'est pas censé durer, le rassurai-je en grimaçant sous la piqûre glacée des flocons contre mes joues.

Silencieux, nous fonçâmes tête baissée, luttant contre le vent, en direction de l'entrée principale.

Le Dr Masterson nous y attendait, les traits durs derrière son sourire forcé. Les deux hommes se serrèrent la main en se jaugeant comme deux coqs de combat, et je ne fournis aucun effort pour alléger la tension car les petits jeux du psychiatre avaient usé ma patience. Il détenait des informations que nous voulions, et il allait nous les donner sans fioritures et dans leur intégralité. Sa collaboration en la matière serait volontaire... ou contrainte par ordre d'un tribunal. À lui de choisir. Nous l'accompagnâmes sans tarder dans son bureau, dont cette fois-ci il ferma la porte.

— Eh bien, en quoi puis-je vous aider ? s'enquit-il de but en blanc en s'installant sur son siège.

— Nous souhaitons obtenir des informations supplémentaires, répondis-je.

— Certes. Mais je dois avouer, docteur Scarpetta, continua-t-il comme si Marino ne se trouvait pas dans la pièce, que je ne vois pas très bien ce que je pourrais ajouter au sujet d'Al Hunt qui soit de quelque utilité pour vos enquêtes. Vous avez consulté son dossier et je vous ai confié tout ce dont je me souviens...

Marino l'interrompit en extrayant son paquet de cigarettes de sa poche :

— Ouais, ben, voyez, justement on est là pour vous rafraîchir la mémoire. Et c'est pas Al Hunt qui nous intéresse.

— Je ne comprends pas.

— Non, c'est son pote qui nous intéresse.

— Quel *pote* ? demanda le Dr Masterson en le dévisageant d'un regard froid.

— Frankie, ça vous dit quelque chose ?

Le Dr Masterson entreprit de nettoyer ses lunettes, et j'en conclus qu'il s'agissait là de sa stratégie favorite pour gagner du temps.

— Y avait à l'hôpital un patient, au temps où Al Hunt s'y trouvait, un gamin du nom de Frankie, ajouta Marino.

— J'avoue que je donne ma langue au chat.

— Vous pouvez la donner à qui vous préférez, Doc. Nous, on veut juste savoir qui est Frankie.

— Lieutenant, nous accueillons en permanence trois cents patients au Valhalla, répondit-il. Il m'est impossible de me souvenir de chacun d'entre eux, en particulier de ceux dont le séjour a été de courte durée.

— Donc ce que vous me dites, c'est que pour vous ce mec, Frankie, est pas resté très longtemps ?

Le Dr Masterson s'empara de sa pipe. Il venait de commettre une bévue et je décelai une colère rentrée dans son regard.

— Je ne vous *dis* rien de la sorte, lieutenant, répondit-il en bourrant sa pipe avec application. Mais si pouviez me fournir quelques informations sur ce patient, ce jeune homme que vous baptisez Frankie, il me serait plus aisé d'y voir clair. Que savez-vous d'autre, à l'exception du fait qu'il s'agissait d'un « gamin » ?

J'intervins dans la conversation :

— Il semble qu'Al Hunt ait eu un ami lors de son séjour ici, un jeune homme du nom de Frankie. Al m'en a parlé pendant notre entretien. Nous avons des raisons de penser que ce patient a séjourné à Backhall, juste après son admission, avant d'être transféré dans un autre service. C'est là qu'il aurait fait la connaissance d'Al. Nous possédons une description sommaire de Frankie : il était grand, mince et brun. Il aimait également tricoter, un passe-temps relativement peu répandu chez les patients masculins, si je ne m'abuse.

— S'agit-il des confidences d'Al Hunt ? demanda le Dr Masterson d'un ton détaché.

— Frankie était également d'une propreté obsessionnelle, ajoutai-je en éludant la question.

— J'ai bien peur que le goût du tricot ne fasse pas partie des détails cliniques susceptibles d'être portés à mon attention, remarqua-t-il en rallumant sa pipe.

— Il semble qu'il ait été affligé de bégaiements sporadiques, surtout en situation de stress, ajoutai-je encore en maîtrisant mon impatience.

— Hmmm... Peut-être un patient souffrant de dysphonie spasmodique. Si cela fait partie du diagnostic différentiel, ce pourrait être un début...

— Non, le vrai début, ce serait que vous arrêtiez vos conneries, le coupa Marino avec grossièreté.

— Lieutenant, répondit le Dr Masterson avec un sourire condescendant, votre agressivité est tout à fait injustifiée.

— Ouais, ouais... pour l'instant, une justification, c'est vrai que j'en ai pas, mais je pourrais bien vous en dégoter une vite fait. Je vais vous coller un mandat en deux temps, trois mouvements, et traîner votre cul en taule pour complicité de meurtre. Ça vous irait, ça ? demanda Marino en le foudroyant du regard.

— Je crois que j'en ai soupé, de votre insolence, répondit le praticien avec un calme exaspérant. Je ne réagis pas bien aux menaces, lieutenant.

— Sans blague ? Ben, moi, je réagis encore plus mal quand quelqu'un me mène en bateau, grinça le grand flic.

Je me fendis d'une nouvelle tentative :

— Qui est Frankie ?

— Je vous assure que, comme ça, de but en blanc, je n'en ai pas la moindre idée. Mais si vous avez l'amabilité de patienter quelques minutes, je vais voir ce que l'on peut extraire de l'ordinateur.

Il était à peine sorti de la pièce que Marino se déchaîna :

— Quel connard !

— Marino, suppliai-je d'un ton las.

— C'est pas comme s'il y avait que des mômes dans cette taule ! Je vous parie que soixante-quinze pour cent des patients ont plus de soixante ans. Des jeunes, ça vous resterait en mémoire, non ? Il sait foutrement bien qui est ce Frankie, il doit même être capable de nous dire quelle pointure il chaussait !

— Peut-être.

— Y a pas de *peut-être* qui tienne. Je vous dis que ce type se paie notre tronche.

— Et il persistera tant que vous lui manifesterez de l'hostilité.

— Merde !

Il se leva et se dirigea vers la fenêtre située derrière le bureau du Dr Masterson. Il écarta les rideaux et contempla cette fin de matinée lugubre.

— Bordel, je déteste quand quelqu'un me raconte des bobards. J'vous jure que j'le coffre s'il continue sur sa lancée, je vais lui clouer la peau du cul, au gars. Les psys, ils ont ce truc qui me fout vraiment les boules. Leur patient peut bien être Jack l'Éventreur, ils s'en foutent, ils continuent à vous mentir, à border gentiment le salopard et lui filer du bouillon à la cuiller comme si c'était Boucles d'or.

Il s'interrompit, puis ajouta en sautant du coq à l'âne :

— Au moins, la neige s'est arrêtée.

J'attendis qu'il se rasseye pour remarquer :

— Je crois que vous avez un peu forcé le trait en le menaçant d'inculpation pour complicité de meurtre.

— Ouais ? Mais ç'a marché, non ?

— Donnez-lui une chance de sauver la face, Marino.

Il continua de fumer en fixant la fenêtre d'un air boudeur.

— Selon moi, il a compris qu'il était dans son intérêt de coopérer.

— Ouais ? Ben, c'est pas dans mon intérêt de rester scotché ici à jouer au chat et à la souris avec lui. Pendant qu'on parle, Frankie le Cinglé se trimbale dans la rue, le crâne plein de ses petites histoires tordues, comme une bombe à retardement qui risque de nous péter à la tronche d'un moment à l'autre.

Je songeai à ma paisible maison, nichée dans mon paisible quartier, à la chaîne de Cary Harper enroulée autour de la poignée de ma porte et à la voix chuchotante sur mon répondeur. *Tu as de si beaux cheveux blonds. Ils sont naturels ou bien tu les décolores ?...* Étrange. La question recelait-elle une autre signification ? En quoi mes cheveux pouvaient-ils être importants à ses yeux ?

— Si Frankie est notre tueur, dis-je posément après une longue inspiration, le rapport entre Sparacino et ces meurtres devient obscur, pour ne pas dire invraisemblable.

— On verra, marmonna Marino en allumant une nouvelle cigarette et en fixant le seuil de la porte d'un air revanchard.

— Que voulez-vous dire ?

— Ça me scie toujours comme une chose peut mener à une autre, répondit-il énigmatiquement.

— Comment ? Quelles choses mènent à d'autres, Marino ?

Il consulta sa montre et jura :

— Qu'est-ce qu'il fout, bon sang ? Il est parti casser la croûte ou quoi ?

— Espérons qu'il recherche le dossier de Frankie.

— Juste, on peut l'espérer.

— Quelles choses en amènent d'autres ? insistai-je. À quoi faisiez-vous allusion ? Auriez-vous l'obligeance d'être un peu plus précis ?

— Disons que je vois les choses comme ça, et je les vois gros comme une maison. Je vous explique. S'il n'y avait pas eu ce foutu bouquin que Beryl était en train d'écrire, tous seraient encore vivants. D'ailleurs, même Hunt serait probablement pas mort.

— Je ne m'avancerai pas jusque-là.

— Évidemment que non, vous êtes toujours tellement foutrement objective. Mais moi, je le dis, d'accord ?

Il me regarda et frotta ses yeux fatigués, le visage empourpré.

— C'est comme ça que je le sens, d'accord ? Je sens que Sparacino, que le livre, c'est le lien entre tout ça. C'est ça qui a mené le tueur vers Beryl à l'origine, et ensuite, une chose en a entraîné une autre. Après, le cinglé dégomme Harper. Puis Miss Harper s'enfile assez de médicaments pour tuer un foutu canasson, pour pas avoir à se trimbaler toute seule dans sa grande baraque à causer aux murs pendant que le cancer la bouffe de l'intérieur. Puis Hunt se balance à une poutre dans son putain de caleçon.

L'inhabituelle fibre orange en forme de trèfle à trois feuilles me traversa l'esprit, ainsi que le manuscrit de Beryl, Sparacino, Jeb Price, le fils hollywoodien du sénateur Partin, Mrs McTigue et Mark. Pièces d'un puzzle que je ne parvenais pas à reconstituer. Ils étaient, d'une étrange et inexplicable façon, les ingrédients d'une alchimie dans laquelle des gens et des événements apparemment sans aucun lien entre eux s'étaient matérialisés en Frankie. Marino avait raison, une chose mène toujours à une autre. La génération spontanée n'existe pas, pas même dans le cas du meurtre. Le mal naît de quelque chose.

— Et avez-vous une théorie sur la nature *exacte* de ce lien ? demandai-je à Marino.

— Non, pas la foutue queue d'une, répliqua-t-il avec un bâillement à l'instant précis où le Dr Masterson pénétrait dans le bureau avant de refermer la porte.

Je remarquai avec satisfaction qu'il transportait une pile de dossiers.

L'air glacial, son regard nous évitant avec soin, il lança :

— Bien, je n'ai trouvé personne du nom de Frankie. J'ai donc supposé qu'il s'agissait d'un surnom. J'ai sorti les cas par date, âge et race. J'ai là les dossiers de six hommes blancs, à l'exception d'Al Hunt, qui ont été traités dans notre établissement au cours de la période qui vous intéresse. Ils ont tous entre treize et vingt-quatre ans.

— D'accord... donnez-nous ça, qu'on y jette un œil pendant que vous fumez tranquillement votre pipe, déclara Marino, un brin moins agressif, mais juste un brin.

— Lieutenant, pour des raisons de confidentialité, je préférerais vous fournir un résumé de chaque cas. Si l'un d'entre eux présente un intérêt particulier, nous éplucherons son dossier. C'est correct, n'est-ce pas ?

— Tout à fait, approuvai-je avant que Marino ne vitupère.

Le Dr Masterson ouvrit la première chemise cartonnée de la pile.

— Le premier cas est celui d'un jeune homme de dix-neuf ans, originaire d'Highland Park, Illinois, admis en décembre 1978, avec un passé de toxicomane – usage d'héroïne plus particulièrement. Il mesurait un mètre soixante-dix, pesait quatre-vingt-cinq kilos, yeux bruns, cheveux bruns. Son traitement a duré trois mois.

— Al Hunt n'a été admis qu'au mois d'avril suivant, lui rappelai-je. Ils n'ont pas pu se rencontrer.

— Oui, vous avez raison. Une erreur de ma part. Nous pouvons donc l'éliminer, déclara-t-il en posant le dossier sur son sous-main, tandis que je jetais un coup d'œil d'avertissement à un Marino écarlate qui menaçait d'exploser.

Ouvrant le dossier suivant, le Dr Masterson reprit :

— Vient ensuite un adolescent de quatorze ans, blond, les yeux bleus, un mètre cinquante-sept, cinquante-sept kilos. Admis en février 1979, reparti six mois plus tard. Symptômes de repli sur lui-même et hallucinations fragmentaires. Il a été diagnostiqué comme schizophrène de type désorganisé, bref hébéphrénique.

— Vous pourriez fournir une traduction ? fulmina Marino.

— Une conduite incohérente, des manies étranges, extrême isolement social, repli sur soi-même et autres bizarreries comportementales. Par exemple, ajouta-t-il après avoir consulté une page, il partait le matin prendre le bus, mais n'arrivait jamais à l'école, et on l'a un jour retrouvé assis sous un arbre, traçant dans son cahier des signes absurdes et curieux.

— Ah ouais... et aujourd'hui, c'est un peintre superconnu qui vit à New York, marmonna Marino d'un ton sarcastique. Il s'appelle Frank, Franklin, son nom commence par un F ?

— Non, rien à voir.

— Alors le suivant ?

— Un homme de vingt-deux ans, originaire du Delaware. Cheveux roux, yeux gris, un mètre soixante-quinze, soixante-quinze kilos. Admis en mars 1979, parti en juin. Atteint d'un syndrome hallucinatoire organique, avec une épilepsie du lobe temporal et un passé de consommation de cannabis comme facteurs aggravants. Les complications incluaient une humeur dysphorique et une tentative de castration résultant d'une hallucination.

— Dysphorique, qu'est-ce que ça veut dire ? demanda Marino.

— Anxieux, déprimé, agité.

— Ça, c'était avant ou après qu'il a essayé de se transformer en soprano ? insista le grand flic.

L'agacement commençait de transparaître chez le Dr Masterson. J'aurais difficilement pu l'en blâmer.

— Suivant, jeta Marino comme un sergent instructeur.

— Le quatrième est un jeune homme de dix-huit ans, cheveux noirs, yeux bruns, un mètre soixante-treize, soixante et onze kilos. Admis en mai 1979, diagnostiqué comme paranoïaque à tendances schizoïdes. Ses antécédents, poursuivit-il en tournant une page et en reprenant sa pipe, incluent angoisse et colère sans objet particulier, doutes sur son identité sexuelle et une peur marquée d'être pris pour un homosexuel. Le facteur déclenchant de sa psychose semble lié au fait qu'il avait été abordé par un homosexuel dans des toilettes pour hommes...

— On arrête tout de suite !

Si Marino ne l'avait pas interrompu, je l'aurais fait. Le lieutenant reprit :

— Faut qu'on cause de celui-là. Combien de temps est-ce qu'il est resté au Valhalla ?

Le Dr Masterson ralluma sa pipe. Il survola sans hâte le dossier avant de répondre :

— Dix semaines.

— À la même période qu'Al Hunt ?

— C'est exact.

— Donc il avait été abordé dans des chiottes pour hommes et il a perdu les pédales ? Qu'est-ce qui s'est passé ? C'était quoi, sa psychose ? demanda Marino.

Le Dr Masterson continua de feuilleter, remontant ses lunettes sur son nez.

— Il a souffert d'un épisode hallucinatoire de nature grandiloquente. Grandiloquente et mystique. Il était persuadé que Dieu lui demandait d'accomplir certaines tâches.

Marino inclina le buste vers le bureau.

— Quel genre ?

— Rien de spécifique. Le dossier n'indique rien de particulier, si ce n'est qu'il s'exprimait de façon étrange.

— Et vous dites que c'était un paranoïaque schizoïde.

— En effet.

— Vous pouvez me définir ça ? Par exemple, les autres symptômes ?

— En règle générale, les caractéristiques associées incluent des fantasmes et hallucinations mégalomaniaques. Le sujet peut être victime de jalousie paranoïaque, s'implique avec une extrême intensité dans les relations interpersonnelles, fait preuve d'une tendance abusive à l'argumentation et peut être pris d'accès de violence.

— D'où venait-il ? demandai-je.

— Du Maryland.

— Merde, fit Marino. Il vivait avec ses deux parents ?

— Avec son père.

— Vous êtes sûr qu'il était de type paranoïaque, et pas indifférencié ?

La distinction était capitale. Les schizophrènes de type indifférencié présentent souvent des comportements extrêmement désorganisés. Ils n'ont généralement pas les ressources nécessaires pour préméditer un crime et échapper à une arrestation. L'individu que nous recherchions était assez cohérent pour planifier et exécuter ses crimes avec succès, et échapper à l'investigation.

— Tout à fait.

Après un court silence, il ajouta d'un ton plat :

— Précision intéressante : le prénom du patient est Frank.

Il me tendit le dossier, que Marino et moi consultâmes rapidement.

Frank Ethan Aims, ou Frank E., d'où « Frankie », avait quitté le Valhalla à la fin du mois de juillet 1979. Un commentaire du Dr Masterson précisait qu'il avait ensuite disparu de chez son père, dans le Maryland.

— Comment que vous l'avez su ? demanda Marino en regardant le psychiatre. Comment vous savez ce qui lui est arrivé après avoir quitté cette taule ?

— Son père m'a appelé, il était bouleversé.

— Et puis ?

— Ni moi ni personne ne pouvions rien faire. Frankie était majeur, lieutenant.

— Vous souvenez-vous de quelqu'un qui l'ait appelé par son surnom, « Frankie » ? demandai-je.

Il nia de la tête.

— Et Jim Barnes ? Était-ce le thérapeute responsable de Frank Aims ?

— Oui, me répondit-il à contrecœur.

— Avez-vous eu connaissance d'un conflit entre Frank Aims et Jim Barnes ?

Il hésita :

— C'est... ce qui a été prétendu.

— De quelle nature ?

— De nature sexuelle, paraît-il. Seigneur, docteur Scarpetta, j'essaye de vous aider, j'espère que vous en tiendrez compte.

— Hé, éructa Marino, on en tient compte, d'accord ? J'veux dire, on a pas l'intention d'envoyer des communiqués de presse.

— Donc Frank connaissait Al Hunt.

Le Dr Masterson hésita de nouveau, les traits tendus.

— Oui. C'est Al qui a relayé les accusations.

— Bingo ! marmotta Marino.

— Comment cela, docteur Masterson ?

Le ton du psychiatre avait changé, il était sur la défensive.

— Il s'est plaint à l'un de nos thérapeutes. Il m'a aussi évoqué le problème durant l'une de nos séances. Nous avons interrogé Frank, mais il a refusé de révéler quoi que ce soit. C'était un jeune homme très renfermé, très en colère. Il ne m'était pas possible de réagir sur la simple foi des révélations d'Al. Tant que Frank se murait dans son silence et refusait de corroborer, nous devions considérer le témoignage d'Al comme des rumeurs.

Marino et moi demeurâmes muets.

Le Dr Masterson avait perdu toute sa superbe et semblait démonté.

— Je suis désolé, je ne peux vous fournir d'autres renseignements sur l'endroit où se trouve Frank. Je ne sais rien de plus. La dernière fois que j'ai eu des nouvelles de son père, cela remonte à sept ou huit ans.

— À quelle occasion ? demandai-je.

— Mr Aims m'a appelé.

— Pour quelle raison ?

— Il voulait savoir si j'avais eu des nouvelles de son fils.

— Et ? insista Marino.

— Non. Je n'ai plus jamais eu de rapport avec Frank, j'en suis désolé.

Je formulai la question cruciale :

— Pourquoi Mr Aims père vous téléphonait-il ?

— Il voulait le retrouver et espérait que j'avais peut-être une idée qui lui permettrait de le localiser, parce que sa mère était morte. La mère de Frank.

— Où était-elle morte et comment ?

— À Freeport, dans le Maine. Je ne connais pas les circonstances exactes du décès.

— Une mort naturelle ?

Son regard nous fuit.

— Non. Je suis à peu près sûr du contraire.

Il ne fallut pas beaucoup de temps à Marino pour remonter la piste. Il contacta la police de Freeport, Maine. D'après leurs dossiers, le 15 janvier 1983, en fin d'après-midi, Mrs Wilma Aims avait été battue à mort par un « cambrioleur » qui s'était introduit chez elle et se trouvait toujours dans la maison lorsqu'elle était rentrée de ses courses. C'était une petite femme menue de quarante-deux ans, aux yeux bleus et aux cheveux blonds décolorés. L'affaire n'avait jamais été élucidée.

L'identité du prétendu cambrioleur ne faisait guère de doutes dans mon esprit, pas plus que dans celui de Marino.

— Peut-être bien qu'Hunt était vraiment voyant, hein ? Il savait que Frankie avait dégommé sa mère, et pourtant ça s'est produit un sacré bout de temps après que les deux siphonnés se sont rencontrés à l'asile.

Nous observions sans vraiment les voir les pitreries de Sammy l'écureuil qui s'affairait autour de la mangeoire à oiseaux. Marino m'avait ramenée de l'hôpital et raccompagnée jusque chez moi, où je l'avais invité à prendre un café.

— Vous êtes sûr que Frankie n'a jamais travaillé à la station de lavage d'Hunt à un moment donné au cours de ces dernières années ?

— J'me souviens pas avoir vu dans les registres un Frank ou Frankie Aims.

— Il a pu changer de nom.

Marino avala une gorgée de son café.

— Il avait intérêt s'il a trucidé sa vieille. Il a dû penser que les flics allaient le rechercher. Le problème, c'est qu'on n'a pas de description récente, et les taules comme Masterwash, c'est des vrais moulins. Les types changent sans arrêt. Ils travaillent deux jours, une semaine, un mois, pas plus. Vous avez une idée du paquet de mecs blancs, grands, minces et bruns que ça représente ? Je suis en train d'éplucher toute la liste, mais pour l'instant ça donne pas grand-chose.

Nous étions à la fois si près et si loin du but que cela en devenait enrageant.

Au bord de l'exaspération, je soufflai :

— Pourtant, les fibres pourraient provenir d'une station de lavage auto. Hunt travaillait à la station que Beryl fréquentait, et il est probable qu'il connaissait le tueur. Vous comprenez ce que je veux dire, Marino ? Hunt savait que Frankie avait tué sa mère parce qu'ils ont pu se revoir après leur séjour au Valhalla. Il n'est pas exclu que Frankie ait été employé dans la station d'Al Hunt, peut-être même récemment. Il est possible que l'obsession de Frankie au sujet de la jeune femme ait débuté lorsqu'elle a amené sa voiture là-bas pour la première fois.

— Ils ont trente-six employés. Onze d'entre eux sont des Blancs et, parmi ces faces de craie, y a six nanas. Ça en laisse combien ? Cinq ? Y en a trois qui ont moins de vingt ans, c'est-à-dire qu'ils avaient huit ou neuf ans quand Frankie était au Valhalla Hospital. Bref, ceux-là collent pas. Et les deux autres collent pas non plus, pour des raisons diverses.

— Lesquelles ?

— Du genre : ils ont été embauchés au cours des deux derniers mois ou y bossaient pas quand Beryl amenait sa bagnole. Sans parler que les descriptions physiques cadrent pas du tout. Un des types est roux, l'autre est un nabot, presque aussi petit que vous.

— Merci du compliment.

— Je vais continuer les vérifications, déclara-t-il en se détournant de la contemplation de la mangeoire où Sammy l'écureuil nous observait de ses yeux bordés de rose. Et vous ?

— Quoi, moi ?

— Votre bureau en ville sait que vous avez pas démissionné ? remarqua-t-il en me regardant bizarrement.

— Je maîtrise la situation.

— J'en suis pas si sûr que ça, Doc.

— Mais moi, si.

— Ben, moi, persista-t-il, je crois que ça va pas aussi bien que ça pour vous.

— Je compte rester encore absente quelques jours du bureau, expliquai-je avec fermeté. Je dois retrouver la trace du manuscrit de Beryl, j'ai Ethridge sur le dos. Et il faut que nous sachions ce qu'il renferme, peut-être y dénicherons-nous le fameux lien que vous mentionniez.

Il se leva.

— D'accord, tant que vous respectez mes règles.

— Je prends toutes les précautions nécessaires, Marino.

— Et vous avez pas eu d'autres nouvelles de lui, hein ?

— Non, rien. Pas d'appels, pas un signe.

— Ouais, ben, permettez-moi d'enfoncer le clou : c'était pas non plus son genre d'appeler Beryl tous les jours !

Il était inutile qu'on me le rappelle, inutile que Marino me rabâche toujours la même chose.

— Promis, s'il me téléphone, je répondrai : « Salut, Frankie. Comment ça va ? »

Il pila dans l'entrée et se retourna.

— Hé, y a pas de quoi se marrer ! Vous plaisantiez, hein ?

— Bien sûr, répondis-je avec un sourire en lui tapotant le dos.

— Non, mais vraiment, Doc, faites pas un truc comme ça. Si vous l'entendez sur votre répondeur, vous décrochez pas votre foutu téléphone...

À l'instant où j'ouvrais la porte, Marino se figea, les yeux écarquillés d'horreur.

— *Bordel de merde...*

Il sortit sous le porche et dégaina bêtement son revolver en gesticulant comme un fou.

J'étais si assommée que je ne parvenais plus à articuler. L'onde surchauffée et crépitante faisait vibrer l'air glacial de la nuit.

La Ford LTD de Marino venait de se transformer en brasier et des flammes déchaînées montaient en torche comme pour lécher la lune. Agrippant Marino par la manche, je le tirai à l'intérieur de la maison, juste au moment où le mugissement d'une sirène éclatait dans le lointain et où le réservoir d'essence explosait. Les fenêtres du salon s'illuminèrent, une boule de feu s'éleva dans le ciel, enflammant les petits cornouillers qui bordaient la lisière de mon jardin.

Le disjoncteur principal sauta, nous plongeant dans le noir.

— Mon Dieu ! criai-je.

La silhouette massive de Marino s'agitait dans l'obscurité comme un taureau fou furieux prêt à charger, tandis qu'il tripotait sa radio en éructant :

— L'enfoiré ! L'enfoiré de mes deux !

Je congédiai Marino après que l'amas carbonisé des restes de sa bien-aimée voiture neuve eut été remorqué sur le plateau d'une dépanneuse. Il avait insisté pour passer la nuit à la maison, mais je m'y étais opposée, arguant du fait que les différentes unités qui patrouillaient devant chez moi suffisaient largement à ma protection. Il avait insisté de nouveau pour que je transporte mes pénates à l'hôtel, au moins pour la nuit, et j'avais refusé de bouger d'un pouce. Il devait s'occuper de ses décombres, et moi des miens. Ma rue et mon jardin étaient transformés en marécages encrassés de suie, et une fumée nauséabonde flottait encore au rez-de-chaussée. La boîte aux lettres plantée au début de mon allée ressemblait à une allumette noircie, et une bonne demi-douzaine de mes cornouillers et tout autant d'arbres s'étaient embrasés comme des fétus de paille. Plus que tout, et bien que j'apprécie la sollicitude de Marino, j'avais besoin d'être seule.

Il était minuit largement passé et j'étais en train de me déshabiller à la lueur d'une bougie lorsque le téléphone sonna. La voix de Frankie s'insinua dans ma chambre comme une vapeur délétère, empoisonnant l'air que je respirais, souillant ma maison, mon ultime refuge.

Assise au bord du lit, une nausée aigre me remontant dans la bouche, mon cœur battant à me suffoquer, je fixai le répondeur sans le voir.

— ... J'aurais bien aimé rester pour assister à ça. C'était imp- impre-pressionnant, Kay ? C'é... c'était quelque chose, non ? Je n'aime pas quand tu as des hom-hom-mes chez toi. Tu le sais, maintenant. Tu le sais.

Le répondeur s'interrompit et le voyant lumineux indiquant l'enregistrement d'un message se mit à clignoter. Je fermai les yeux, inspirant lentement, profondément, dans l'espoir de combattre l'anarchie de mon pouls. La flamme de la bougie projetait des ombres incertaines et silencieuses sur les murs. Comment une telle chose pouvait-elle m'arriver, à moi ?

Je savais ce qu'il me restait à faire, la même chose

qu'à Beryl. Avait-elle ressenti une frayeur identique à la mienne en fuyant la station de lavage, en fuyant ce cœur maladroit qui vandalisait sa portière ? Les mains agitées de tremblements violents, j'ouvris le tiroir de la table de chevet et en tirai l'annuaire. Après avoir fait mes réservations, j'appelai Benton Wesley.

Bien que tiré du sommeil, il réagit aussitôt :

— Kay, je vous le déconseille. Non, sous aucun prétexte ! Écoutez, Kay...

— Benton, je n'ai pas le choix. Mais je souhaitais en informer quelqu'un. Si vous le désirez, vous pouvez prévenir Marino, cependant ne vous en mêlez pas, je vous en prie. Le manuscrit...

— Kay...

— Je dois le retrouver et je crois qu'il est là-bas.

— Kay ! Vous avez perdu la tête !

Ma voix monta, prenant de l'ampleur :

— Écoutez, Benton... que suggérez-vous d'autre ? Que j'attende chez moi que ce salopard décide de défoncer ma porte ou de faire sauter ma voiture ? Si je reste ici, je suis morte. Vous n'avez pas encore compris ça, Benton ?

— Vous avez un système d'alarme. Vous avez une arme. Il ne peut pas vous faire sauter en même temps que votre voiture. Euh... Oui, Marino m'a appelé et m'a raconté ce qui s'était passé. Ils sont quasiment certains que quelqu'un a imbibé un chiffon d'essence et l'a introduit dans le réservoir. Ils ont retrouvé des marques, il a forcé le...

— Seigneur, Benton, vous ne m'écoutez pas !

— Non, écoutez ! *Vous,* écoutez-moi, s'il vous plaît, Kay. Je vais vous obtenir une protection, quelqu'un va venir s'installer avec vous, d'accord ? Un de nos agents féminins...

— Bonsoir, Benton.

— Kay !

Je raccrochai. Il me rappela dans la seconde, mais je laissai sonner. Ses protestations sur le répondeur me parvenaient comme au travers d'une épaisse couche de coton. Le rythme violent de mon sang s'imprimait dans les vaisseaux de mon cou. Des images me revenaient en force : la carcasse surchauffée de la voiture de Marino sifflait, tandis que les flammes grondaient, attaquées par les puissants jets d'eau jaillissant des lances à incendie qui serpentaient dans ma rue. Lorsque j'avais découvert le petit corps carbonisé au bout de mon allée, quelque chose s'était cassé net en moi. Le réservoir d'essence avait dû exploser à l'instant même où Sammy l'écureuil se sauvait en sautillant le long de la ligne électrique. Il avait fait un bond insensé pour se mettre à l'abri, et l'espace d'une seconde ses pattes étaient simultanément entrées en contact avec le transformateur à la terre et la ligne principale. Vingt mille volts avaient traversé son petit corps, le réduisant en cendres et faisant sauter le fusible principal.

J'avais couché ses restes calcinés dans une boîte à chaussures, avant de l'enterrer au milieu de mes rosiers. Étrangement, la perspective de voir la minuscule forme noircie dès les premières lueurs de l'aube était au-delà de ce que je pouvais supporter.

L'électricité n'était toujours pas rétablie lorsque je terminai de préparer mes bagages. Je descendis, sirotai un cognac et fumai, attendant que cessent ces tremblements que je ne parvenais plus à maîtriser. Mon Ruger brillait sur le bar dans la lueur de lampes tempêtes. Je ne me couchai pas. Lorsque je sortis en trombe de chez moi pour courir vers ma voiture, je ne jetai pas un regard aux décombres de mon jardin dévasté, ma valise battant contre ma jambe, mes chevilles éclaboussées d'eau boueuse.

Je m'éloignai rapidement sans distinguer un seul véhicule de patrouille garé le long de ma rue plongée dans le silence. Peu après 5 heures du matin, lorsque j'atteignis l'aéroport, je me dirigeai droit vers les toilettes des femmes. Je sortis mon arme de mon sac à main et la déchargeai, avant de la fourrer dans ma valise.

15

Je traversai la passerelle de débarquement et sortis de l'avion à midi dans le hall inondé de soleil de l'aéroport international de Miami.

Je fis une courte halte afin d'acheter le *Miami Herald* et commander une tasse de café. Une petite table à demi dissimulée par une plante en pot m'accueillit, et je profitai de sa discrétion pour ôter mon blazer d'hiver et remonter mes manches. La transpiration dégoulinait le long de mon dos et sous mes aisselles, me trempant. Le manque de sommeil irritait mes yeux jusqu'à la brûlure et un gros début de migraine me menaçait. Ce que je découvris en dépliant le journal n'était pas pour améliorer mon état. Une photo spectaculaire des pompiers arrosant la voiture de Marino s'étalait dans le coin inférieur gauche de la première page. Le tableau impressionnant des jets d'eau, des tourbillons de fumée et des arbres en feu à la lisière de mon jardin s'accompagnait de la légende suivante :

UNE VOITURE DE POLICE EXPLOSE

Les pompiers de Richmond se relayant autour de la voiture d'un enquêteur de la criminelle, engloutie

> par les flammes, dans une rue paisible d'un quartier résidentiel. Nul ne se trouvait à bord de la Ford LTD lorsqu'elle a explosé la nuit dernière. Aucune victime n'est à déplorer. On soupçonne un incendie criminel.

Il y avait au moins un point positif : il n'était fait aucune mention de l'identité du propriétaire de la maison devant laquelle la voiture de Marino était garée, ni de la raison de sa présence sur les lieux. Cela n'empêcherait pas ma mère de voir la photo et de me téléphoner pour débiter : « Kay, j'aimerais tant que tu reviennes à Miami. Richmond a l'air effroyable, alors que chez nous ils viennent d'achever le nouveau bâtiment du médecin légiste expert. C'est adorable, on dirait que ça sort tout droit d'un film. » Bizarrement, ma mère s'obstinait à faire l'impasse sur les statistiques prouvant que le taux d'homicides, de fusillades, de saisies de drogues, d'émeutes raciales, de viols et de cambriolages dans ma ville natale, dont la langue majoritaire était l'espagnol, était aussi élevé que dans tout le British Commonwealth et la Virginie réunis, et cela chaque année.

J'appellerais ma mère une autre fois. Mon Dieu, pardonnez-moi, mais je n'ai pas le courage de lui parler maintenant.

Je rassemblai mes affaires, écrasai ma cigarette et plaquai prudemment mon sac à main contre mon flanc avant de plonger dans la marée humaine bigarrée de vêtements tropicaux, bardée de lourds sacs des produits détaxés vendus dans les boutiques de l'aéroport. L'incessant bruit de fond produit par le mélange de langues diverses et étranges m'accompagna jusqu'au tapis de déchargement des bagages.

Quelques heures plus tard, au volant de ma voiture de location sur le Seven Mile Bridge, je commençai à me détendre. Tandis que je m'enfonçais de plus en plus vers le sud, le golfe du Mexique d'un côté et l'océan Atlantique de l'autre, je tentai de me souvenir de la date de ma dernière visite à Key West. Tony et moi étions souvent descendus à Miami pour passer un peu de temps avec ma famille, mais nous n'avions jamais poussé le tourisme jusqu'à une escapade à Key West. Non, c'était en compagnie de Mark que j'avais visité l'endroit pour la dernière fois.

Il vouait aux plages, à la mer et au soleil une passion que ceux-ci lui avaient rendue. Si la nature accorde parfois des faveurs et des privilèges à certains êtres, Mark en était une évidente démonstration. Je ne me souvenais ni de l'année ni des endroits que nous avions découverts ensemble lorsqu'il était venu passer une semaine avec ma famille, pourtant des détails restaient gravés avec netteté : son ample short de bain blanc, la chaleur de sa paume ferme qui serrait mes doigts au cours de nos promenades sur le sable humide et frais. Je revoyais la blancheur de son sourire qui contrastait avec sa peau cuivrée, la folle gaieté qui illuminait son regard comme il cherchait des coquillages et des dents de requin. Moi, je souriais, protégée par l'ombre d'un chapeau à larges bords. Bien plus, plus que tout, je gardais au fond de moi la certitude d'avoir aimé un jeune homme nommé Mark James au-delà de ce que j'avais pensé possible.

Pourquoi avait-il changé ? Il m'était ardu de comprendre qu'il soit passé à l'ennemi, ainsi que le croyait Ethridge, d'autant que je n'avais guère d'autres choix que d'accepter cette théorie. Mark avait toujours été gâté. Il possédait cette absolue certitude, ce sentiment qui habite les superbes descendants de géniteurs superbes, ceux qui ne doutent pas un instant que le meilleur leur est attribué sans discussion. Pourtant rien dans son passé n'indiquait la malhonnêteté, ni la cruauté. Je ne pouvais même pas l'accuser de condescendance envers les moins chanceux que lui ou de manipulation vis-à-vis de ceux que son charme avait vaincus. Son seul véritable péché avait été de ne pas m'aimer suffisamment. Et cela, privilège de la quarantaine et du recul qu'elle m'offrait, je pouvais le lui pardonner. En revanche, il m'était impossible d'oublier sa duplicité. Non, je ne lui pardonnerais jamais de s'être abîmé, d'être devenu un médiocre ersatz de l'homme que j'avais tant adoré et respecté. Je ne lui pardonnerais jamais le fait de ne plus être *Mark*.

Je dépassai l'US Naval Hospital sur l'US 1, puis suivis le bord de mer doucement incurvé de North Roosevelt Boulevard. Bien vite, je me faufilai dans le labyrinthe des rues de Key West, à la recherche de Duval Street. Les voies étroites étaient blanches de soleil et les ombres des plantes tropicales agitées par la brise dansaient sur la chaussée. Sous un interminable ciel bleu, des palmiers énormes et des acacias berçaient maisons et boutiques au creux de leur ramure d'un vert éclatant. Des bougainvillées et des hibiscus éclaboussaient de leurs violets et de leurs rouges trottoirs et porches. Je roulai au pas, me frayant un chemin au milieu d'une horde de promeneurs en shorts et sandales, et d'un défilé incessant de cyclomoteurs. Il y avait très peu d'enfants et une forte proportion d'hommes.

Le La Concha était un Holiday Inn rose dont la haute silhouette dominait de grands espaces ouverts et une profusion de plantes tropicales un brin tapageuse. Je réservai sans difficultés. La saison touristique ne commençait pas avant la troisième semaine de décembre. J'abandonnai ma voiture sur le parking à moitié vide et ne pus m'empêcher, en traversant le hall presque désert, de repenser à ce qu'avait dit Marino. Je crois que jamais dans ma vie je n'avais croisé autant de couples du même sexe. Dissimulée sous la solidité et l'apparente santé de cette minuscule île, la maladie faisait des ravages. Où que je pose les yeux, semblait-il, je découvrais des hommes mourants. J'avais depuis longtemps appris à gérer le danger théorique de contamination inhérent à mon travail et ne redoutais pas de contracter une hépatite ou le sida. De surcroît, les homosexuels ne me gênaient pas. Plus je vieillissais, plus j'étais convaincue que l'amour peut revêtir des formes bien différentes. Le bien ou le mal n'existent que dans la façon d'exprimer l'amour, jamais dans l'amour en soi.

Le réceptionniste me rendit ma carte de crédit et je lui demandai de m'indiquer les ascenseurs, avant de gagner ma chambre au cinquième étage. L'esprit un peu comateux, je me déshabillai, ne gardant que mes sous-vêtements, puis m'écroulai sur le lit, pour ne me réveiller que quatorze heures plus tard.

Ce jour-là était aussi splendide que le précédent. À l'exception du Ruger fourré dans mon sac, j'étais vêtue comme n'importe quel autre touriste. L'objectif que je m'étais fixé consistait à fouiller cette île de trente mille habitants pour y localiser deux hommes que je connaissais sous le nom de PJ et Walt. J'avais appris par les lettres que Beryl avait écrites fin août qu'ils étaient ses amis et logeaient dans l'immeuble où elle avait séjourné. À part cela, j'ignorais totalement comment retrouver cet endroit et priai le ciel que quelqu'un chez Louie's puisse me renseigner.

Armée de la carte que j'avais achetée à la boutique de souvenirs de l'hôtel, je me mis en marche. Je descendis Duval Street, longeant ses rangées de boutiques et de restaurants aux balcons à balustres qui m'évoquaient le quartier français de La Nouvelle-Orléans. Des peintres du coin exposaient leurs œuvres sur le trottoir, des magasins vendaient des plantes exotiques, des soieries et des chocolats italiens Perugina. Je patientai à un carrefour pour voir passer les wagons jaune vif du Conch Tour Train. Je commençais à comprendre pourquoi Beryl Madison n'avait éprouvé aucune envie de quitter Key West. La présence menaçante de Frankie se diluait au fil de mes pas, et lorsque je finis par tourner à gauche dans South Street, il n'était plus qu'un vague souvenir, aussi lointain que le décembre sans aménité de Richmond.

Le restaurant Louie's avait été aménagé dans une ancienne maison de bois blanc située au coin de Vernon et Waddell Streets. Les planchers de bois dur luisaient de propreté et les tables recouvertes de nappes en coton couleur pêche pâle étaient impeccablement dressées et décorées de charmants bouquets de fleurs fraîches. Mon hôte me guida à travers la salle climatisée et m'installa sur la terrasse. L'invraisemblable palette des bleus de l'océan et du ciel me coupa le souffle. Les palmiers et des corbeilles suspendues d'où cascadaient des plantes en fleurs remuaient doucement dans l'air parfumé de la mer. L'océan Atlantique s'étendait presque sous mes pieds et à quelques brasses de là était amarrée une mosaïque chatoyante de voiliers. Je commandai un rhum tonic en songeant aux lettres de Beryl, me demandant si j'étais assise là où elle les avait écrites.

La plupart des tables étaient occupées, pourtant, installée dans un coin le long de la balustrade, je me sentais à l'écart de la foule. À ma gauche, quatre marches accédaient à une large terrasse où un petit groupe de jeunes gens était étendu en maillot de bain près d'un bar d'inspiration tahitienne. Un jeune homme musclé au type latino-américain, moulé dans un slip de bain jaune, attira mon regard. Il jeta son mégot dans l'eau, puis se leva et s'étira avec langueur. Il s'éloigna d'une démarche de chat pour aller commander une nouvelle tournée de bières au barman barbu dont les gestes trahissaient l'ennui d'un homme plus si jeune, lassé de son travail.

Longtemps après que j'eus fini ma salade et mon bol de soupe de conques, le groupe de jeunes gens finit par dégringoler une volée de marches plus loin et pénétrer bruyamment dans l'eau, avant de s'éloigner à la nage en direction des bateaux à l'ancre. Je réglai l'addition et m'approchai du barman, installé sur son siège sous son auvent de chaume, absorbé par la lecture d'un roman.

Il se leva sans enthousiasme, fourra son livre sous le comptoir et demanda d'une voix traînante :

— Qu'est-ce que ce sera ?

— Je me demandais si vous vendiez des cigarettes. Je n'ai pas vu de distributeur à l'intérieur.

— C'est tout ce que j'ai, indiqua-t-il en désignant d'un geste un petit étalage derrière lui.

Lorsque j'eus fait mon choix, il posa brusquement le paquet sur le zinc avant d'exiger la somme exorbitante de deux dollars. Les cinquante *cents* de pourboire que j'ajoutai ne le déridèrent pas. L'épaisse barbe noire qui recouvrait le bas de son visage tanné par des années de soleil se parsemait de gris. Son regard vert était tout sauf amical. Il me donna une impression de dureté, d'hostilité même, et, à mon avis, il vivait à Key West depuis bien longtemps.

— Cela ne vous ennuie pas si je vous pose une question ?

— Pas du tout, madame, puisque vous venez déjà de m'en poser une, répondit-il.

Je souris.

— C'est exact, vous avez raison. Et je vais vous en poser une autre. Depuis combien de temps travaillez-vous chez Louie's ?

— Bientôt cinq ans.

Il sortit un torchon et briqua le comptoir.

— Vous avez donc dû connaître une jeune femme qu'on appelait Straw, lui dis-je, me souvenant que Beryl confiait dans ses lettres avoir tu son vrai nom durant tout son séjour.

Il continua d'astiquer son bar et répéta en fronçant les sourcils :

— Straw ?

— Un surnom. Elle était blonde, mince, très jolie. Elle est venue chez Louie's presque tous les après-midi l'été dernier. Elle s'asseyait à l'une de vos tables pour écrire.

Il interrompit son nettoyage et fixa sur moi son regard dur.

— Et en quoi est-ce que cela vous concerne ? C'est une amie à vous ?

Je donnai la seule explication qui me vint à l'esprit et qui ne fût ni rebutante ni un mensonge flagrant :

— Non, une de mes patientes.

— Hein ? fit-il en haussant ses sourcils broussailleux. Une patiente ? Vous êtes son *docteur* ?

— C'est exact.

— Eh ben, je suis désolé de vous le dire, mais c'est plus maintenant que vous allez lui faire du bien, Doc, rétorqua-t-il en se laissant retomber sur son siège et en s'adossant, comme s'il attendait la suite.

— Je le sais. Je sais qu'elle est morte.

— Ouais, ça m'a fait un choc quand je l'ai appris. Il y a quelques semaines, les flics ont déboulé ici avec leurs matraques en caoutchouc et leurs menottes. Je vais vous dire la même chose que ce que mes copains leur ont dit : personne ici en sait foutre rien de ce qui est arrivé à Straw. C'était une vraie dame, très réservée. Elle s'installait là-bas, dit-il en désignant une table vide non loin de celle que je venais de quitter. J'veux dire, elle s'asseyait toujours là, et elle embêtait personne, elle se mêlait pas des affaires des autres.

— L'un d'entre vous a-t-il un peu sympathisé avec elle ?

— Sûr, acquiesça-t-il dans un haussement d'épaules. On buvait quelques bières tous ensemble. Elle adorait la Corona avec un quartier de citron vert. Mais je dirais pas que les gens d'ici l'ont connue personnellement. À part que c'était un oiseau des pays froids, je ne crois pas qu'il y en ait un ici qui puisse même vous dire d'où elle était.

— De Richmond, Virginie.

Il continua :

— Vous savez, plein de gens vont et viennent dans ce coin. À Key West, c'est la philosophie du « vivre et laisser vivre ». Il y a aussi beaucoup d'artistes sans le sou dans les parages. Straw était pas très différente de pas mal de ceux que je rencontre – sauf que la plupart ne finissent pas assassinés. Bordel, ajouta-t-il en se grattant la barbe et en secouant lentement la tête, j'arrive pas à y croire. Ça me défonce, ce truc !

— Il reste beaucoup de questions sans réponses, confiai-je en allumant une cigarette.

— Ouais, du genre : mais, bordel, pourquoi est-ce que vous fumez ? Je croyais que les docteurs savaient ce qu'ils faisaient.

— C'est une habitude répugnante et malsaine. Mais je sais ce que je fais. Et vous feriez bien de me préparer un rhum tonic, parce que j'aime aussi boire. Un Barbancourt citron, s'il vous plaît.

Il mit à l'épreuve mes connaissances en matière de bons alcools :

— Du quatre, du huit, qu'est-ce que vous préférez ?

— Vingt-cinq, si vous en avez.

— Non. Le vingt-cinq ans d'âge, on le trouve que dans les îles. Celui-là, c'est comme de la soie, c'est à pleurer de reconnaissance.

— Alors votre meilleur.

Il désigna d'un doigt une des bouteilles alignées derrière lui, dont le verre ambré et l'étiquette gravée de cinq étoiles m'étaient familiers. Un rhum Barbancourt, vieilli en fûts pendant quinze ans, identique à celui que j'avais découvert dans le placard de la cuisine de Beryl.

— Ce sera parfait, approuvai-je.

Un large sourire lui vint enfin. Brusquement galvanisé, il se leva de son siège. Avec une dextérité de jongleur, il s'empara des bouteilles, servit une longue giclée d'or liquide haïtien sans le secours d'une mesure, suivie de jets de tonic pétillant. Pour parfaire son œuvre, il découpa avec habileté une impeccable lamelle de citron vert des Keys qui semblait tout juste tombé de l'arbre, la pressa dans mon alcool avant d'en frotter la circonférence du verre. Puis il s'essuya les mains sur le torchon qu'il avait glissé dans la ceinture de son Levi's passé, fit glisser une serviette en papier sur le comptoir et m'offrit le résultat de son effort. C'était sans l'ombre d'un doute le meilleur rhum tonic dans lequel j'aie jamais trempé mes lèvres, et je lui en fis le compliment.

— C'est ma tournée, offrit-il en refusant le billet de dix dollars que je lui tendais. J'veux dire, un toubib qui fume et qui connaît son rhum sur le bout des doigts, ça me branche assez.

Il sortit son propre paquet de sous le bar et continua, après avoir éteint son allumette :

— Je vais vous dire, j'en ai tellement marre d'entendre ressasser toutes ces conneries politiquement correctes sur le tabac et tout le reste. Les gens vous traitent comme si vous étiez un foutu criminel. Moi, je vous dis : « vivre et laisser vivre », c'est ma devise.

— Oui, je vois exactement de quoi vous voulez parler, acquiesçai-je tandis que nous tirions d'avides bouffées.

— Faut toujours qu'ils trouvent un prétexte pour vous juger. Que ce soit ce que vous bouffez, ce que vous buvez, avec qui vous sortez.

— Les gens peuvent en effet se montrer très critiques et méchants.

— Amen.

Il se rassit dans l'ombre de son abri garni de bouteilles, tandis que le soleil me cuisait le sommet de la tête.

— D'accord, reprit-il, vous êtes le docteur de Straw. Qu'est-ce que vous essayez de trouver, si je peux me permettre ?

— Il s'est produit, avant sa mort, un certain nombre d'événements très déroutants. J'espère que ses amis pourront éclaircir quelques points pour moi...

Il m'interrompit en se redressant sur son siège :

— Attendez, quand vous dites *docteur*, ça veut dire quel genre de docteur ?

— Je l'ai examinée...

— Quand ?

— Après sa mort.

— Oh, merde ! Vous êtes croque-mort ? demanda-t-il, incrédule.

— Je suis anatomo-pathologiste.

— Un *coroner* ?

— Plus ou moins.

— Ben, alors ça..., déclara-t-il en me détaillant des pieds à la tête, ça, j'aurais jamais deviné.

Je ne sus s'il fallait le prendre comme un compliment.

— Est-ce qu'on envoie toujours un – comment vous avez dit ? –, un anatomo-pathologiste comme vous pour dénicher des informations ?

— Personne ne m'a envoyée. Je suis venue de mon propre chef.

— Pourquoi ? demanda-t-il, le regard de nouveau lourd de soupçons. Vous avez fait un sacré bout de chemin.

— Ce qui est arrivé à Beryl m'importe beaucoup.

— Attendez... Vous êtes en train de me dire que c'est pas les flics qui vous ont expédiée ?

— La police n'a pas l'autorité pour m'*expédier* où que ce soit.

— Génial, pouffa-t-il. Ça, ça me plaît.

Je repris mon verre.

— Cette bande de brutes, ils se prennent tous pour des petits Rambo, continua-t-il en écrasant sa cigarette. Ils sont venus ici, ils portaient leurs putains de gants en latex. Bon Dieu, à votre avis, comment est-ce que les clients ont pris *ça* ? Ils sont allés voir Brent – c'était un de nos serveurs. Bordel, mec, il était en train de mourir, et vous savez ce qu'ils ont fait ? Ces connards avec leurs masques de chirurgie se sont plantés à trois mètres de son lit pour lui poser leurs questions de merde, j'veux dire comme si c'était la typhoïde et le choléra réunis. J'vous jure, même si j'avais su quoi que ce soit sur ce qui est arrivé à Beryl, je leur aurais même pas donné l'heure !

À l'énoncé de son prénom, j'eus la sensation que le

sol tremblait sous mes pieds et lorsque nos regards se croisèrent, il comprit la portée de ses paroles.

— Beryl ? répétai-je.

Il s'adossa à son siège sans un mot. J'insistai :

— Vous saviez qu'elle s'appelait Beryl ?

— Je vous ai déjà dit que les flics sont venus poser des questions, parler d'elle.

Il alluma avec gêne une autre cigarette, évitant mon regard. Mon ami le barman était un piètre menteur.

— Ils vous ont parlé ?

— Non. Quand j'ai vu ce qui se passait, je me suis fait rare.

— Pourquoi ?

— Je vous l'ai déjà dit, j'aime pas les flics. J'ai une Barracuda, une vieille caisse pourrie que je traîne depuis que je suis môme. Je ne sais pas pourquoi, mais il faut toujours qu'ils me tombent dessus, à me filer des PV pour un oui ou pour un non, qu'ils la ramènent en roulant des mécaniques avec leurs flingues et leurs Ray Ban, on dirait qu'ils se la jouent série téloche.

— Vous connaissiez déjà son nom pendant son séjour ici, déclarai-je d'un ton doux. Vous saviez qu'elle s'appelait Beryl Madison bien avant que la police ne vienne.

— Et alors ? Qu'est-ce que ça change ?

— Elle dissimulait sa véritable identité, répondis-je avec émotion. Elle ne voulait pas que les gens d'ici l'apprennent et elle l'a tenue secrète. Elle payait tout en liquide pour éviter de laisser des traces, carte de crédit, chèque, etc. Elle fuyait, elle était terrifiée. Elle ne voulait pas mourir.

Il me dévisageait les yeux écarquillés.

— Je vous en prie, dites-moi ce que vous savez. S'il vous plaît. J'ai l'impression que vous étiez son ami.

Il se leva sans rien dire et sortit de derrière son

comptoir. Le dos tourné, il entreprit de ramasser les bouteilles vides et les reliefs abandonnés par les jeunes gens sur la terrasse.

Je dégustai mon verre en silence, contemplant l'océan. Au loin, un jeune homme bronzé se préparait à prendre la mer et déployait une voile bleu foncé. Les feuilles de palmier bruissaient dans le vent et un labrador noir gambadait le long du rivage, entrant et sortant des vagues.

— Zoulou, murmurai-je d'un air absent en regardant le chien.

Le barman interrompit son ménage et leva les yeux.

— Qu'est-ce que vous venez de dire ?

— Zoulou. Beryl a mentionné Zoulou et vos chats dans une de ses lettres. Elle disait que les animaux errants recueillis chez Louie's mangeaient mieux que beaucoup d'humains.

— Quelles lettres ?

— Elle en a écrit plusieurs durant son séjour à Key West. Après son assassinat, nous les avons retrouvées dans sa chambre. Elle disait que les gens d'ici étaient devenus sa famille et que c'était le plus bel endroit du monde. Si seulement elle avait pu ne jamais remettre les pieds à Richmond ! J'aurais tant voulu qu'elle reste ici.

J'eus la sensation fulgurante que la voix qui prononçait ces phrases n'était plus la mienne et ma vue se troubla. Le manque de sommeil, le stress accumulé et le rhum se liguaient tous contre moi. Le soleil y participait aussi, asséchant le peu de sang qui irriguait encore mon cerveau.

Lorsque le barman regagna enfin sa hutte, sa voix aussi avait changé, elle s'était nuancée d'une émotion sans tapage :

— Je sais pas quoi vous dire, mais oui, j'étais l'ami de Beryl.

— Merci, dis-je en me tournant vers lui. J'aime à penser que j'étais également son amie. Que je *suis* son amie.

Il baissa les yeux, embarrassé, mais j'avais eu le temps d'entrevoir la tendresse qui adoucissait son visage.

— On peut jamais être vraiment sûr si les gens sont corrects ou pas, remarqua-t-il. Par les temps qui courent, c'est vraiment la galère d'être certain.

Le sous-entendu finit par atteindre mon cerveau, en dépit de ma fatigue.

— Des gens qui n'étaient pas corrects se sont-ils renseignés au sujet de Beryl ? D'autres que la police ou moi ?

Il se servit un Coca.

— Qui cela ? répétai-je, brusquement inquiète.

— Je connais pas son nom. Un beau mec, dit-il après avoir ingurgité une lampée de son verre. Jeune, brun, pas encore la trentaine à mon avis. J'veux dire des belles fringues, des lunettes de soleil de marque, il avait l'air de sortir d'un magazine de mode. Ça doit remonter à quinze jours. Il a prétendu qu'il était détective privé, une connerie dans ce goût-là.

Le fils du sénateur Partin.

Il continua :

— Il voulait savoir où résidait Beryl.

— Vous le lui avez dit ?

— Bordel, certainement pas ! Je lui ai même pas adressé la parole.

— Quelqu'un d'autre a-t-il pu le renseigner ? insistai-je.

— Sûrement pas.

— Pourquoi cela ? Et allez-vous enfin me donner votre nom ?

— Sûrement pas parce que personne ne le savait, sauf moi et un copain. Et je vous file mon nom si vous me dites le vôtre.

— Kay Scarpetta.

— Enchanté. Je m'appelle Peter, Peter Jones, mais mes amis m'appellent PJ.

PJ habitait une minuscule maison noyée sous une jungle tropicale, à deux pâtés de maisons de Louie's. L'opulence végétale était telle que si la Barracuda n'avait pas été garée devant, je n'aurais probablement pas deviné l'existence de la bâtisse de bois à la peinture écaillée. Un regard à la voiture m'éclaira sur les raisons du harcèlement policier dont son propriétaire était en permanence victime. La chose, véritable échantillonnage de graffitis urbains, était montée sur des roues démesurées et garnie de béquets. L'arrière avait été surélevé. Quant à la carrosserie, elle disparaissait sous une peinture maison, ensemble de formes et de dessins hallucinatoires aux couleurs psychédéliques, très en vogue dans les années soixante.

— Voilà mon bébé, fit PJ en tapotant affectueusement le capot.

— J'avoue que c'est quelque chose.

— Je l'ai depuis mes seize ans.

— Elle mérite que vous la gardiez toute votre vie, assurai-je avec sincérité tout en plongeant sous les branches pour le suivre dans la pénombre fraîche.

— C'est pas un palace, s'excusa-t-il en ouvrant la porte. Juste une pièce en plus avec des chiottes à l'étage, c'est là qu'habitait Beryl. Je suppose qu'un de ces jours je la relouerai, mais je suis très exigeant dans le choix de mes locataires.

Le salon était un fouillis de mobilier de récupération :

un canapé et un hideux fauteuil rose et vert au rembourrage pléthorique, plusieurs lampes dépareillées fabriquées à partir d'objets aussi bizarres que des coquilles de conques et des coraux. Ce qui avait dû être une porte en chêne dans une vie antérieure faisait office de table basse. Des noix de coco peintes, des étoiles de mer, des journaux, des chaussures et des canettes de bière jonchaient la pièce, dans laquelle régnait l'odeur aigrelette de l'humidité et des moisissures.

Je m'assis sur le canapé et demandai :

— Comment Beryl a-t-elle su que vous louiez cette chambre ?

— Chez Louie's, répondit-il en allumant plusieurs lampes. Les premières nuits, elle est descendue à l'Ocean Key, un chouette hôtel sur Duval Street. Je suppose qu'elle s'est rapidement rendu compte que ça allait lui coûter un paquet de fric si elle avait l'intention de rester un moment dans le coin.

Il s'installa dans le fauteuil.

— C'était peut-être la troisième fois qu'elle venait déjeuner chez Louie's. Elle prenait juste une salade et restait assise là, à fixer l'océan. Elle travaillait pas, à ce moment-là, elle se contentait de rester assise. C'était bizarre, la façon qu'elle avait d'être plantée là, j'veux dire pendant des heures, presque tout l'après-midi. Finalement, comme je vous ai dit, ça devait être la troisième fois qu'elle venait, elle est descendue au bar et s'est appuyée à la rambarde pour regarder l'océan. Je crois que je la plaignais.

— Pourquoi ?

Il haussa les épaules.

— Elle avait l'air tellement paumée, comme déprimée, je le voyais bien. C'est pour ça que je lui ai parlé.

Ce qui est sûr, c'est qu'elle n'était pas ce que j'appellerais facile.

— Elle n'était pas facile à aborder, renchéris-je.

— J'veux dire, bon sang, c'était la croix et la bannière pour avoir une conversation un peu amicale avec elle. Je lui ai posé quelques questions bateau, du genre : « C'est la première fois que tu viens à Key West ? », ou : « D'où tu viens ? » Quelquefois, elle me répondait même pas, comme si j'étais pas là. Mais c'était drôle, quelque chose me soufflait de m'accrocher. Je lui ai demandé ce qu'elle aimait boire, on a commencé à parler alcools, le sujet l'a branchée, elle s'est détendue. Ensuite, je lui ai fait goûter quelques spécialités de la maison. D'abord une Corona avec un zeste de citron, ça l'a rendue dingue. Puis un Barbancourt, comme celui que je vous ai préparé, ça, c'était un truc vraiment spécial.

— Ça, je veux bien croire que ça l'ait drôlement détendue, remarquai-je.

Il sourit.

— Ouais, vous avez raison, surtout que je le lui avais préparé super-tassé. On a commencé à discuter de choses et d'autres, et d'un seul coup elle me demande si je connais des endroits où séjourner dans le coin. À ce moment-là, je lui ai dit que j'avais une chambre, je l'ai invitée à venir la visiter un peu plus tard si elle voulait. C'était un dimanche, et le dimanche je termine mon boulot plus tôt.

— Et elle est venue ce même soir ?

— J'ai été très surpris parce que je pensais pas qu'elle viendrait. Mais si... En plus, elle a trouvé sans problème. Walt était rentré. Il vendait sa camelote au Square jusqu'à la tombée de la nuit. Donc Walt venait d'arriver, on a commencé à bavarder tous les trois et à sympathiser. De fil en aiguille, on est allés se balader dans la vieille ville et on a échoué chez Sloppy Joe's. Comme elle était écrivain et tout ça, ça l'a vraiment fait craquer, elle a pas arrêté de délirer sur Hemingway. C'était une femme sacrément intelligente, ça, je peux vous le dire.

— Walt vendait des bijoux en argent dans Mallory Square.

— Comment vous savez ça ? demanda-t-il, surpris.

— Les lettres de Beryl, lui rappelai-je.

Son regard triste se perdit dans le vide pendant quelques instants.

— Elle y mentionnait aussi Sloppy Joe's. J'ai eu le sentiment qu'elle vous aimait beaucoup, Walt et vous.

— Ouais, à nous trois, on se descendait des sacrées cargaisons de bière.

Il ramassa une revue qui traînait au sol et la balança sur la table basse.

— Sans doute étiez-vous ses deux seuls amis.

Il me regarda.

— C'était quelqu'un, Beryl. J'veux dire, c'était vraiment quelqu'un. J'avais jamais rencontré une personne comme elle avant, et j'en rencontrerai probablement plus jamais. Une fois que vous aviez réussi à franchir sa carapace de protection, c'était une femme exceptionnelle. Intelligente comme pas deux, répéta-t-il en laissant aller sa tête contre le dossier du fauteuil, son regard se perdant vers la peinture écaillée du plafond. J'adorais l'écouter parler, elle pouvait dire de ces trucs, juste comme ça, dit-il en claquant des doigts, des trucs que je serais pas capable de sortir, même si j'avais dix ans pour y réfléchir. Ma sœur est pareille. Elle est prof d'anglais à Denver. Moi, les mots, ç'a jamais été trop mon truc. Avant de devenir barman, j'ai beaucoup travaillé avec mes mains. Construction, maçonnerie, charpente. J'ai fait un peu dans la poterie, jusqu'au moment où j'ai compris que j'allais finir par crever de faim. J'ai atterri ici à cause de Walt. Je l'avais rencontré dans le Mississippi, vous imaginez ? Dans une putain de gare d'autocars, vous vous rendez compte ? On a commencé à parler, on a fait tout le chemin jusqu'en Louisiane ensemble, et quelques mois plus tard on s'est parachutés ici. (Son regard abandonna le plafond pour revenir sur moi.) C'est dingue. C'était il y a presque dix ans, et tout ce qui me reste aujourd'hui, c'est ce trou à rats.

— Votre vie est loin d'être terminée, PJ, lui dis-je avec gentillesse.

— Ouais... c'est ça, répondit-il en fermant les yeux, le visage tourné vers le plafond.

— Et où est Walt maintenant ?

— À Lauderdale, aux dernières nouvelles.

— Je suis désolée.

— Ce sont des choses qui arrivent, qu'est-ce que vous voulez y faire ?

Il y eut un moment de silence et je décidai de tenter ma chance :

— Beryl travaillait à l'écriture d'un livre durant son séjour ici.

— Ouais. Quand elle était pas en train de traîner avec nous, elle bossait sur ce foutu bouquin.

— Il a disparu, déclarai-je.

Il ne répondit pas.

— Il intéresse énormément le prétendu détective privé que vous avez évoqué tout à l'heure, sans compter pas mal d'autres personnes. Mais vous savez déjà cela, n'est-ce pas ?

Il demeura muet, les paupières closes.

— PJ... Vous n'avez aucune raison de me faire confiance, mais je souhaite juste que vous m'écoutiez, poursuivis-je à voix basse. Je dois retrouver ce manuscrit, celui sur lequel travaillait Beryl. Je ne pense pas qu'elle l'ait ramené à Richmond lorsqu'elle a quitté Key West. Pouvez-vous m'aider ?

Il ouvrit les yeux et me fixa d'un air interrogateur.

— Docteur Scarpetta, avec tout le respect que je vous dois, en supposant que je sache quoi que ce soit, pourquoi je ferais ça ? Pourquoi je trahirais ma parole ?

— Vous lui avez promis de ne jamais dire où il se trouvait ?

— Ç'a aucune importance. En plus, j'ai posé la question le premier.

Penchant la tête, je détaillai à mes pieds le crasseux tapis à longs poils jaune d'or et je pris une profonde inspiration.

— Il n'existe aucune raison pour que vous renonciez à la promesse faite à une amie, PJ.

— Foutaises. Vous ne me le demanderiez pas s'il n'existait pas une bonne raison.

— Beryl vous avait-elle parlé de lui ? demandai-je.

— Vous voulez dire l'enfoiré qui la harcelait ?

— Oui.

— Ouais, j'étais au courant. (Il se leva brusquement.) Je ne sais pas ce que vous en pensez, mais moi, j'ai besoin d'une bière.

— Avec plaisir, acquiesçai-je, convaincue qu'il était important que je fasse honneur à son sens de l'hospitalité. Pourtant ma raison me dictait le contraire, les effets du rhum tardant à se dissiper.

Il revint de la cuisine et me tendit une bouteille de Corona dégoulinante de buée glacée, une rondelle de citron flottant dans le long goulot. Elle était délicieuse.

PJ se rassit et poursuivit :

— Straw, enfin Beryl, autant l'appeler Beryl, avait une trouille bleue. J'veux dire, pour être franc, quand j'ai appris ce qui s'était passé, ça m'a pas vraiment surpris. J'veux dire, ça m'a défoncé, mais pas étonné. Je lui avais proposé de rester ici, je lui avais dit qu'on s'en tapait, du loyer, tout ça. Vous voyez, Walt et moi, c'est bizarre, mais c'en était au point où elle était comme notre sœur. À moi aussi cet enfoiré de merde a foutu la vie en l'air.

— Je vous demande pardon ? demandai-je, surprise par sa colère soudaine.

— C'est à ce moment-là que Walt est parti. C'est après qu'on a appris pour Beryl. Je ne sais pas, ça l'a changé, Walt a changé. J'veux dire, c'est pas sûr que ce qui est arrivé à Beryl soit la seule raison, on avait nos problèmes, mais ça lui a fait quelque chose. Il est devenu distant, il voulait plus parler. Et puis un matin il s'est cassé. Comme ça, juste parti.

— Quand était-ce ? Il y a quelques semaines, quand vous l'avez appris de la police, quand ils sont venus chez Louie's ?

Il hocha la tête.

— À moi aussi il a foutu la vie en l'air, PJ. Complètement.

— Comment ça ? Merde, à part vous causer un tas d'embêtements, qu'est-ce que ça a pu foutre en l'air ?

Il me sembla que je ne parviendrais jamais à articuler la phrase suivante :

— Je revis le cauchemar de Beryl...

Il avala une gorgée de bière, me scrutant d'un regard aigu.

— ... Au fond, je crois que moi aussi, je suis en train de tenter de fuir – et pour la même raison qu'elle.

— Merde, vous me prenez le chou, dit-il en secouant la tête. De quoi est-ce que vous parlez ?

— Avez-vous vu ce matin le cliché en première page

de l'*Herald* ? La photo d'une voiture de police en flammes à Richmond ?

— Ouais, ça me dit vaguement quelque chose, répondit-il, perplexe.

— C'était devant chez moi, PJ. L'enquêteur à qui elle appartenait était chez moi, nous discutions quand l'incendie s'est déclaré. Et il ne s'agissait pas du premier incident. Voyez-vous, il me harcèle aussi.

— Mais qui ça, bordel ?

Pourtant il savait à qui je faisais allusion, j'en étais convaincue.

— L'homme qui a assassiné Beryl, formulai-je avec difficulté. L'homme qui a ensuite massacré son mentor, Cary Harper. Peut-être vous avait-elle parlé de lui ?

— Des tas de fois. Merde, je peux pas y croire.

— Je vous en prie, aidez-moi, PJ.

— Mais je sais pas comment !

Une soudaine agitation le fit bondir de son siège et il arpenta nerveusement la pièce.

— Pourquoi est-ce que ce porc s'en prendrait à vous ?

— Il souffre d'un délire de jalousie, il est obsessionnel. C'est un paranoïaque schizoïde. De toute évidence, il hait tous ceux qui ont un lien avec Beryl. *Je ne sais pas pourquoi,* PJ. Mais je dois découvrir son identité, je dois le trouver.

— Bon sang, mais j'ai aucune idée de qui ça peut être, ni d'où il se planque. Si je savais, je lui mettrais la main dessus et je lui défoncerais la tête !

— PJ, j'ai besoin du manuscrit.

— Bordel, qu'est-ce que son manuscrit a à voir avec ça ? protesta-t-il.

Je lui racontai donc. Je lui racontai Cary Harper et sa chaîne. Je lui racontai les coups de téléphone et les fibres, sans omettre l'autobiographie de Beryl, que l'on m'avait accusée d'avoir dérobée. Je lui dévoilai tout ce qui me vint à l'esprit en rapport avec les affaires, et au fur et à mesure des mots la peur m'étreignait. Jamais, pas une seule fois, je n'avais discuté des détails d'un dossier avec quelqu'un d'autre que les enquêteurs ou attorneys concernés. Lorsque j'eus terminé, PJ quitta la pièce sans une parole. Il revint avec un sac à dos militaire qu'il déposa sur mes genoux.

— Tenez. J'avais juré devant Dieu de jamais faire ça. Pardonne-moi, Beryl. Je suis désolé.

Soulevant le rabat de toile, je tirai avec précaution près d'un millier de pages tapées à la machine et gribouillées de notes manuscrites, ainsi que quatre disquettes informatiques, le tout serré à l'aide d'épais élastiques.

— Elle nous a demandé de jamais le confier à personne s'il lui arrivait quelque chose. Je lui avais promis.

— Merci, Peter. Dieu vous bénisse.

Je lui posai une dernière question :

— Beryl a-t-elle jamais fait allusion à quelqu'un qu'elle avait baptisé d'une initiale : « M » ?

Il demeura immobile, fixant sa bouteille de bière. J'insistai :

— Savez-vous qui est cette personne ?

— Moi, répondit-il.

— Pardon ?

— « M » pour « Moi ». Ces lettres, c'était à elle qu'elle les écrivait.

— Les deux lettres que nous avons trouvées sur le sol de sa chambre après le meurtre, celles qui parlaient de Walt et vous, étaient adressées à « M ».

— Je sais, dit-il en fermant les yeux.

— Comment cela ?

— Je l'ai su quand vous avez parlé de Zoulou et des

chats. J'ai su que vous aviez lu les lettres. C'est à ce moment-là que j'ai compris que vous étiez bien qui vous prétendiez être, j'veux dire... que vous étiez O.K.

— Alors, vous les aviez lues ? demandai-je, abasourdie.

Il acquiesça d'un hochement de tête. Je murmurai :

— Nous n'avons jamais retrouvé les originaux. Il s'agissait de photocopies.

Il prit une profonde inspiration dans l'espoir de se calmer.

— Parce qu'elle a tout brûlé, expliqua-t-il.

— Mais pas son manuscrit.

— Non. Elle m'a dit que s'il était encore là, à sa poursuite, elle ne savait pas ce qu'elle ferait, où elle irait. Qu'elle m'appellerait plus tard pour que je le lui expédie. Si jamais j'avais pas de ses nouvelles, je devais le garder, le confier à personne. Mais elle n'a jamais appelé. Bordel de merde, jamais, répéta-t-il en détournant le visage pour essuyer ses larmes. Vous comprenez, le livre représentait son espoir, celui d'être encore en vie.

Sa voix s'étrangla lorsqu'il ajouta :

— Elle a jamais cessé d'espérer que les choses s'arrangeraient.

— Qu'a-t-elle brûlé au juste, PJ ?

— Son journal. Je suppose que c'est comme ça qu'on pourrait le baptiser. Des lettres qu'elle s'était adressées à elle-même. Elle disait que c'était sa thérapie et qu'elle voulait que personne les lise. Elles étaient très intimes, ses pensées les plus secrètes. La veille du jour où elle est partie, elle les a toutes brûlées, à l'exception de deux.

Je chuchotai presque :

— Les deux que j'ai vues. Pourquoi ? Pourquoi n'a-t-elle pas brûlé ces deux-là ?

— Elle voulait qu'on les garde, Walt et moi.
— Comme souvenir ?
— Ouais, dit-il en attrapant sa bière et en essuyant ses larmes d'un geste presque brutal. Une part d'elle-même, une trace de ses pensées pendant son séjour. La veille de son départ, quand elle a tout brûlé, elle est allée photocopier juste ces deux-là. Elle a gardé les copies et nous a donné les originaux, elle a dit que c'était comme un contrat qui nous liait tous les trois. Ouais, c'est ce qu'elle a dit. Aussi longtemps qu'on gardait les lettres, on serait toujours réunis en pensée, tous les trois.

PJ me raccompagna sur le pas de sa porte. Je me retournai et l'étreignis pour le remercier.

Je repris le chemin de l'hôtel tandis que le soleil se couchait. Les palmiers se détachaient sur un ruban de feu qui gagnait le ciel comme un incendie. Une foule bruyante se jetait à l'assaut des bars qui ponctuaient Duval Street. L'air enchanteur vibrait de musique, de rires et de lumières. Le sac à dos militaire jeté sur mon épaule, je marchais d'un pas alerte. Pour la première fois depuis des semaines, j'étais heureuse, presque euphorique. Cependant je ne m'attendais certainement pas à ce que j'allais découvrir dans ma chambre d'hôtel.

16

Je ne me souvenais pas d'avoir laissé la lumière allumée et conclus, sans chercher plus loin, que la femme de chambre avait dû oublier d'éteindre les lampes après être passée changer le linge et vider les cendriers. Je refermai la porte à clé, dépassai la salle de bains en chantonnant lorsque je réalisai brutalement que je n'étais pas seule.

Mark était installé près de la fenêtre, une serviette ouverte par terre au pied de sa chaise. Durant la seconde d'hésitation où j'hésitai entre la fuite et la confrontation, nos regards se croisèrent et une vague de terreur comme un coup de poing me heurta de plein fouet.

Livide, vêtu d'un costume gris beaucoup trop épais, il semblait à peine débarqué de l'aéroport. Son bagage était posé contre le lit. Je songeai à ce que renfermait le sac à dos. Sparacino l'avait expédié jusqu'ici ! Mon Ruger se trouvait au fond de mon sac, mais inutile de me leurrer, j'étais incapable de pointer une arme sur Mark James, et encore moins d'appuyer sur la détente.

— Comment es-tu entré ? attaquai-je d'une voix sourde, figée devant lui.

— Je suis ton mari, expliqua-t-il en extrayant de sa poche une clé de ma chambre.

— Espèce de salaud, chuchotai-je, le cœur battant.

Il blêmit et détourna le regard.

— Kay...

— Mon Dieu, tu es un vrai salaud !

— Kay, je suis là à la demande de Benton Wesley. Je t'en prie.

Il se leva. Muette de stupéfaction, je le regardai sortir une flasque de whisky de sa valise. Il se dirigea vers le bar et remplit deux verres de glaçons. Ses gestes étaient lents, réfléchis, comme s'il faisait de son mieux pour ne pas me déstabiliser davantage en dépit de son évident épuisement.

— Tu as faim ? demanda-t-il en me tendant un verre.

Je passai devant lui et laissai tomber sans cérémonie mon sac à main et le sac à dos sur le dessus de la commode.

— Moi, oui, je meurs de faim, déclara-t-il en déboutonnant son col de chemise et desserrant sa cravate. Bon sang, j'ai dû changer d'avion quatre fois. Je n'ai rien mangé d'autre que des cacahuètes depuis ce matin.

Je me murai dans le silence.

— J'ai commandé pour nous deux, continua-t-il tranquillement. Le temps que le repas arrive, tu seras prête à manger.

Je m'avançai vers la fenêtre, d'où je contemplai les nuages gris-rouge au-dessus des lumières du vieux quartier de Key West. Mark tira une chaise, ôta ses chaussures et posa les pieds sur le bord du lit.

— Dis-moi quand tu seras prête à entendre mes explications, lâcha-t-il en faisant tournoyer ses glaçons dans son verre.

— Je n'ai nulle intention de croire un mot de toi, répondis-je d'un ton froid.

— C'est de bonne guerre. Je suis payé pour mentir et je suis devenu incroyablement doué à ce jeu.

— Oui, indiscutablement doué, répétai-je en écho. Comment m'as-tu trouvée ? Je ne crois pas que Benton t'envoie. Il ignore où je suis descendue, et il doit bien y avoir cinquante hôtels sur l'île, sans compter autant de pensions.

— Tu as raison, on ne doit pas être loin de ce nombre, mais il m'a suffi d'un seul coup de téléphone pour te localiser.

Je me laissai tomber sur le lit, vaincue.

Il tira un dépliant de la poche intérieure de sa veste et me le tendit :

— Ça te rappelle quelque chose ?

Il s'agissait de la même brochure touristique que celle que Marino avait découverte dans la chambre de Beryl et dont une photocopie avait rejoint son dossier. Le même petit guide que j'avais épluché un nombre incalculable de fois, pour m'en souvenir l'avant-veille, lorsque j'avais décidé de m'enfuir à Key West. Sur un côté s'étalait une liste de restaurants, de lieux d'excursion et de magasins, sur l'autre un plan de rues coincé entre des annonces publicitaires, dont une pour cet hôtel, ce qui m'avait donné l'idée de m'y rendre.

— Au bout de plusieurs tentatives infructueuses, Benton a réussi à me joindre hier, continua-t-il. Il était très inquiet, m'a dit que tu étais partie pour Key West. Nous avons tenté de retrouver ta piste. Les documents dont il dispose comportent apparemment une photocopie du dépliant retrouvé chez Beryl. Il en a conclu que tu l'avais aussi étudié, peut-être même fait une copie pour ton propre dossier. Nous avons pensé que tu t'en servirais comme guide.

Je lui rendis la brochure en lui demandant :

— Où t'es-tu procuré celle-ci ?

— À l'aéroport. Il se trouve que cet hôtel est le seul indiqué. C'est le premier endroit que j'ai appelé. Il y avait une réservation à ton nom.

— D'accord, je ne ferais pas une très bonne fugitive.

— Une très mauvaise.

L'irritation me gagnait.

— Je l'admets, c'est bien ainsi que j'ai choisi mon hôtel. J'ai passé en revue les papiers de Beryl tant de fois ! Je me suis souvenue du petit guide, de la publicité pour un Holiday Inn sur Duval Street. Je suppose que cela m'a marquée parce que je me suis demandé si elle y était descendue à son arrivée à Key West.

— Et c'était le cas ? demanda-t-il en portant le verre à ses lèvres.

— Non.

Il se leva pour nous resservir. Au même instant, on frappa à la porte, et le souffle me fit défaut lorsque je vis Mark sortir avec désinvolture de l'arrière de sa veste un pistolet 9 mm. L'arme au poing, il vérifia par l'œilleton de la porte, puis la rangea dans sa ceinture et ouvrit. C'était notre dîner. Lorsque Mark paya la jeune femme en liquide, elle lui fit un grand sourire et le remercia :

— Merci, monsieur Scarpetta. Bon appétit !

— Pourquoi t'es-tu présenté comme mon mari ? demandai-je d'un ton impérieux.

— Je dormirai par terre, mais il est hors de question que tu restes toute seule, répondit-il en posant les assiettes recouvertes de leurs cloches sur la table poussée près de la fenêtre, puis en débouchant la bouteille de vin.

Il retira ensuite sa veste, qu'il jeta sur le lit, et posa son pistolet sur la commode, non loin du sac à dos, à portée de main.

J'attendis qu'il se soit attablé avant de l'interroger sur son arme.

— Un bien vilain petit monstre, mais sans doute ma seule amie, répliqua-t-il en découpant sa viande. À ce propos, je suppose que tu as pris ton 38. Il est dans ton sac à dos ? s'enquit-il en lui jetant un coup d'œil.

— Pour ton information, il est dans mon sac à main, m'exclamai-je de façon assez crétine. Et d'abord, comment sais-tu que j'ai un 38 ?

— Par Benton. Il m'a aussi confié que tu avais un permis de port d'arme depuis peu et qu'il pensait que tu trimballais ton arme en permanence ces temps-ci. Pas mauvais, ajouta-t-il en goûtant le vin.

— Benton t'aurait-il également communiqué ma taille de vêtements ? demandai-je d'un ton aigre en m'obligeant à avaler alors que mon estomac se rebellait contre chaque bouchée.

— Non, cela, c'était inutile, tu portes toujours du 38 ? Tu es toujours aussi belle que lorsque nous étions à Georgetown. Davantage, même.

— J'apprécierais beaucoup que tu cesses de jouer les salopards arrogants et que tu m'expliques comment tu as déniché le nom de Benton Wesley, et encore plus comment tu as eu l'insigne privilège d'autant de tête-à-tête avec lui à mon sujet !

— Kay, dit-il en posant sa fourchette et en affrontant mon regard furibond. Je connais Benton depuis plus longtemps que toi. Tu n'as pas encore compris ? Il faut que je te fasse un dessin ?

— Oui, un bon gros dessin, Mark, parce que je ne sais plus que croire. J'ignore qui tu es au juste devenu. Je ne te fais aucune confiance, et à cet instant précis tu me colles une peur bleue.

Il s'adossa à sa chaise, le visage plus sérieux que je ne l'avais jamais vu.

— Kay, je suis désolé que tu aies peur de moi. Désolé que tu ne me fasses pas confiance. Cela étant, c'est parfaitement logique : très peu de gens ont une idée juste de qui je suis, et il y a des moments où je n'en suis pas sûr moi-même. Je ne pouvais pas te le dire avant, mais c'est fini. Benton a été mon prof à l'Académie, bien avant que tu ne fasses sa connaissance, déclara-t-il après un silence.

— Tu es un *agent* du FBI ? soufflai-je, incrédule.

— En effet.

L'esprit en déroute, je criai presque :

— Non. Non ! Cette fois-ci je ne te crois plus !

Il se leva sans un mot, se dirigea vers le téléphone près du lit et composa un numéro avant de me fixer.

— Approche.

J'obtempérai et il me tendit le combiné.

— Allô ?

Je reconnus immédiatement sa voix :

— Benton ?

— Kay ? Tout va bien ?

— Mark est là, il m'a trouvée. Oui, Benton, tout va bien.

— Dieu merci, vous êtes entre de bonnes mains. Je suis sûr qu'il vous expliquera.

— J'en suis certaine. Merci, Benton. Au revoir.

Mark me reprit le combiné des mains et raccrocha. Nous rejoignîmes la table. Il m'observa durant de longues secondes avant de reprendre la parole :

— J'ai lâché mon métier d'avocat après la mort de Janet. Je ne sais toujours pas très bien pourquoi, Kay... mais quelle importance ? J'ai travaillé un moment sur le terrain, à Detroit, avant de devenir un agent d'infiltration. Tout ce qui concerne mon travail pour Orndorff & Berger était un stratagème.

— Tu ne vas pas me dire que Sparacino travaille lui aussi pour les fédéraux, dis-je en tremblant.

— Ah, ça, non, répondit-il sans me regarder.

— Dans quoi est-il impliqué, Mark ?

— Disons que ses infractions les plus mineures consistent à avoir trompé Beryl Madison, avoir falsifié ses relevés de droits d'auteur, comme il l'a fait pour d'autres clients. Comme je te l'ai déjà dit, il la manipulait, jouant Beryl contre Cary Harper pour monter un gros coup de communication. Il est coutumier du fait.

— Ce que tu m'as raconté à New York était donc vrai.

— Pas tout, loin de là, mais je ne pouvais pas lâcher l'intégralité de nos informations.

— Sparacino savait-il que je venais à New York ?

La question me tourmentait depuis des semaines.

— Oui. J'ai tout monté, en apparence pour pouvoir t'extorquer des informations et te convaincre de lui parler. Il savait que tu n'accepterais jamais de le rencontrer. Je me suis donc proposé afin de t'amener jusqu'à lui.

— Seigneur, murmurai-je.

— Je pensais tout maîtriser. Ce n'est que lorsque nous sommes arrivés au restaurant que j'ai compris qu'il se méfiait de moi. C'est là que j'ai réalisé que tout foirait, continua-t-il.

— Pourquoi ?

— Parce qu'il me faisait suivre. Je sais depuis longtemps que le rejeton de Partin est un des espions de Sparacino. C'est comme cela qu'il paie son loyer, en attendant des seconds rôles dans des feuilletons ou des publicités pour sous-vêtements. De toute évidence, Sparacino commençait à entretenir des soupçons à mon égard.

— Mais pourquoi envoyer Partin ? Il n'a pas pensé que tu pourrais le reconnaître ?

— Sparacino ignore que je suis au courant du rôle que joue Partin. Quand je l'ai reconnu au restaurant, j'ai compris que Sparacino l'avait délégué pour s'assurer que je te rencontrais bien, pour me surveiller, tout comme il avait expédié le soi-disant Jeb Price pour mettre ton bureau à sac.

— Tu veux dire que Jeb Price est lui aussi un acteur en mal de cachets ?

— Non. Nous l'avons arrêté la semaine dernière dans le New Jersey. Il n'embêtera plus personne avant un moment.

— Et je suppose que ta rencontre avec Diesner à Chicago était également un mensonge ?

— L'homme est une légende vivante, mais je ne l'ai jamais rencontré.

Je fis un effort prodigieux pour ravaler les larmes qui me montaient aux yeux.

— Faut-il en conclure que ta visite chez moi à Richmond était elle aussi une ruse ?

Il remplit de nouveau nos verres et répondit :

— Je ne venais pas de Washington en voiture, j'arrivais de New York par avion. Sparacino m'a envoyé te cuisiner, découvrir le maximum de détails au sujet du meurtre de Beryl.

J'avalai mon vin à petites gorgées, sans proférer un son, tentant de recouvrer mon sang-froid.

— Sparacino est-il d'une façon ou d'une autre impliqué dans l'assassinat de Beryl ? demandai-je enfin.

— J'avoue qu'au début cela m'a préoccupé. À défaut d'autre chose, je me suis demandé si les petits jeux de Sparacino avec Harper n'étaient pas allés trop loin, si Harper n'avait pas perdu la tête et tué Beryl. Mais, ensuite, Harper a été assassiné et je n'ai rien découvert qui puisse me faire penser que Sparacino ait un lien avec ces meurtres. Selon moi, il voulait que j'en déniche le plus possible sur le décès de Beryl uniquement parce qu'il est paranoïaque.

— La police ayant passé le bureau de la jeune femme au peigne fin, craignait-il que l'on découvre qu'il trafiquait ses relevés de droits ?

— Peut-être. Ce qui est certain, c'est qu'il veut mettre la main sur le manuscrit, quelle que soit sa valeur objective. Cela mis à part, je n'en sais pas plus.

— Et sa plainte, la vendetta dans laquelle il s'est lancé contre l'attorney général ?

— Ça lui rapporte une publicité d'enfer. Et Sparacino méprise Ethridge, il serait ravi de pouvoir l'humilier ou même lui faire perdre son poste.

— Scott Partin est venu à Key West, il n'y a pas très longtemps, poser des questions sur Beryl.

— Intéressant, se contenta-t-il de répondre en avalant une bouchée de son steak.

— Depuis combien de temps es-tu en cheville avec Sparacino ?

— Plus de deux ans.

— Doux Jésus !

— Le Bureau a monté l'opération avec grand soin. On m'a expédié dans le milieu sous le nom de Paul Barker, un avocat qui cherchait du travail, décidé à devenir très riche, et très vite. J'ai fait tout ce qui était nécessaire pour que Sparacino s'intéresse à moi. Bien sûr, il a mené sa petite enquête, et quand il a découvert que certains détails ne concordaient pas, il m'a sommé de m'expliquer. J'ai reconnu que je vivais sous un nom d'emprunt et que je bénéficiais du plan fédéral de protection des témoins. L'histoire est complexe et difficile à expliquer, mais Sparacino s'est progressivement convaincu que, dans une vie antérieure, j'avais été impliqué dans des activités illégales à Tallahassee, que je m'étais fait coincer et que les fédéraux m'avaient récompensé pour mon témoignage en m'offrant une nouvelle identité et un passé vierge.

— As-tu été impliqué dans des activités illégales ?

— Non.

— Ce n'est pas l'avis d'Ethridge. Il est certain que tu as fait de la prison.

— Cela ne me surprend pas. Les *marshals* fédéraux se montrent très coopératifs avec le Bureau. Le Mark James que tu as connu a bien piètre figure sur le papier. Un avocat marron, rayé du barreau à la suite d'affaires louches et bouclé durant deux ans en taule.

— Les liens entre Sparacino et Orndorff & Berger font-ils aussi partie de cette mascarade ?

— Oui.

— Mais pourquoi, Mark ? Enfin, il ne peut pas s'agir que de ses sales coups publicitaires.

— Nous sommes convaincus qu'il blanchit de l'argent pour la Mafia, l'argent du trafic de drogue. Il est fort probable aussi qu'il entretienne des liens avec le crime organisé qui dirige certains casinos. Le réseau est incroyable, il implique des politiciens, des juges, des attorneys. Nous le savons depuis un moment, mais la tâche est dangereuse. On marche sur un fil ténu lorsqu'un pan du système judiciaire criminel s'attaque à un autre. Il nous fallait des preuves de culpabilité recevables devant les tribunaux, et c'est ce qui explique ma mission de sous-marin. Mais plus je creusais, plus j'en découvrais. Les trois mois d'infiltration se sont transformés en six mois, puis en années.

— Je ne comprends pas. Son cabinet est parfaitement légal, Mark.

— New York est un petit royaume sur lequel règne Sparacino. Il a du pouvoir. Orndorff & Berger ne connaît qu'une frange de ce qu'il fait. Je n'ai jamais travaillé pour le cabinet, ils ignorent même mon nom.

— Mais Sparacino te connaît, lui, insistai-je. Je l'ai entendu t'appeler Mark.

— En effet, il est au courant de ma véritable identité. Le Bureau s'est montré très consciencieux dans la réécriture de ma vie, je te l'ai dit. Ils ont accompli un sacré boulot, essaimé une multitude de documents concernant mon passé. Tu ne reconnaîtrais pas le Mark James que tu as connu si tu les parcourais. Qui plus est, tu l'apprécierais encore moins.

Le visage sévère, il marqua une pause avant de reprendre :

— Sparacino et moi nous étions entendus. En ta présence, il s'adresserait à moi en utilisant mon vrai prénom. Le reste du temps, j'étais Paul. Je travaillais pour lui. J'ai vécu pendant un moment chez lui, en compagnie de sa famille. J'étais son fils loyal, en tout cas il en était convaincu.

Je confessai :

— Je sais qu'Orndorff & Berger n'a jamais entendu parler de toi. J'ai essayé de t'appeler aux cabinets de New York et de Chicago. Personne ne voyait de qui je voulais parler. J'ai appelé Diesner, même son de cloche. Je ne fais peut-être pas une très bonne fugitive, mais tu n'es pas non plus un espion de haut vol.

Il tarda à s'expliquer :

— Le Bureau a dû me rapatrier, Kay. Tu as déboulé dans cette histoire et j'ai pris beaucoup de risques. Je me suis impliqué émotionnellement, parce que tu étais mêlée à tout cela, et je me suis conduit de façon stupide.

— Comment suis-je censée répondre à cela ?

— Savoure ton vin et regarde la lune se lever sur Key West. C'est la meilleure façon d'y répondre.

— Mais il reste un point très important que je ne comprends pas, Mark, déclarai-je alors que, de nouveau, j'étais totalement fascinée.

— Il y a sans aucun doute beaucoup de points que tu ne comprends pas, que tu ne comprendras jamais, Kay. Quinze ans nous séparent et une seule soirée ne suffira pas à les combler.

— Tu dis que Sparacino t'a envoyé afin de me tirer les vers du nez. Comment savait-il que tu me connaissais ? Tu l'as mis au courant ?

— Juste après que nous avons appris la mort de Beryl, il a mentionné ton nom dans la conversation. Il a précisé que tu étais le médecin expert général de Virginie. J'ai paniqué, je ne voulais pas qu'il s'en prenne à toi. J'ai décidé qu'il valait mieux que ce soit moi qui m'y colle.

— J'apprécie ton attitude chevaleresque, remarquai-je non sans ironie.

— Et tu fais bien, rétorqua-t-il en me fixant. Je lui ai dit que nous avions eu une liaison... dans une vie antérieure. Je voulais qu'il te lâche, qu'il me charge de m'occuper de toi, et c'est ce qu'il a fait.

— Et c'est tout ?

— J'aimerais le croire, mais j'ai bien peur que mes raisons n'aient pas été entièrement dénuées d'arrière-pensées.

— Lesquelles ?

— Au fond, la perspective de te revoir m'a séduit.

— Tu l'as déjà prétendu.

— Je ne mentais pas.

— Et à cet instant es-tu en train de me mentir ?

— Je te jure devant Dieu que non.

Je réalisai soudain que je portais toujours mon polo et mon short. Ma coiffure virait au cauchemar et j'avais la peau moite. Je quittai la table en le priant de m'excuser et gagnai la salle de bains. J'en sortis une demi-heure plus tard, enveloppée dans mon peignoir favori. Mark dormait à poings fermés sur mon lit.

Lorsque je m'assis sur le bord du lit, il grogna et ouvrit les yeux.

— Sparacino est un homme très dangereux, dis-je en caressant lentement ses cheveux.

— Aucun doute là-dessus, renchérit-il d'un ton ensommeillé.

— Il a envoyé Partin. Je ne parviens pas à comprendre comment il a appris que Beryl s'était terrée à Key West.

— Mais parce qu'elle l'a appelé d'ici, Kay. Il le sait depuis le début.

Je hochai la tête, guère surprise. Beryl avait peut-être dépendu de Sparacino jusqu'à sa fin tragique, mais sans doute commençait-elle à se méfier de lui. Sinon, c'est à lui qu'elle aurait confié son manuscrit et pas à un barman surnommé PJ.

— Que ferait-il s'il savait que tu es là ? Que ferait Sparacino s'il apprenait que nous sommes ensemble dans cette pièce et que nous échangeons cette conversation ?

— Il serait vert de jalousie.

— Je ne plaisante pas.

— Il nous ferait sans doute descendre, si toutefois il pensait pouvoir s'en tirer sans trop de dommages.

— Et le pourrait-il, Mark ?

Il m'attira contre lui et souffla dans mon cou :

— Bordel, non !

Le soleil nous réveilla le lendemain matin et, après avoir de nouveau fait l'amour, nous nous rendormîmes jusqu'à 10 heures dans les bras l'un de l'autre.

Mark alla prendre une douche et se raser, et je contemplai la journée. Le soleil n'avait jamais brillé avec une telle intensité sur la minuscule île de Key West, et jamais les couleurs n'avaient été aussi étincelantes et parfaites. Voilà, j'allais acheter un joli appartement où Mark et moi passerions le reste de notre vie à faire l'amour. J'allais grimper sur une bicyclette pour la première fois depuis mon enfance, reprendre le tennis et arrêter de fumer. J'allais me débrouiller pour m'entendre mieux avec ma famille et Lucy viendrait souvent nous rendre visite. Je deviendrais une des familières de chez Louie's et nous adopterions PJ comme ami. Je regarderais le soleil danser avec la mer, et dans mes prières se nicherait une jeune femme nommée Beryl Madison, dont l'épouvantable mort avait insufflé un nouveau sens à ma vie et m'avait réappris à aimer.

Après avoir dégusté un brunch dans la chambre, je tirai le manuscrit de Beryl du sac à dos. Mark me regarda avec stupéfaction.

— C'est bien ce que je crois ?

— Oui, tout à fait.

— Mon Dieu, où l'as-tu trouvé, Kay ? demanda-t-il en se levant.

— Elle l'avait confié à un ami.

Nous entassâmes les oreillers contre la tête de lit, le manuscrit entre nous, et je racontai à Mark ma rencontre avec PJ.

La matinée céda place à l'après-midi. Nous ne posâmes pas le pied dehors, sinon pour placer les assiettes sales devant la porte, puis les remplacer par les sandwiches et les en-cas que nous commandions à chaque fois que l'envie nous en prenait. Nous n'échangeâmes que de rares phrases pendant les heures qui suivirent, absorbés par la lecture des pages qui décrivaient la vie de Beryl Madison. Le livre était presque insoutenable, et plus d'une fois les larmes me montèrent aux yeux.

Beryl était comme un petit animal abandonné au milieu d'une tempête, et ce bel être avait été ballotté par la cruauté et l'injustice d'une vie. Sa mère était morte et son père l'avait remplacée par une marâtre dont le seul sentiment à l'égard de Beryl avait été le mépris. Incapable de supporter le monde dans lequel elle vivait, la jeune femme avait inventé son propre univers. L'écriture était sa bouée de sauvetage, un talent qu'elle avait développé pour parer à l'insupportable, comme les aveugles la musique et les sourds la peinture. Ses mots modelaient un monde que je pouvais goûter, sentir, ressentir.

Sa relation avec les Harper avait été aussi intense que malsaine. Lorsque, enfin, ils s'étaient tous installés dans ce manoir de conte de fées au bord de cette rivière si charmante qu'elle justifiait des rêves sans fin, ces trois éléments explosifs s'étaient combinés pour produire une dévastatrice tornade. Cary Harper avait acheté et restauré la maison pour Beryl, et c'était dans la chambre du haut, celle dans laquelle j'avais dormi, qu'il avait une nuit bafoué sa virginité. Elle n'avait que seize ans.

Lorsque Beryl ne s'était pas montrée au petit déjeuner le lendemain matin, Sterling Harper était montée voir ce qui se passait. Beryl sanglotait, tassée en position fœtale. Incapable d'admettre que son célèbre frère avait violé leur fille putative, Miss Harper avait affronté les démons qui se déchaînaient dans la maison, refusant de voir quoi que ce soit. Elle n'avait jamais dit un mot à

Beryl, n'avait jamais tenté de s'interposer, fermant doucement sa porte tous les soirs pour glisser dans un sommeil agité.

Semaine après semaine, Beryl avait subi les abus d'Harper. Ils s'étaient progressivement espacés, jusqu'à cesser tout à fait avec l'impuissance du lauréat du prix Pulitzer, conséquence des longues soirées alcoolisées et d'autres nombreux excès, dont la consommation de drogue. Lorsque ses royalties d'ancien auteur à succès et le reliquat de l'héritage familial n'avaient plus suffi à subvenir à ses vices, Cary Harper s'était tourné vers son ami Joseph McTigue. Celui-ci s'était démené en toute amitié, mettant à profit ses talents pour redresser les finances plus que précaires d'Harper. Il était parvenu à rendre l'auteur « non seulement solvable, mais également assez riche pour se payer le meilleur des whiskys par caisses entières et des orgies de cocaïne autant qu'il lui plaisait ».

À en croire Beryl, c'était après son départ que Miss Harper avait peint le portrait suspendu au-dessus de la cheminée dans la bibliothèque, le portrait d'une enfant à qui on avait dérobé son innocence. Qu'avait-elle en tête, le savait-elle seulement ? Tourmenter son frère toute sa vie ? Harper s'était enfoncé dans l'alcoolisme, de moins en moins capable d'écrire. Les insomnies l'avaient miné. Il avait commencé de fréquenter la Culpeper's Tavern, un rituel encouragé par sa sœur, qui passait ces heures de liberté à comploter contre lui au téléphone avec Beryl. Le coup de grâce lui avait été assené lorsque Beryl, dans un spectaculaire acte de défi, et encouragée par Sparacino, avait violé les termes du contrat qui la menottait au romancier.

C'était sa façon à elle de reprendre possession de son existence et, ainsi qu'elle l'écrivait, de « préserver la beauté de mon amie Sterling, en couchant son souvenir entre ces pages, comme dans un herbier ». Beryl avait entrepris la rédaction de son livre très peu de temps après que le cancer de Miss Harper eut été diagnostiqué. Le lien qui les unissait était immuable, leur amour réciproque et immense.

Bien entendu, le texte comportait aussi de longues digressions sur les œuvres de Beryl et sur ses sources d'inspiration. Il incluait des extraits de ses premiers travaux, et je me demandai si cela n'expliquait pas le manuscrit partiel retrouvé sur sa commode après sa mort. Difficile à dire, difficile de savoir ce qui avait traversé l'esprit de Beryl, mais il ne fallait pas être grand clerc pour comprendre que cet ouvrage était extraordinaire et tissé de révélations assez scandaleuses pour avoir effrayé Cary Harper et fait saliver Sparacino de convoitise.

Pourtant, à mesure que l'après-midi s'avançait, rien dans ces lignes ne me permettait d'entrevoir le spectre de Frankie. Le manuscrit ne comportait aucune mention de l'effroyable cauchemar qui saccagerait son existence. Me vint l'idée que Beryl avait été trop effrayée pour pouvoir l'évoquer et que, peut-être, elle avait espéré que son harceleur finirait par la laisser en paix.

Ma lecture touchait à sa fin lorsque Mark posa brusquement la main sur mon bras.

— Quoi ? demandai-je, sans parvenir à m'arracher des mots.

— Kay, regarde ça, dit-il en déposant une page sur celle que j'étais en train de lire.

L'introduction du chapitre 25, une page que j'avais déjà lue. Il me fallut un moment pour comprendre ce qui m'avait échappé. Il s'agissait d'une photocopie, très propre, pas d'un tapuscrit original, comme le reste.

— Tu ne m'avais pas dit qu'il n'existait qu'un exemplaire du texte ?

— C'est ce que je croyais, répondis-je, perplexe.

— Aurait-elle fait une photocopie et interverti involontairement deux des pages ?

— Cela pourrait être une explication logique. Mais en ce cas où se trouve le reste du document photocopié ? Il n'a pas refait surface.

— Je n'en ai aucune idée.

— Mark, es-tu sûr que Sparacino n'a pas mis la main dessus ?

— J'en doute. Dans le cas contraire, je suis à peu près certain que je l'aurais découvert. J'ai retourné son bureau pendant ses absences, chez lui aussi. En plus, selon moi, il m'aurait confié sa trouvaille, en tout cas à l'époque où il nous croyait amis.

— Nous devrions aller voir PJ.

Il s'agissait du jour de congé de PJ. Il ne se trouvait ni chez Louie's, ni chez lui. Le crépuscule tombait sur l'île lorsque nous finîmes par le dénicher chez Sloppy Joe's, alors qu'il n'était plus tout à fait sobre, loin s'en faut. Je le remorquai du bar, le tirant par le bras jusqu'à une table.

Je fis sommairement les présentations :

— Voici Mark James, un de mes amis.

PJ hocha la tête et lui adressa un toast quelque peu éméché en levant sa bouteille de bière au long col. Il cligna plusieurs fois des yeux, comme pour essayer de s'éclaircir les idées, tout en couvant d'un regard appréciateur mon séduisant compagnon, ce dont celui-ci ne parut pas conscient.

J'élevai la voix au-dessus du brouhaha qui montait de la foule et de l'orchestre :

— PJ, à propos du manuscrit de Beryl... A-t-elle fait une copie pendant son séjour ici ?

Il avala une goulée de bière, se balançant au rythme de la musique, avant de répondre :

— J'sais pas. En tout cas, si elle l'a fait, elle m'en a pas parlé.

— Mais ce serait possible ? insistai-je. Elle aurait pu le faire en même temps qu'elle a photocopié les lettres qu'elle vous destinait ?

Il haussa les épaules, le visage écarlate, les tempes dégoulinantes de sueur. PJ était plus que soûl, il était défoncé.

Je fis une nouvelle tentative. Mark demeurait de marbre.

— Avait-elle le manuscrit avec elle lorsqu'elle est allée photocopier les lettres ?

— ... *Just like Bogie and Bacall...*, chantait PJ d'une voix de baryton enrouée en accompagnement de l'orchestre, tout en battant la cadence contre le rebord de la table en écho de la foule.

— PJ ! hurlai-je.

— Bordel, mec, protesta-t-il les yeux rivés à l'estrade, c'est ma chanson préférée !

Je m'affalai sur ma chaise et attendis que PJ finisse de brailler sa chanson préférée. Profitant d'une brève interruption du spectacle, je réitérai ma question. Il engloutit le reste de sa bouteille de bière et me répondit avec une lucidité surprenante :

— Tout ce que je me rappelle, c'est que Beryl trimballait son sac à dos avec elle ce jour-là, d'accord ? C'est moi qui lui avais offert, pour qu'elle ait un truc où fourrer ses affaires. Elle est partie en direction d'un machin de photocopie, et ce qui est sûr, c'est qu'elle avait le sac. Alors, oui, ajouta-t-il en sortant ses cigarettes, peut-être que le manuscrit se trouvait dans son barda. Et elle a pu en faire une copie. Mais ce que j'veux dire, c'est qu'elle m'a laissé celui que je vous ai donné... Euh, je sais plus quand.

— Hier.

— Ouais, c'est ça, hier.

Il ferma les yeux, et recommença à battre le rythme contre la table.

— Merci, PJ.

Il ne nous prêta aucune attention lorsque nous le quittâmes. Je ne suis pas convaincue qu'il nous vit nous frayer un chemin dans le magma humain pour retrouver l'air frais de la nuit.

— Voilà ce qu'on appelle un exercice futile, remarqua Mark tandis que nous reprenions le chemin de l'hôtel.

— Peut-être. Mais il semble logique que Beryl ait photocopié le manuscrit en même temps que les lettres. Je ne la vois pas confier son manuscrit à PJ sans en garder un double.

— Moi non plus, surtout après l'avoir rencontré, lui. PJ n'est pas véritablement ce que j'appellerais un gardien de la première fiabilité !

— Eh bien, tu as tort, Mark. Je t'accorde que ce soir il était un peu à côté de ses chaussures.

— Tu veux dire qu'il est défoncé jusqu'aux oreilles, oui !

— Peut-être ma soudaine apparition à Key West a-t-elle fait remonter des choses difficiles pour lui.

— Si Beryl a bien fait une photocopie de son manuscrit et l'a ramenée avec elle à Richmond, cela implique que son meurtrier a dû la dérober, continua Mark.

— Frankie.

— Ce qui expliquerait pourquoi il s'en est pris ensuite à Cary Harper. La jalousie a incendié notre ami Frankie, l'idée d'imaginer Harper dans la chambre de Beryl l'a rendu dingue – encore plus fou. Et Beryl mentionne que Cary Harper avait l'habitude de se rendre à la Culpeper's Tavern chaque début de soirée.

— En effet.

— Si Frankie l'a lu, il savait comment remonter jusqu'à sa proie. Il a pu en déduire qu'il s'agissait du meilleur moment pour lui tomber dessus par surprise.

— Habile... Car quelle meilleure opportunité espérer : Harper rentre à moitié ivre, descend de sa voiture dans l'obscurité... au milieu de nulle part ?

— Ce qui me surprend, c'est qu'il ne s'en soit pas pris à Sterling Harper.

— Mais peut-être en avait-il l'intention, un peu plus tard.

— Tu as raison. L'occasion favorable lui a manqué, elle lui a épargné le travail.

Nos mains se joignirent et le silence s'imposa, escortant l'écho presque imperceptible de nos pas sur le trottoir et le bruissement des arbres agités par la brise. J'aurais voulu que ce moment dure toujours et redoutais les vérités que nous allions devoir affronter. Mais je ne formulai la question que lorsque nous fûmes de retour dans notre chambre, dégustant un verre de vin.

— Quelle est la suite des événements, Mark ?

— Washington, répondit-il en détournant les yeux vers la fenêtre. En fait, je pars demain. Ils doivent me débriefer et me mettre dans le bain pour la suite. Bon sang, après ?... Je n'ai aucune idée de ce que je vais faire après, lâcha-t-il dans un grand soupir.

— Et que voudrais-tu faire ?

Le regard toujours perdu dans la nuit, il expliqua :

— Je l'ignore, Kay. Dieu seul sait où ils vont m'expédier

ensuite, et je ne me fais pas d'illusions : tu ne quitteras pas Richmond.

— Non, je ne peux pas. Pas maintenant. Mon travail, c'est ma vie, Mark.

— Cela a toujours été le cas. Et sur ce point, nous nous ressemblons. Ce qui nous laisse très peu de place pour la diplomatie.

L'expression de son visage, ses paroles me faisaient tant de peine. Je savais qu'il avait raison, et lorsque je tentai de répondre, les larmes me montèrent aux yeux.

Nous nous étreignîmes et il finit par s'endormir dans mes bras. Je me dégageai avec douceur, me levai pour retourner m'asseoir près de la fenêtre. Et je demeurai là, immobile, enveloppée par la fumée de ma cigarette, tournant et retournant tant de choses dans mon esprit, jusqu'à ce que l'aube commence de rosir le ciel.

Une longue douche chaude m'apaisa, renforçant mes résolutions. Revigorée, vêtue de mon peignoir, je sortis de la moiteur tiède de la salle de bains pour trouver Mark debout, commandant le petit déjeuner.

Je m'assis à côté de lui sur le lit et annonçai d'un ton ferme :

— Je retourne à Richmond.

Il réprima une grimace de déplaisir.

— Ce n'est pas une bonne idée, Kay.

— J'ai retrouvé le manuscrit, tu t'en vas et je ne tiens pas à rester toute seule ici, à attendre que débarquent Frankie, Scott Partin ou même Sparacino en personne.

— Ils n'ont pas encore mis la main sur Frankie. C'est trop risqué, protesta-t-il. Je vais prendre des dispositions pour assurer ta protection ici ou, mieux, à Miami. Ce serait la meilleure solution. Tu pourrais ainsi passer un moment avec ta famille.

— Non.

— Kay...

— Mark, Frankie a peut-être déjà quitté Richmond. Peut-être ne le retrouveront-ils pas avant des semaines, voire même jamais. Que suis-je censée faire ? Me terrer en Floride jusqu'à la fin de mes jours ?

Il se laissa retomber contre les oreillers sans répondre.

Je pris sa main.

— Je refuse de me laisser intimider plus longtemps, je ne tolérerai pas de voir ma vie et ma carrière démolies de cette façon. Je vais appeler Marino pour qu'il vienne me chercher à l'aéroport.

Il serra ma main entre les siennes et me regarda dans les yeux.

— Rentre avec moi à Washington ou bien séjourne quelque temps à Quantico.

Je secouai la tête en signe de dénégation.

— Il ne m'arrivera rien, Mark.

— Mais ce qu'a enduré Beryl me revient sans cesse en tête, avoua-t-il en me plaquant contre lui.

Moi non plus, ces images ne me lâchaient pas.

Une fois à l'aéroport de Miami, nous nous embrassâmes une dernière fois, puis je m'éloignai d'un pas vif sans me retourner. Je ne m'éveillai que lors de l'escale de correspondance à Atlanta. Le reste du temps, je dormis comme une masse, physiquement et émotionnellement vidée.

Marino m'attendait au débarquement. Une fois n'était pas coutume : il parut sentir mon humeur et me suivit en silence, sans s'énerver, à travers le terminal. Les décorations de Noël et les monceaux de cadeaux dont regorgeaient les vitrines des magasins de l'aéroport ne firent qu'accentuer ma déprime. La perspective des fêtes et des vacances ne m'enchantait pas. Je ne savais ni quand ni comment Mark et moi pourrions nous revoir. Pour couronner le tout, Marino et moi dûmes patienter une bonne heure dans l'aire de débarquement des bagages, contemplant la balade paresseuse des valises sur le tapis roulant. Marino eut ainsi l'occasion d'y aller de sa synthèse des événements survenus durant mon absence, tandis qu'une franche mauvaise humeur me gagnait. Je finis par me résoudre à déclarer la perte de ma valise, et après l'épreuve assommante consistant à remplir un formulaire détaillé en plusieurs exemplaires, je récupérai ma voiture pour rentrer chez moi. Marino m'escortait encore une fois, me suivant à quelques mètres.

Dieu merci, la nuit sombre et pluvieuse dissimulait les ravages de mon jardin. Nous nous garâmes dans mon allée. Marino m'avait appris un peu plus tôt qu'ils n'avaient pas réussi à remonter la trace de Frankie. Il redoubla donc de précautions. Après avoir fait le tour de la propriété, aidé par le faisceau de sa puissante lampe torche, afin de s'assurer qu'aucune vitre n'avait été brisée et de l'absence de tout autre indice d'intrusion, il passa en revue en ma compagnie toute la maison, allumant dans chaque pièce, inspectant les placards et poussant même la vigilance jusqu'à regarder sous les lits.

Nous nous dirigions vers la cuisine pour prendre un café lorsque nous identifiâmes tous les deux le code que claironnait son émetteur portable :

— 2-15, 10-33...

— Merde ! s'exclama Marino en sortant l'appareil de sa poche.

10-33 équivalait à un SOS. Les messages radio résonnaient, se télescopant dans la pièce, des voitures de police répondaient aux appels dans un désordre frénétique. Un agent avait apparemment été abattu dans un supermarché, pas très loin de chez moi.

— 7-0-7, 10-33, aboya Marino au répartiteur tout en se précipitant vers la porte d'entrée. Bordel de merde ! Walters ! C'est encore un putain de môme !

Il fonça sous la pluie, jurant, et se retourna pour me lancer :

— Fermez tout à clé, Doc. Je vais envoyer deux patrouilleurs en uniforme en un rien de temps !

J'arpentai la cuisine avant de décider de m'asseoir avec le réconfort d'un verre de whisky sec. Une pluie battante tambourinait sur le toit et les fenêtres. J'avais perdu ma valise et mon 38 se trouvait dedans. L'esprit brouillé par la fatigue, j'avais oublié de mentionner ce détail à Marino. Trop effrayée pour aller me coucher, je parcourus le manuscrit de Beryl, que j'avais eu la sagesse de ranger dans mon bagage à main afin de le conserver près de moi dans l'avion. Je sirotai mon verre en attendant l'arrivée de la police.

Peu avant minuit, la sonnette de la porte d'entrée retentit et je sursautai sur ma chaise.

Je jetai un regard par l'œilleton, m'attendant à découvrir les agents que Marino m'avait promis. Au lieu de cela, je distinguai un jeune homme pâle portant un ciré sombre et une sorte de casquette d'uniforme. Le dos voûté pour se protéger des rafales de pluie, un porte-bloc serré contre lui, il avait l'air trempé et transi de froid.

— Qui est-ce ? demandai-je d'une voix forte.

— Omega Courier Service, de l'aéroport de Byrd, répondit-il. J'ai votre valise, madame.

— Merci, mon Dieu ! soupirai-je avec ferveur en déconnectant l'alarme et en ouvrant la porte.

Il posa ma valise dans le vestibule et la terreur me pétrifia lorsque je me souvins brutalement que j'avais inscrit l'adresse de mon bureau sur la déclaration de perte remplie à l'aéroport. Pas celle de mon domicile !

17

Une frange de cheveux très bruns dépassait de sa casquette et il demanda en évitant mon regard :

— Si vous vou-voulez bien signer ça, ma-madame.

Il me tendit le porte-bloc, tandis qu'un désordre de voix résonnait dans ma tête :

Ils avaient été retenus à l'aéroport parce que la compagnie avait perdu les bagages de Mr Harper...

Tu as de si beaux cheveux blonds. Ils sont naturels ou bien tu les décolores, Kay ?...

Après que le jeune employé de l'aéroport a livré les bagages...

Et aujourd'hui ils sont tous partis...

L'année dernière, nous avons eu affaire à une fibre en tout point semblable à celle-ci, lorsque Roy a été requis pour examiner des indices recueillis sur un Bœing 747...

Après que le jeune employé de l'aéroport a livré les bagages !

Je pris lentement le stylo et le porte-bloc qu'il me tendait de sa main gantée de cuir marron.

D'une voix que je ne reconnus pas moi-même, je m'entendis demander :

— Voulez-vous être assez aimable pour ouvrir ma valise ? Je ne peux pas vous signer de reçu avant d'être sûre que toutes mes affaires sont bien là.

L'espace d'un instant, la confusion se peignit sur son

visage pâle et tendu. Ses yeux s'élargirent lorsqu'il baissa la tête pour regarder mon sac. Je frappai d'un élan si brutal et rapide qu'il n'eut pas le temps de lever les mains pour parer le coup. Le rebord du porte-bloc le cueillit à la gorge et je bondis comme un animal.

J'avais atteint le salon lorsque j'entendis ses pas juste derrière moi. Je fonçai dans la cuisine, mon cœur me remontait dans la gorge. Je faillis m'étaler en glissant sur le linoléum en contournant le billot de boucher pour arracher de son socle l'extincteur suspendu au mur près du réfrigérateur. À l'instant où il fonça dans la cuisine, je lui expédiai dans les yeux un nuage suffocant de poudre sèche. Son couteau à longue lame tomba lourdement sur le sol, il s'agrippa le visage en tentant de récupérer son souffle. Je m'emparai d'un poêlon de métal abandonné sur la cuisinière pour le balancer de toutes mes forces comme une raquette de tennis, l'atteignant à l'estomac. La respiration coupée, il se plia en deux et je le frappai de nouveau, visant cette fois la tête. Le coup manqua sa cible et je sentis un cartilage se rompre sous l'impact violent du fond plat du poêlon. Je venais de lui casser le nez, et probablement quelques dents, mais cela le ralentit à peine. Il tomba à genoux, étouffé par une quinte de toux, à moitié aveuglé par la neige carbonique, mais tenta de m'agripper les chevilles d'une main, tandis qu'il tâtonnait de l'autre, à la recherche de son couteau. J'écartai l'arme d'un coup de pied, lui jetai le poêlon à la tête, avant de me ruer hors de la cuisine, ma hanche percutant un coin de la table, et me démolissant l'épaule contre le chambranle de la porte.

Secouée de sanglots, désorientée, je parvins, je ne sais comment, à repêcher mon Ruger dans ma valise et à engager deux balles dans le cylindre, une fraction de seconde avant qu'il ne me tombe dessus. L'écho de la pluie et la plainte de sa respiration sifflante résonnaient contre mes tympans. La lame était à quelques centimètres de ma gorge lorsque la troisième pression sur la détente projeta enfin le percuteur sur l'amorce. Dans une explosion assourdissante de gaz et de feu, une Silvertip lui déchira l'abdomen, le projetant au sol à plusieurs mètres de moi. Il tenta de s'asseoir, son regard vitreux fixé sur moi, le visage ensanglanté d'une pulpe rouge. Il leva faiblement son couteau, ouvrant la bouche pour parler. L'écho de la détonation sifflait encore dans mes oreilles. Je raffermis l'arme dans mes mains tremblantes et enfonçai à nouveau la détente. Une seconde balle s'enfonça dans la poitrine. L'odeur âcre de la poudre se mêlait à celle, douceâtre, du sang, et la dernière lueur de vie s'éteignit dans le regard de Frankie Aims.

Ensuite je m'écroulai en gémissant, pendant que le vent et la pluie se démenaient contre ma maison, et qu'une nappe de sang s'élargissait sur le parquet en chêne. Je sanglotai, le corps agité de tremblements, et ne parvins à me traîner que lorsque le téléphone retentit pour la cinquième fois.

— Marino. Oh, mon Dieu, Marino !

Aucun autre mot ne me vint.

Je ne remis pas les pieds à mon bureau tant que Frankie Aims n'eut pas quitté la morgue, tant que la moindre goutte de son sang ne fut pas rincée de la table d'autopsie, évacuée dans les canalisations, mêlée aux eaux fétides des égouts de la ville. Je n'éprouvais aucun remords de l'avoir tué, mon seul regret étant qu'il fût jamais né.

Marino me regarda par-dessus le déprimant monceau de paperasse qui s'entassait sur mon bureau.

— Pour l'instant, il semble que Frankie ait débarqué à Richmond il y a un an, en octobre, expliqua-t-il. En tout cas, c'est depuis ce temps-là qu'il louait sa crèche sur Redd Street. Quelques semaines plus tard, il s'est trouvé un boulot dans cette boîte, Omega. Y sont sous contrat avec l'aéroport pour livrer les bagages égarés.

Je ne fis aucun commentaire, glissant mon coupe-papier dans une nouvelle enveloppe destinée à finir comme les autres : dans la corbeille.

— Les types qui travaillent pour Omega se servent de leurs bagnoles perso. C'est là que ç'a coincé pour Frankie, en janvier dernier. Il a pété la transmission de sa Mercury Lynx 81 et il avait pas le blé pour la faire réparer. Sans voiture, pas de boulot. À mon avis, c'est à ce moment-là qu'il a dû demander un service à Al Hunt.

— Ils avaient déjà été en contact auparavant ? demandai-je d'un ton las et distrait qui traduisait assez bien l'état dans lequel je me trouvais.

— Oh, ouais, répondit-il. Pour moi, y a pas de doute, et pour Benton non plus.

— Et sur quoi basez-vous vos suppositions ?

— Pour commencer, il s'avère qu'il y a un an et demi de ça, Frankie vivait à Butler, en Pennsylvanie. On a épluché toutes les factures de téléphone du vieux Hunt sur cinq ans – il les garde soigneusement, au cas où un contrôle financier lui tomberait dessus ; eh ben, figurez-vous qu'à l'époque où Frankie était en Pennsylvanie, les Hunt ont reçu cinq coups de téléphone en PCV de Butler. L'année d'avant c'étaient des appels en PCV de Dover, dans le Delaware, et l'année encore avant y en avait une demi-douzaine passés d'Hagerstown, Maryland.

— C'était Frankie ?

— On procède encore à des vérifications, mais moi,

je soupçonne que Frankie appelait de temps en temps Al Hunt et lui a probablement raconté ce qu'il avait fait à sa mère. Ce qui explique que le gars Al ait su tant de choses. Clairvoyant, mes fesses ! Il recrachait les conversations échangées avec son malade de pote. C'est comme si plus Frankie devenait cinglé, plus il se rapprochait de Richmond. Et bingo ! Il y a un an, il atterrit dans notre bonne vieille ville, et la suite, tout le monde la connaît.

— Et la station de lavage d'Hunt ? Frankie était un client régulier ?

— D'après quelques-uns des types qui travaillent là-bas, un mec qui correspond à la description de Frankie venait de temps en temps, apparemment depuis janvier dernier. On a retrouvé chez lui des factures qui prouvent que la première semaine de février il a fait effectuer une révision complète pour la modique somme de cinq cents dollars, qu'Al Hunt lui avait probablement prêtée.

— Savez-vous si Frankie se trouvait là un jour où Beryl a amené sa voiture ?

— À mon avis, c'est ce qui s'est passé. Il la remarque la première fois quand il livre les bagages d'Harper chez Mrs McTigue, fin janvier. Et puis il la repère à nouveau, quelques semaines plus tard, quand il traîne du côté de la station pour extorquer un prêt à son pote Al Hunt. Et là, bingo, il se dit que c'est un signe. Peut-être qu'ensuite il la revoit à l'aéroport – il y passait son temps, pour y chercher des bagages égarés ou je sais pas quoi... Peut-être un jour où elle a pris l'avion pour Baltimore pour aller rejoindre Miss Harper.

— Selon vous, Frankie a-t-il également mentionné l'existence de Beryl à Hunt ?

— Aucun moyen de le savoir, mais ça m'étonnerait pas, d'autant que ça expliquerait pourquoi Hunt s'est pendu. Il se doutait de ce que son cinglé de copain allait faire à Beryl. Ensuite, c'est Harper qui se fait zigouiller. Hunt a dû culpabiliser à fond les manettes.

Je me contorsionnai avec peine sur mon siège, fouillant une pile de papiers à la recherche du tampon dateur que j'avais eu en main une seconde auparavant. Je souffrais de partout et me demandais sérieusement si je n'allais pas passer une radio de mon épaule droite. Pour ce qui concernait mon état psychologique, je n'étais pas convaincue que quiconque puisse y remédier. J'étais comme en dehors de moi-même. Je ne parvenais pas à identifier avec précision ce que je ressentais, à l'exception du fait que je ne tenais pas en place et que la tension qui m'épuisait refusait de me lâcher.

Je remarquai :

— Une partie du raisonnement fantasmatique de Frankie consistait à personnaliser ses rencontres avec Beryl, en les chargeant d'une signification profonde. Il la rencontre chez les McTigue, puis la revoit à la station de lavage et enfin à l'aéroport. C'est sans doute cette accumulation qui a fait office de déclencheur.

— Ouais. Maintenant, le cinglé est convaincu que Dieu lui parle et Il lui confirme qu'il a une relation privilégiée avec cette jolie blonde.

Rose fit son apparition à cet instant. Je récupérai le message téléphonique rose qu'elle me tendait pour l'ajouter à ma pile, avant d'ouvrir une nouvelle enveloppe.

— Quelle était la couleur de sa voiture ? demandai-je.

Le véhicule de Frankie était garé dans mon allée. Je l'avais vu lorsque la police était arrivée, alors que les pulsations rouges des gyrophares illuminaient par saccades ma résidence. Pourtant mon esprit avait alors refusé d'enregistrer la moindre information, seuls quelques détails de ces moments surnageaient.

— Bleu foncé.

— Et personne ne se souvient d'avoir vu une Mercury Lynx bleue dans le voisinage de Beryl ?

Marino secoua la tête.

— Ben, une fois la nuit tombée, tous phares éteints, la caisse attire pas vraiment l'attention.

— Exact.

— Et puis, quand il s'est explosé Harper, il a probablement planqué sa voiture à l'écart de la route et fait le reste du chemin à pied. La garniture du siège du conducteur était complètement pourrie, ajouta-t-il après un silence.

— Pardon ? demandai-je en levant les yeux de la lettre que je parcourais.

— Il l'avait recouverte d'une couverture qu'il avait dû piquer dans un avion.

— La source de la fibre orange ?

— Ils doivent encore procéder à des examens, mais c'est ce qu'on pense. La couverture a des rayures rouge orangé, et Frankie l'avait sans doute déjà installée lorsqu'il s'est rendu chez Beryl. Ça clôt ces conneries de terroristes. Un passager utilise une couverture comme celle de Frankie pendant un vol transatlantique. Le type change d'avion, et c'est comme ça qu'une fibre orange atterrit dans le zingue qu'est piraté en Grèce. Bingo ! Et un pauvre Marine finit avec le même type de fibre collée dans son sang quand il se fait descendre. Vous avez une idée du nombre de fibres qui doivent crapahuter d'un avion à un autre ?

— Je n'ose l'imaginer, acquiesçai-je tout en me demandant ce que j'avais bien pu faire pour me retrouver sur tous les fichiers de prospectus publicitaires des

États-Unis. Et cela explique aussi pourquoi Frankie trimbalait tant de fibres sur ses vêtements. Il travaillait dans la zone de transbordement des bagages. Il se déplaçait dans tout l'aéroport et a même pu monter à bord des avions. Il devait ramasser toutes sortes de résidus.

Marino remarqua :

— Les gars de chez Omega portent des chemises d'uniforme en dynel, une couleur dans le genre terre cuite.

— Intéressant.

— Vous devriez le savoir, Doc, dit-il en m'observant avec attention. Il en portait une quand vous l'avez descendu.

Je ne m'en souvenais pas. Je ne me souvenais que de son ciré noir, de son visage, de la poudre blanche crachée par l'extincteur qui disparaissait sous son sang.

— D'accord, pour l'instant je vous suis, Marino. Mais ce que je ne comprends pas, c'est comment Frankie a obtenu le numéro de téléphone de Beryl, puisqu'elle était sur liste rouge. Comment savait-il qu'elle revenait de Key West le soir du 29 octobre ? Et comment a-t-il découvert la date de mon retour ?

— Le système informatique. Toutes les informations concernant les voyageurs, numéros de vol, numéros de téléphone, adresses personnelles, se trouvent sur l'ordinateur. Peut-être bien que Frankie bidouillait de temps en temps sur les claviers quand un comptoir était désert, genre tard dans la nuit ou le matin très tôt. Bordel, l'aéroport, c'était son foutu royaume. Impossible de savoir ce qu'il pouvait bien fabriquer, et personne faisait attention à lui. C'était pas le genre causant. Le genre qui la ferme, qui la ramène jamais et que personne remarque.

J'écrasai le tampon dateur sur son encreur desséché tout en rappelant d'un ton songeur :

— D'après son test de Stanford-Binet, il était d'une intelligence très au-dessus de la moyenne.

Marino demeura silencieux.

— Son QI avoisinait les 130.

— D'accord, d'accord, souffla-t-il avec impatience.

— C'est juste une information.

— Merde, vous prenez vraiment ces tests au sérieux, hein ?

— Ils représentent un indicateur précieux.

— Ouais, mais c'est pas l'Évangile.

— Non, en effet, acquiesçai-je.

— D'ailleurs, j'vais vous dire, je crois que j'suis assez content de pas connaître le mien.

— Vous pourriez passer le test, Marino. Il n'est jamais trop tard.

— Ben, j'espère juste qu'il est plus élevé que mon score au bowling, ça, c'est clair !

— C'est peu probable, à moins que vous ne soyez vraiment un joueur très médiocre.

— Ouais, c'est bien ce qui s'est passé la dernière fois que j'ai mis les pieds au bowling.

Je retirai mes lunettes et me frottai les yeux avec précaution. La migraine qui me serrait les tempes semblait décidée à s'incruster pour le restant de mes jours.

Marino poursuivit :

— Tout ce qu'on a pu faire comme hypothèse, Benton et moi, c'est que Frankie a dégoté le numéro de téléphone de Beryl grâce au système informatique et qu'ensuite il a surveillé ses vols. À mon avis, au mois de juillet, l'ordinateur lui a permis d'apprendre qu'elle avait pris la fuite sur le premier vol en partance pour Miami, juste après avoir découvert le cœur gravé sur sa portière.

— Et vous avez une idée de la façon dont il a vandalisé

la portière en question ? l'interrompis-je en rapprochant la corbeille à papier.

— Quand Beryl prenait l'avion pour Baltimore, elle laissait sa bagnole au parking de l'aéroport, et la dernière fois qu'elle a vu Miss Harper là-bas, c'était début juillet, moins d'une semaine avant qu'elle découvre le cœur.

— En d'autres termes, il a pu faire cela pendant que sa voiture était garée là-bas.

— Qu'est-ce que vous en pensez ?

— Cela me paraît très plausible.

— Et moi de même.

— Puis Beryl s'enfuit pour Key West, déclarai-je en repartant à l'assaut de mon courrier. Et Frankie vérifie régulièrement sur ordinateur la date de son retour. Voilà comment il a procédé.

— Le 29 octobre au soir. Et Frankie a tout prévu, c'était du gâteau. Il avait accès à la zone des bagages et je suppose qu'il a surveillé le déchargement de ceux de son vol. Il s'est emparé d'un sac qui portait une étiquette au nom de Beryl, et un peu plus tard elle a déposé une réclamation parce que son fourre-tout de cuir marron manquait.

Inutile d'ajouter que Frankie avait usé de la même manœuvre dans mon cas. Il avait surveillé mon retour de Floride, puis dérobé ma valise. Un peu plus tard, il débarquait chez moi et je lui ouvrais ma porte.

Le gouverneur m'invitait à une réception, passée d'une semaine. Fielding m'avait sans doute représentée, et je jetai le carton d'invitation à la poubelle.

Marino me fournit ensuite des détails supplémentaires au sujet de ce que la police avait découvert dans l'appartement du Northside de Frankie Aims.

Le fourre-tout de Beryl se trouvait dans la chambre de

son assassin, avec à l'intérieur le chemisier ensanglanté de la jeune femme et ses sous-vêtements. Un assortiment de magazines pornographiques violents, ainsi qu'un sac de plombs de petit calibre – ceux que Frankie avait utilisés pour emplir le tuyau avec lequel il avait massacré Cary Harper – étaient dissimulés dans une cantine faisant office de table de chevet. On y découvrit également une enveloppe renfermant un deuxième jeu de disquettes appartenant à Beryl, toujours scotchées entre deux carrés de carton rigide, ainsi que la fameuse photocopie du manuscrit, y compris la première page du chapitre 25 intervertie par mégarde avec l'original. Selon Benton Wesley, Frankie avait pour habitude de lire au lit le livre de Beryl, tout en caressant les vêtements qu'elle portait lorsqu'il l'avait tuée. Peut-être. En revanche, ce dont j'étais bien certaine, c'est que Beryl n'avait pas eu la moindre chance de s'en sortir. Frankie s'était présenté chez elle avec son fourre-tout, se disant coursier de l'aéroport. Même en admettant qu'elle ait reconnu l'employé qui avait déjà ramené les bagages de Cary Harper chez Mrs McTigue, elle n'avait aucune raison de s'alarmer – de la même façon que je n'y avais pas réfléchi avant qu'il ne soit trop tard.

— Si seulement elle ne l'avait pas fait entrer ! marmonnai-je.

Mince, cette fois mon coupe-papier avait disparu. Où était-il passé ?

— Ben, c'était logique, remarqua Marino. Frankie est là tout souriant, dans sa chemise d'uniforme et sa casquette de chez Omega, l'air vachement officiel. Il a son sac, ce qui signifie qu'il ramène aussi le manuscrit. Elle est soulagée, reconnaissante. Elle ouvre la porte, désactive l'alarme et l'invite à entrer.

— Mais pourquoi a-t-elle réactivé l'alarme, Marino ?

Moi aussi, j'ai un système d'alarme, et des livreurs passent de temps en temps. Si l'alarme est branchée quand un employé d'UPS arrive, par exemple, je la débranche et ouvre la porte. Si le livreur m'inspire confiance, je peux même l'inviter à l'intérieur, mais je ne vais pas reconnecter l'alarme pour être obligée de la déconnecter à nouveau, puis de la réactiver quand cette personne sera partie.

Marino me contempla d'un air songeur.

— Vous avez déjà bouclé vos clés de contact à l'intérieur de votre bagnole, Doc ?

— Où est le rapport ?

— Répondez à ma question.

— Cela m'est arrivé, en effet, admis-je en retrouvant mon coupe-papier, que j'avais oublié sur mes genoux.

— Et comment que c'est possible ? Dans les nouvelles voitures, ils ont plein de systèmes de sécurité pour empêcher ça, Doc.

— Tout à fait. Mais je finis par en avoir tant l'habitude que je fais les choses mécaniquement et que je me retrouve avec mes portières verrouillées, alors que mes clés sont toujours suspendues au contact.

— Ben, voyez, pour moi c'est exactement ce qui est arrivé à Beryl, continua Marino. Je pense qu'elle était complètement obsessionnelle avec ce système qu'elle avait fait installer à la suite des premières menaces. Je suis convaincu qu'il était branché en permanence, que c'était devenu une sorte de réflexe chez elle d'appuyer sur tous ces boutons une fois qu'elle avait refermé sa porte d'entrée. (Il hésita, son regard se perdant en direction de ma bibliothèque.) C'est quand même dingue. Elle laisse son foutu flingue dans la cuisine, mais elle reconnecte l'alarme juste après avoir fait entrer le mec. Ça montre à quel point elle était à côté de ses pompes, à quel point cette histoire la minait.

Je redressai un monticule de rapports de toxicologie et les déplaçai hors de ma vue, en compagnie d'une pile de certificats de décès. Un simple regard à la tour de microcassettes à transcrire, que j'avais empilées juste à côté de mon microscope, raviva sur-le-champ ma crise de découragement.

— Ah... bordel..., geignit Marino. Ça vous ennuierait de rester tranquille cinq minutes, au moins jusqu'à mon départ ? Vous me rendez dingue.

— Je suis rentrée aujourd'hui, Marino. Je ne peux pas faire autrement, regardez-moi ce bazar, dis-je en balayant mon bureau d'un geste de la main. On dirait que je suis partie depuis un an. Il va me falloir un mois pour rattraper tout ce retard.

— Oh, moi, j'vous donne jusqu'à 8 heures ce soir et je parie que tout sera redevenu normal, exactement comme avant.

— Merci bien ! pestai-je d'un ton vif.

— Vous avez une super-bonne équipe. Ils savent faire tourner cette taule quand vous êtes pas là. Où est le problème ?

— Aucun problème.

J'allumai une cigarette, déplaçant d'autres piles de papiers, à la recherche d'un cendrier. Marino le repêcha au bord de ma table de travail et le fit glisser vers moi.

— Hé, c'est pas que je veux dire que personne a besoin de vous dans le coin, me rassura-t-il.

— Nul n'est indispensable.

— Ouais, c'est ça. Je savais bien que c'était ce qui vous trottait dans la tête.

— Rien ne me trotte dans la tête ! J'éprouve simplement des difficultés à me concentrer, déclarai-je en récupérant mon agenda égaré sur l'étagère placée à ma gauche.

Rose avait biffé tous mes rendez-vous jusqu'à la fin de la semaine suivante. Ensuite, ce serait Noël. Soudain, je me sentis au bord des larmes, sans trop savoir pourquoi.

Marino se pencha pour faire tomber sa cendre et demanda d'un ton doux :

— Doc, comment c'était, le bouquin de Beryl ?

— C'était... incroyable, commençai-je, et cette fois les larmes s'accumulèrent sous mes paupières. C'est un livre qui vous bouleverse de chagrin et qui pourtant vous insuffle une telle joie.

— Ouais, eh ben, j'espère qu'il finira par être publié. Comme ça, elle continuera à vivre, si vous voyez ce que je veux dire.

— Oh, oui, je vois tout à fait, acquiesçai-je en prenant une profonde inspiration. Mark va voir ce qu'il peut faire. Je suppose qu'il faudra procéder à de nouveaux arrangements. Il est hors de question que Sparacino s'occupe encore des affaires de Beryl.

— À moins que ce ne soit de derrière les barreaux. Mark a dû vous mettre au courant pour la lettre.

— En effet.

L'une des lettres d'affaires de Sparacino à Beryl, que Marino avait retrouvée chez elle, avait revêtu une nouvelle signification après que Mark avait parcouru le manuscrit disparu :

> Comme il est intéressant que Joe ait aidé Cary, Beryl. J'en suis d'autant plus ravi qu'à l'origine c'est moi qui les ai présentés l'un à l'autre, lorsque Cary a acheté cette magnifique demeure. Non, je ne trouve pas cela le moins du monde étonnant. Joe était un des hommes les plus généreux que j'aie jamais eu le

bonheur de rencontrer. J'attendrai avec plaisir que vous me donniez plus de détails.

Ce simple paragraphe laissait entrevoir beaucoup de choses. Cela étant, sans doute Beryl l'avait-elle compris au premier degré et jugé anodin. En effet, je doutais fort que la jeune femme ait eu conscience que, en mentionnant le nom de Joseph McTigue, elle mettait les pieds dangereusement près des limites interdites protégeant le territoire illicite de Sparacino, lequel incluait de nombreuses sociétés-écrans montées par l'avocat afin de faciliter le blanchiment d'argent sale. Mark était convaincu que McTigue, avec ses considérables capitaux et ses avoirs immobiliers, trempait aussi dans les combines illégales de Sparacino. Enfin, l'assistance que McTigue avait offerte à un Cary Harper financièrement aux abois ne devait rien à un accès de générosité spontanée.

Sparacino, n'ayant pas lu le manuscrit de Beryl, avait toutes les raisons de s'inquiéter. D'involontaires révélations de la jeune femme pourraient lui porter un grave préjudice. Lorsque le manuscrit avait disparu, la frénésie avec laquelle il l'avait recherché ne devait pas qu'à sa cupidité.

— Quand Beryl est morte, il a dû penser que c'était son jour de chance, dit Marino. Vous voyez, elle est plus là pour protester pendant la préparation éditoriale du bouquin, et comme ça il pourra faire disparaître tout ce qui l'emmerde ou l'incrimine. Ensuite, il vend le manuscrit et il fait un carton. J'veux dire, tout le monde va être intéressé après tout le foin qu'il a fait auprès des médias. C'est difficile de dire où cette enflure se serait arrêtée... Il était capable de vendre des photos des macchabées des Harper à un foutu canard à scandales...

— Dieu merci, Sparacino n'a jamais récupéré les photos prises par Jeb Price.

— Quelle importance ? Après tout ce foutu foin, même moi, je me serais précipité sur ce truc, et j'peux vous dire que ça fait vingt ans que j'ai pas acheté un bouquin.

— Et c'est bien regrettable, murmurai-je. C'est merveilleux, la lecture. Vous devriez essayer de temps en temps.

Nous levâmes tous les deux la tête à l'entrée de Rose, chargée cette fois-ci d'une longue boîte blanche nouée d'un somptueux ruban rouge. Elle chercha d'un air perplexe un endroit où la poser sur mon bureau, puis, y renonçant, me la fourra dans les bras.

— Qu'est-ce que ?..., marmonnai-je, l'esprit vide.

Je repoussai ma chaise, installai sur mes genoux le cadeau inattendu et entrepris de dénouer le ruban tandis que Rose et Marino m'observaient. Deux douzaines de roses à longue tige reposaient à l'intérieur, comme des rubis enveloppés dans un papier de soie vert. Je me penchai et fermai les yeux pour savourer leur parfum, puis décachetai la petite enveloppe blanche glissée à l'intérieur. La carte disait :

> Quand les temps sont glissants... autant en profiter pour allez skier. À Aspen après Noël. Pour l'instant, le meilleur à toi, Kay. Viens me rejoindre.
>
> Je t'aime,
>
> Mark.

Achevé d'imprimer en janvier 2005
pour le compte de France Loisirs
123, bd de Grenelle, 75015 Paris
N° d'édition 42077 / N° d'impression L 67966
Dépôt légal, février 2005
Imprimé en France